A Long Way Down

Nick Hornby

A Long Way Down

Roman

Aus dem Englischen von
Clara Drechsler und Harald Hellmann

Kiepenheuer & Witsch

3. Auflage 2005
Titel der Originalausgabe:
A Long Way Down
© Nick Hornby 2005
Aus dem Englischen von
Clara Drechsler und Harald Hellmann.
© 2005 by Verlag Kiepenheuer & Witsch, Köln
Umschlaggestaltung: Rudolf Linn, Köln
Gesetzt aus der Caslon Buch regular und Futura medium
Satz: Greiner & Reichel, Köln
Druck: Druckerei C. H. Beck, Nördlingen
Bindung: Sigloch Buchbinderei, Blaufelden
ISBN 3-462-03455-3

»Das Beste gegen Unglücklichsein ist Glücklichsein,
und es ist mir egal, was die anderen sagen.«
– Elizabeth McCracken, »Niagara Falls All Over Again«

Teil 1

MARTIN

Ob ich erklären kann, warum ich von einem Hochhaus springen wollte? Selbstverständlich kann ich erklären, warum ich von einem Hochhaus springen wollte. Ich bin ja kein Vollidiot. Ich kann es erklären, weil es nicht unerklärlich ist: Es war eine logische Entscheidung, das Ergebnis reiflichen Nachdenkens. Wenn auch wieder nicht allzu ernsthaften Nachdenkens. Damit meine ich nicht, dass es eine reine Schnapsidee war – das soll bloß heißen, es war nicht so schrecklich kompliziert, dass ich lange hin und her überlegen musste. Sagen wir es mal so: Angenommen, Sie sind, tja, ich weiß nicht, stellvertretender Filialleiter einer Bank in Guildford. Sie haben mit dem Gedanken gespielt auszuwandern, und da bekommen Sie das Angebot, eine Filiale in Sydney zu leiten. Tja, auch wenn es eine klare Sache ist, müssen Sie sich das doch nochmal durch den Kopf gehen lassen, oder? Sich zumindest überlegen, ob Sie sich einen Umzug zumuten sollen, ob Sie Ihre Freunde und Arbeitskollegen missen möchten, ob Sie Ehefrau und Kinder aus ihrem vertrauten Umfeld reißen können. Vielleicht setzen Sie sich vor ein Blatt Papier und machen eine Liste mit den Pros und Contras. Sie wissen schon:

Contra – betagte Eltern, Freunde, Golfklub.

Pros – mehr Geld, höherer Lebensstandard (Haus mit Pool, Grillmöglichkeit etc.), das Meer, Sonne, keine linken Stadträte, die »Zehn kleine Negerlein« verbieten, keine EU-Richtlinien, die britische Wurst verbieten etc.

Da gibt's nicht viel zu überlegen, oder? Der Golfklub! Dass ich nicht lache. Wegen der betagten Eltern geht man natürlich einen Moment in sich, mehr aber auch nicht – einen und zudem nur einen kurzen Moment. Sie würden in weniger als zehn Minuten das Reisebüro anrufen.

9

Nun, so ging es mir. Es gab einfach nicht genügend Contras, aber dafür jede Menge guter Gründe zu springen. Das Einzige auf meiner Contra-Liste waren die Kinder, doch ich konnte mir ohnehin nicht vorstellen, dass Cindy mir je wieder erlauben würde, sie zu sehen. Ich habe keine alten Eltern und ich spiele auch nicht Golf. Selbstmord war mein Sydney. Ohne den rechtschaffenen Bürgern von Sydney zu nahe treten zu wollen, natürlich.

MAUREEN

Ich habe ihm gesagt, ich ginge zu einer Silvesterparty. Im Oktober habe ich es ihm gesagt. Ich weiß nicht, ob Leute im Oktober schon Einladungen zu Silvesterpartys verschicken. Wohl eher nicht. (Woher sollte ich das wissen? Ich bin seit 1984 auf keiner mehr gewesen. Bei June und Brian von gegenüber war eine, kurz bevor sie wegzogen. Und selbst da bin ich nur für ein Stündchen rübergegangen, nachdem er eingeschlafen war.) Aber ich konnte es nicht länger für mich behalten. Es ging mir seit Mai oder Juni durch den Kopf, und ich brannte darauf, es ihm zu erzählen. Eigentlich blöd. Er versteht mich nicht, da bin ich sicher. Sie sagen mir, ich soll auch weiter mit ihm sprechen, aber man sieht, dass nichts zu ihm durchdringt. Und was war es schon, das ich nicht erwarten konnte! Aber daran sieht man, wie oft ich mich auf etwas freuen konnte, nicht?

Kaum hatte ich es ihm gesagt, wäre ich am liebsten direkt zur Beichte gegangen. Ich hatte schließlich gelogen, nicht? Ich hatte meinen eigenen Sohn belogen. Oh, es war nur eine kleine, dumme Lüge: Ich erzählte ihm Monate im Voraus, dass ich auf eine Party gehen würde, eine Party, die ich mir ausgedacht hatte. Und zwar in allen Einzelheiten. Ich habe ihm erzählt, wessen Party es war, warum ich eingeladen war, warum ich hingehen wollte und wer sonst noch kommen würde. (Die Party war bei Brigid, Brigid aus der Kirche. Und ich war eingeladen, weil ihre Schwester aus Cork zu Besuch kam und ihre Schwester sich in einigen Briefen nach mir erkundigt hatte. Und ich wollte hingehen, weil Brigids Schwester mit ihrer Schwiegermutter in Lourdes gewesen war und ich alles darüber in Erfahrung bringen wollte, weil ich dort mit Matty auch eines Tages hin wollte.) Aber Beichten war unmöglich, weil ich wusste, dass ich bis zum Ende des Jahres bei dieser Sünde, dieser Lüge würde bleiben müssen. Nicht nur Matty gegenüber, sondern auch gegenüber den Leuten im Pflegeheim, und … Na ja, sonst gab es da eigentlich niemanden. Vielleicht jemanden aus der Kirche oder einem Geschäft. Es ist schon fast komisch, wenn man darüber nachdenkt. Wenn man Tag und Nacht damit verbringt, sich um ein krankes Kind zu kümmern, hat man kaum Zeit zu sündigen – ich habe seit ewigen Zeiten nichts getan, das zu beichten sich gelohnt hätte. Und dann geht es nahtlos mit einer so schlimmen Sünde weiter, dass ich es nicht einmal dem Pfarrer sagen konnte, weil ich nun weiterlügen musste bis zum Tag meines Todes, an dem ich die größte aller Sünden begehen würde. (Und warum ist es die größte aller Sünden? Dein ganzes Leben lang wird dir gesagt, dass du an einen wunderbaren Ort kommst, wenn du abtrittst. Und ausgerechnet das, was du tun kannst, um die Sache zu beschleunigen, ist das, wonach du auf keinen Fall mehr dort hinkommst. Ja, ich sehe ein, man drängt sich irgendwie vor. Aber wenn sich jemand am Postschalter vordrängt, murren die Leute nur. Oder sie sagen, »Entschuldigen Sie, aber ich war zuerst hier.« Sie sagen nicht, »Sie werden für alle Ewigkeit in der Hölle schmoren.« Das wäre ein bisschen stark.) Es konnte mich nicht davon abhalten, weiterhin zur Kirche zu gehen. Aber ich bin nur weiter hingegangen, weil die Leute sonst gemerkt hätten, dass etwas nicht stimmte.

Während der Termin näher und näher rückte, gab ich ihm weitere Informationen, die ich angeblich aufgeschnappt hatte. Jeden Sonntag tat ich so, als hätte ich etwas Neues in Erfahrung gebracht, denn sonntags traf ich immer Brigid. »Brigid sagt, es würde auch getanzt.« »Brigid hat Angst, dass Wein und Bier alleine nicht ausreichen, deswegen besorgt sie auch härtere Sachen.« »Brigid weiß nicht, wie viele Leute vorher schon gegessen haben werden.« Wenn Matty in der Lage gewesen wäre, irgendetwas zu verstehen, wäre er zu dem Schluss gekommen, dass diese Brigid eine Irre ist, sich wegen einem kleinen Umtrunk so anzustellen. Ich wurde jedes Mal rot, wenn ich sie in der Kirche sah. Und ich hätte natürlich gerne gewusst, was sie Silvester nun tatsächlich plante, habe aber nie gefragt. Wenn sie tatsächlich eine Party geplant hätte, hätte sie sich dann womöglich verpflichtet gefühlt, mich einzuladen.

So im Nachhinein schäme ich mich. Nicht wegen der Lügen – ans Lügen habe ich mich mittlerweile gewöhnt. Nein, ich schäme mich dafür, wie erbärmlich das alles war. An einem Sonntag ertappte ich mich dabei, dass ich Matty erzählte, wo Brigid den Schinken für die Sandwiches kaufen wollte. Aber Silvester stand mir vor Augen, natürlich tat es das, und dies war eine Art, darüber zu reden, ohne eigentlich etwas darüber zu sagen. Und ich denke, ich glaubte mit der Zeit selbst ein bisschen an diese Party, so in der Art, wie man an die Geschichte in einem Buch glaubt. Ab und zu stellte ich mir vor, was ich anziehen würde, wie viel ich trinken und wann ich gehen würde. Ob ich mit dem Taxi nach Hause fahren würde. Solche Dinge eben. Zum Schluss kam es mir vor, als wäre ich wirklich dort gewesen. Aber selbst in meiner Phantasie konnte ich mir nicht vorstellen, wie ich mit irgendwem auf der Party redete. Ich war immer ganz froh, wieder gehen zu können.

Ich war bei einer Party eins tiefer in der besetzten Wohnung. Die Party war beschissen, alles nur uralte Crusties, die auf dem Boden rumsaßen, Cider tranken, riesige Joints qualmten und sich so schrägen, abgedrehten Reggae anhörten. Punkt Mitternacht klatschte einer von denen sarkastisch, ein paar andere lachten, und das war es auch schon – Frohes Neues Jahr. Man hätte als glücklichster Mensch von ganz London zu dieser Party kommen können und hätte fünf Minuten nach zwölf auch vom Dach springen wollen. Und ich war keineswegs der glücklichste Mensch in ganz London. Versteht sich wohl von selbst.

Ich bin nur da hingegangen, weil jemand im College gesagt hatte, Chas wäre dort, war er aber nicht. Ich hab zum milliardsten Mal sein Handy angerufen, aber es war ausgeschaltet. Als wir uns gerade getrennt hatten, hat er mich als Stalker bezeichnet, aber das ist wohl eher so ein Reizwort, Stalker, oder? Ich glaube nicht, dass man von Stalking sprechen kann, wenn es nur um Anrufe, Briefe, E-Mails und An-die-Tür-klopfen geht. Und ich bin nur zweimal bei ihm auf der Arbeit aufgetaucht. Dreimal, wenn man seine Weihnachtsfeier mitzählt, was ich nicht tue, denn dahin wollte er mich sowieso mitnehmen. »Stalking« ist doch wohl, wenn man Leute beim Einkaufen oder in den Urlaub und so verfolgt, oder? Na also, ich bin nie in die Nähe von irgendeinem Geschäft gekommen. Und überhaupt kann es wohl kaum Stalking sein, wenn einem jemand eine Erklärung schuldet. Wenn einem jemand eine Erklärung schuldet, ist das so, als würde er einem Geld schulden, und ich rede nicht bloß von einem Fünfer. Eher so fünf- oder sechshundert Pfund, Minimum. Wenn einem irgendwer mindestens fünf- oder sechshundert Pfund schuldet und dieser Mensch einem aus dem Weg geht, muss man ja spätabends an seine Tür klopfen, weil man weiß, dass er dann zu Hause ist. Bei solchen Summen hört der Spaß auf. Andere wenden sich da an Geldeintreiber und brechen den Leuten die Beine, aber so weit bin ich nie gegangen. Ich hab mich bewundernswert zurückgehalten.

Also, obwohl ich gleich sah, dass er nicht auf dieser Party war, bin ich noch etwas geblieben. Wo sollte ich auch sonst hin? Ich tat mir selber Leid. Wie kann man achtzehn sein und nicht wissen, wo man Silvester hin soll, abgesehen von einer Scheißparty in einer besetzten Scheißwohnung, wo man keinen kennt? Na ja, ich hab's hingekriegt. Irgendwie krieg ich das jedes Jahr hin. Ich finde zwar schnell neue Freunde, aber irgendwann sind sie dann total genervt von mir, so viel weiß ich selber, auch wenn mir nicht klar ist, wieso. Und damit verschwinden die Leute und die Partys wieder.

Jen war total genervt von mir, so viel ist sicher. Sie ist verschwunden, genau wie alle anderen.

MARTIN

In den letzten paar Monaten hab ich mir im Internet immer wieder gerichtliche Untersuchungen von Selbstmorden rausgesucht, nur so aus Neugier. Im Bericht des Coroners steht fast immer dasselbe: »Man geht von einer Kurzschlusshandlung aus.« Und dann liest man die Geschichte von dem armen Schwein: Seine Frau schlief mit seinem besten Freund, er hatte seinen Arbeitsplatz verloren, seine Tochter war einige Monate zuvor bei einem Verkehrsunfall ums Leben gekommen ... Hallo, Mr. Coroner? Jemand zu Hause? Tut mir Leid, aber ich kann da keine Kurzschlusshandlung erkennen, guter Mann. Ich würde sagen, er ist zum richtigen Schluss gekommen. Es kommt schlimmer und schlimmer und schlimmer, bis man es nicht mehr ertragen kann, und dann geht's mit dem Familien-Kombi und einem Stück Gummischlauch ab ins nächste Parkhaus. Das ist ja wohl nur recht und billig. Da sollte doch im Bericht des Coroners stehen: »Nach reiflicher und nüchterner Bestandsaufnahme setzte er seinem gründlich verpfuschten Leben ein Ende.«

Nicht ein einziges Mal habe ich einen Zeitungsartikel gelesen, der mich davon überzeugt hätte, dass der Verblichene nicht richtig tickte. Sie wissen schon: »Der Stürmer von Manchester United, verlobt mit der derzeitigen Miss Schweden, landete kürzlich einen einzigartigen Doppeltreffer: Er ist der einzige Mann, der jemals in ein und demselben Jahr den FA Cup und einen Oscar als bester Schauspieler gewonnen hat. Die Rechte an seinem ersten Roman sind gerade für eine nicht genannte Summe von Steven Spielberg gekauft worden. Einer seiner Angestellten fand ihn erhängt in seinem Reitstall.« Tja, ich habe noch keinen so oder ähnlich lautenden Bericht eines Coroners gesehen, aber falls es Fälle gibt, in denen sich glückliche, erfolgreiche, hochtalentierte Menschen umbringen, darf man mit gutem Grund davon ausgehen, dass bei ihnen eine Sicherung durchgebrannt ist. Damit will ich nicht sagen, man wäre gegen Depressionen gefeit, wenn man Miss Schweden heiratet, für Manchester United spielt und Oscars gewinnt – ich bin überzeugt, dem ist nicht so. Ich sage nur, dass solche Dinge einem gut tun. Sehen Sie sich die Statistiken an. Die Wahrscheinlichkeit, dass man sich umbringt, steigt, wenn man gerade eine Scheidung durchgemacht hat. Oder magersüchtig ist. Oder arbeitslos. Oder Prostituierte. Oder wenn man aus einem Krieg heimkehrt, oder vergewaltigt wurde oder jemanden verloren hat … Es gibt so viele Faktoren, die Menschen zum Äußersten treiben; kaum einer dieser Faktoren ist geeignet, etwas anderes als beschissene Gefühle wachzurufen. Vor zwei Jahren hätte sich Martin Sharp wohl nicht mitten in der Nacht auf einem schmalen Betonsims wiedergefunden, wie er auf einen betonierten Fußweg dreißig Meter tiefer blickt und sich fragt, ob er wohl das Geräusch seiner Knochen hören wird, wenn sie in tausend Stücke zerschmettert werden. Aber vor zwei Jahren war dieser Martin Sharp ein anderer Mensch. Ich hatte noch meinen Arbeitsplatz. Ich hatte noch eine Frau. Ich hatte noch nicht mit einer Fünfzehnjährigen geschlafen. Ich hatte noch nicht im Gefängnis gesessen. Ich hatte mit meinen kleinen Töchtern noch nicht über den Aufmacher eines Revolverblatts reden müssen, mit der Schlagzeile »DRECKSACK!« über einem Foto von mir, auf dem man mich auf dem Bürgersteig vor einem bekannten Londoner Nachtclub liegen sieht. (Wie hätte die Schlagzeile wohl gelautet, wenn ich über den Jordan gegangen wäre? »SENDESCHLUSS FÜR SHARP!« vielleicht. Oder auch »SHARP: ABGESCHMIERT«.) Man darf also getrost sagen, dass ich damals weniger Grund hatte, auf einem Sims zu sitzen. Also erzählen Sie mir nicht, mein seelisches Gleichgewicht wäre gestört gewesen, denn das Gefühl hatte ich ganz und gar nicht. (Und was heißt das überhaupt, »seelisches Gleichgewicht«? Ist das ein wissenschaftlicher Fachausdruck? Geht es im Gehirn wirklich auf und ab wie auf einer Waage, je nachdem, wie durchgeknallt man ist?) Der Wunsch, mich umzubringen, war eine angemessene und vernünftige Reaktion auf eine ganze Kette unglückseliger Ereignisse, die mir das Leben vergällt hatten. Ach ja, ich weiß, die Seelenklempner würden sagen, sie hätten mir helfen können, aber das ist doch gerade das Kranke in diesem Land, oder? Niemand ist bereit, sich seiner Verantwortung zu stellen. Immer ist irgendein anderer schuld. Buu-huu-huu. Tja, ich bin zufällig einer der wenigen Menschen, die glauben, dass das, was mit Mummy und Daddy war, nichts damit zu tun hat, dass ich eine Fünfzehnjährige gebumst habe. Ich bin vielmehr sicher, dass ich auf jeden Fall mit ihr geschlafen hätte, unabhängig davon, ob ich gestillt wurde oder nicht, und es war an der Zeit, dem ins Auge zu blicken, was ich getan hatte.

Und was habe ich getan? Ich habe mein Leben im Klo runtergespült. Im wahrsten Sinne des Wortes. Na gut, nicht im Wortsinn des Wortes. Ich habe mein Leben nicht in Urin verwandelt und in meiner Blase gesammelt und so weiter und so weiter. Aber ich hatte das Gefühl, dass ich mein Leben in dem Sinne im Klo runtergespült habe, wie man sein Geld im Klo runterspülen kann. Ich hatte einmal ein Leben, mit jeder Menge Kinder und Frauen und Jobs und all dem Üblichen, und ich hab's irgendwie geschafft, dass es mir abhanden kam. Nein, Moment, das stimmt so nicht. Ich wusste, wo mein Leben abgeblieben ist, genau so, wie man weiß, wo das Geld hin ist, wenn man es im Klo runterspült. Es ist mir durchaus nicht abhanden gekommen. Ich habe es verballert. Ich habe meine Kinder und meinen Job und meine Frau für Mädchen im Teenageralter und an Nachtclubs verballert: All diese Dinge haben ihren Preis, den ich bereitwillig zahlte, und plötzlich war mein Leben nicht mehr da. Was gab ich schon auf? Am letzten Tag des Jahres schien es mir, als würde ich mich von einer Art Wachkoma und einem semi-funktionierenden Verdauungssystem verabschieden – beides äußere Anzeichen für Leben, aber es fehlt der entsprechende Inhalt. Ich war nicht einmal besonders traurig. Ich kam mir nur sehr dumm vor, und ich war sehr wütend.

Ich sitze jetzt nicht hier, weil ich plötzlich zur Vernunft gekommen bin. Ich sitze jetzt hier, weil der bewusste Abend genauso in die Hose ging wie alles andere auch. Ich konnte nicht mal von einem dämlichen Hochhaus springen, ohne es zu verbocken.

Am Silvesterabend schickte das Pflegeheim einen Kranken-
wagen für ihn vorbei. Dafür muss man extra zahlen, aber das
machte mir nichts. Warum auch? Letztendlich würde Matty
sie eine Menge mehr kosten, als sie mich gekostet hatten. Ich
zahlte nur für eine Nacht, und sie würden zahlen müssen, solange er lebte.

Ich hatte daran gedacht, einige von Mattys Sachen zu
verstecken, weil sie einen komischen Eindruck machen könnten, aber es brauchte ja niemand zu wissen, dass sie ihm gehörten. Ich konnte ja jede Menge Kinder haben, nach allem,
was sie wussten, deswegen ließ ich sie, wo sie waren. Sie kamen um sechs, und zwei junge Burschen schoben ihn raus.
Ich durfte nicht weinen, als sie gingen, denn dann hätten
die jungen Burschen gewusst, dass etwas nicht stimmte; sie
dachten ja, ich würde ihn am nächsten Morgen gegen elf
wieder abholen kommen. Ich küsste ihn bloß auf den Kopf
und erklärte ihm, er solle sich im Heim gut benehmen, und
ich hielt alles zurück, bis ich sie hatte wegfahren sehen. Dann
weinte und weinte ich, rund eine Stunde lang. Er hatte mein
Leben ruiniert, aber er war immer noch mein Sohn, und ich
würde ihn nie wieder sehen, und ich konnte ihm nicht einmal
richtig Lebewohl sagen. Ich schaute eine Weile fern und, ja,
ich gönnte mir ein oder zwei Gläser Sherry, denn ich wusste,
draußen würde es kalt sein.

Ich wartete zehn Minuten an der Bushaltestelle, aber
dann beschloss ich zu laufen. Wenn man weiß, dass man sterben will, ist man gleich weniger ängstlich. Ich hätte mir sonst
nie einfallen lassen, so spät am Abend den ganzen Weg zu
laufen, besonders nicht, wenn die Straßen voller Betrunkener
sind, aber was machte das jetzt noch aus? Obwohl ich mir
dann natürlich Sorgen machte, überfallen, aber nicht umgebracht zu werden – halb tot dazuliegen, aber nicht wirklich zu

sterben. Dann würde man mich ja ins Krankenhaus bringen, und sie würden meine Personalien feststellen und von Matty erfahren, und all die Monate der Planung wären vergeudete Zeit gewesen, und ich würde aus dem Krankenhaus entlassen werden und dem Pflegeheim Tausende Pfund schulden, und wo sollte ich die hernehmen? Aber es überfiel mich niemand. Ein paar Leute wünschten mir ein frohes neues Jahr, aber mehr war nicht. Da ist gar nicht so viel, wovor man Angst haben muss, auf der Straße. Ich weiß noch, wie ich dachte, dass das ja komisch ist, dass ich das am letzten Abend meines Lebens herausfinde, nachdem ich vorher immer vor allem Angst hatte.

Ich war zuvor noch nie im Topper's House gewesen. Ich bin lediglich ein- oder zweimal mit dem Bus daran vorbeigefahren. Ich wusste nicht mal sicher, ob man immer noch auf das Dach konnte, aber die Tür war offen, und ich stieg einfach die Treppen rauf, bis es nicht mehr weiterging. Ich weiß nicht, wieso ich nicht bedacht hatte, dass man da nicht einfach so nach Lust und Laune runterspringen konnte, aber in dem Moment, als ich es sah, begriff ich, dass man versuchen würde, so etwas zu verhindern. Sie hatten dort Maschendraht gespannt, bis ganz oben, und dazu so ein gebogenes Gitter mit Stacheln … ja, da geriet ich in Panik. Ich bin nicht groß und nicht sehr kräftig, und auch nicht mehr so jung, wie ich mal war. Ich wusste nicht, wie ich da überall drüber kommen sollte, und es musste doch an diesem Abend sein, wegen Matty im Heim und so weiter. Da begann ich, noch mal alle anderen Möglichkeiten durchzugehen, aber keine taugte etwas. Ich wollte es nicht in meinem eigenen Wohnzimmer machen, wo mich jemand finden würde, den ich kannte. Ich wollte von einem Fremden entdeckt werden. Und ich wollte auch nicht vor einen Zug springen, denn ich hatte im Fernsehen einen Bericht über die armen Lokführer gesehen, denen die Selbstmorde furchtbar zu schaffen machen. Und ich

besaß kein Auto, daher konnte ich auch nicht an eine abge-
schiedene Stelle fahren und die Abgase einatmen ...

Und dann sah ich Martin, gleich da auf der anderen Seite vom Dach. Ich versteckte mich im Schatten und beobach-
tete ihn. Ich konnte sehen, dass er die Dinge richtig angepackt hatte: Er hatte eine kleine Stehleiter mitgebracht und
eine Drahtschere, und hatte es so geschafft, obendrüber zu
klettern. Er saß nur so auf dem Sims, ließ die Beine baumeln,
starrte hinunter, nippte an einem Flachmann, rauchte und
dachte nach, während ich wartete. Und er rauchte und rauchte, und ich wartete und wartete, bis ich es nicht mehr aus-
hielt. Ich weiß, es war seine Leiter, aber ich brauchte sie. Er
würde ja keine Verwendung mehr dafür haben. Ich habe nie
versucht, ihn zu schubsen. Ich habe gar nicht die Statur, einen
erwachsenen Mann vom Sims zu schubsen. Ich bin gar nicht
kräftig genug gebaut, um einen erwachsenen Mann vom
Sims zu stoßen. Und ich hätte es auch nie versucht; es war
seine Entscheidung, ob er sprang oder nicht. Ich ging nur zu
ihm hin, steckte meine Hand durch die Zaunmaschen und
tippte ihm auf die Schulter. Ich wollte ihn bloß fragen, ob er
noch lange brauchte.

JESS

Bevor ich in die Besetzer-WG ging, hatte ich nie die Absicht
gehabt, rauf aufs Dach zu steigen. Ehrlich nicht. Ich hatte an
diese Sache mit Topper's House gar nicht gedacht, bis ich anfing, mich mit diesem Typen zu unterhalten. Ich glaube, er
mochte mich, was nicht viel heißen will, da ich wohl die einzige Frau unter dreißig war, die noch gerade stehen konnte. Er
gab mir eine Kippe und sagte, er hieße Bong, und als ich ihn
fragte, warum er Bong heißt, sagte er, das wär deshalb, weil er
sein Gras immer mit einer Bong rauchen würde. Und ich sag,

dann heißen alle anderen hier Tüte? Aber er nur, nee, der Typ
da hinten heißt Mike der Mongo. Der da drüben heißt Pfüt-
ze. Und der da hinten, das ist Nicky der Scheißer. Und so weiter, bis er alle im Zimmer durchhatte, die er kannte.

Aber die zehn Minuten, die ich mit Bong redete, machten Geschichte. Gut, nicht Geschichte wie 55 v. Chr. oder
1939. Nicht historische Geschichte, es sei denn, einer von uns
ginge hin und erfände eine Zeitmaschine oder würde verhindern, dass England von der Al-Qaida heimgesucht wird oder
so. Aber wer weiß, was aus uns geworden wäre, hätte Bong
nicht auf mich gestanden? Denn bevor er anfing, mich voll-
zuquatschen, war ich drauf und dran, nach Haus zu gehen,
und Maureen und Martin wären jetzt höchstwahrscheinlich
tot, und ... na ja, alles wär anders.

Als Bong mit seiner Aufzählung durch war, sah er mich
an und sagt: Du willst doch wohl nicht rauf aufs Dach, oder?
Und ich dachte mir, mit dir jedenfalls nicht, Kiffersack. Und
er: Denn ich kann den Schmerz und die Verzweiflung in deinen Augen sehn. Zu dem Zeitpunkt war ich schon ziemlich
hacke, daher bin ich mir jetzt im Nachhinein ziemlich sicher,
dass er in meinen Augen nur sieben Bacardi Breezer und zwei
Dosen Special Brew sehen konnte. Ich sagte bloß, ach ja? Und
er, ja, weißte, ich bin hier als Selbstmörder-Wache eingeteilt,
um auf Leute zu achten, die bloß hier sind, weil sie nach oben
gehn wollen. Und ich so, was ist denn oben los? Und er lachte
und sagt, du machst wohl Witze. Mensch, das hier ist
Topper's House. Hier bringen sich doch dauernd Leute um.
Und ich wär nie darauf gekommen, hätte er das nicht gesagt.

Alles passte plötzlich zusammen. Ich war zwar gerade
im Begriff gewesen, nach Haus zu gehen, konnte mir aber
nicht vorstellen, was ich machen sollte, wenn ich dort wäre,
und ich konnte mir nicht vorstellen, am nächsten Morgen
aufzuwachen. Ich wollte Chas, aber er wollte mich nicht, und
ich begriff plötzlich, dass es mit Abstand das Beste wäre,

mein Leben nicht unnötig in die Länge zu ziehen. Beinahe hätte ich gelacht, es passte so gut: Ich wollte meine Lebenszeit möglichst kurz halten, und ich war auf einer Party in Topper's House, und dieses Zusammentreffen war einfach zu viel. Es war wie eine Botschaft von Gott. Na schön, es war enttäuschend, dass Gott mir nicht mehr zu sagen hatte als, Spring vom Dach, aber ich machte dem lieben Gott keine Vorwürfe. Was sollte er mir sonst schon raten?

In dem Moment konnte ich die ganze Last spüren – die Bürde der Einsamkeit, von allem, was schief gelaufen war. Es kam mir heldenhaft vor, die letzten paar Stockwerke bis zum Dach des Gebäudes hochzusteigen und diese Last mit mir zu schleppen. Runterspringen erschien mir die einzige Möglichkeit, sie loszuwerden, die einzige Möglichkeit, sie zu meinem Vorteil statt zu meinem Nachteil einzusetzen; ich kam mir so beladen vor, dass ich mir sicher war, ich würde in Nullkommanichts unten aufschlagen. Den Weltrekord im Vom-Hochhaus-fallen brechen.

MARTIN

Keine Frage, hätte sie nicht versucht, mich umzubringen, wäre ich jetzt tot. Aber wir alle haben so was wie einen Selbsterhaltungstrieb, oder? Auch wenn er anspringt, während wir gerade versuchen, uns umzubringen. Ich weiß nur, dass ich diesen Stoß im Rücken verspürte, und ich drehte mich um, packte das Geländer hinter mir und fing an zu brüllen. Zu dem Zeitpunkt war ich schon betrunken. Ich hatte eine Zeit lang immer wieder aus dem Flachmann getrunken und auch schon ganz schön einen sitzen gehabt, bevor ich hergefahren war. (Ich weiß, ich weiß, ich hätte nicht fahren sollen. Aber ich wollte die gottverdammte Leiter nicht im Bus mitnehmen.) Und darum, ja, ich hab ihr so einiges an den Kopf ge-worfen. Hätte ich gewusst, dass es Maureen war, *wie* Maureen war, hätte ich mich wahrscheinlich etwas zurückgehalten, aber ich tat es nicht; womöglich habe ich sogar das böse F-Wort benutzt, wofür ich mich entschuldigt habe. Aber Sie müssen zugeben, es war schon eine beispiellose Situation.

Ich stand auf und drehte mich vorsichtig um, denn ich wollte nicht runterstürzen, bevor ich mich selbst dazu entschlossen hatte, und brüllte sie an, und sie glotzte nur.

»Ich kenne Sie«, sagte sie.

»Was?« Ich war nicht ganz bei der Sache. Leute treten in Restaurants, Shops, Theatern, an Tankstellen und in öffentlichen Bedürfnisanstalten in ganz England an mich heran und sagen: »Ich kenne Sie«, und sie meinen damit stets genau das Gegenteil; sie meinen: »Ich kenne Sie nicht. Aber ich habe Sie im Fernsehen gesehen.« Und dann wollen sie ein Autogramm oder darüber reden, wie Penny Chambers privat ist, im wirklichen Leben. Aber an dem Abend rechnete ich einfach nicht damit. Das erschien mir alles ein bisschen irrelevant, diese Seite meines Lebens.

»Aus dem Fernsehen.«

»Du lieber Himmel. Eigentlich wollte ich mich gerade umbringen, aber kein Problem, für ein Autogramm ist immer Zeit. Haben Sie einen Stift? Oder ein Stück Papier? Und bevor Sie fragen, sie ist ein abgefeimtes Luder, das sich alles reinzieht und mit jedem fickt. Aber was machen Sie eigentlich hier oben?«

»Ich wollte … ich wollte auch runterspringen. Ich wollte mir Ihre Leiter borgen.«

Darauf läuft es letztendlich immer hinaus: Leitern. Na schön, nicht im Wortsinn; der Friedensprozess im Nahen Osten läuft nicht letztendlich auf Leitern hinaus und die Geldmärkte auch nicht. Aber durch meine Sendung und die Interviews habe ich gelernt, dass sich auch die größten und kompliziertesten Themen auf kleinste Kleingkeiten reduzieren lassen, als wäre das Leben ein Airfixmodell. Ich habe gehört, dass ein religiöser Führer seine Erweckung auf einen defekten Riegel an einem Gartenschuppen zurückführte (er hatte sich als Kind für eine Nacht darin eingesperrt, und Gott stand ihm in der Finsternis bei); ich habe eine Geisel schildern hören, dass sie überlebte, weil einer der Geiselnehmer so fasziniert von ihrer ermäßigten Familienkarte für den Londoner Zoo war, die der Mann im Portemonnaie bei sich trug. Man will über die wichtigen Dinge reden, aber es sind die Riegel am Gartenschuppen und die Eintrittskarten für den Londoner Zoo, die einem Anknüpfungspunkte geben, ohne sie wüsste man nicht, wo man anfangen sollte. Jedenfalls nicht als Moderator von *Guten Morgen mit Martin und Penny*. Maureen und ich konnten nicht darüber reden, warum wir so unglücklich waren, dass wir wollten, dass unser Gehirn wie ein Milchshake von McDonald's über den Asphalt spritzte, und deshalb redeten wir über die Leiter.

»Bedienen Sie sich.«

»Ich warte, bis Sie … Gut, ich warte.«

»Sie wollen also einfach dastehen und zugucken?«

»Nein. Natürlich nicht. Ich könnte mir denken, dass Sie gerne ungestört dabei wären.«

»Da denken Sie richtig.«

»Ich werd dahinten rübergehen.« Sie zeigte auf die andere Seite des Daches.

»Ich rufe dann, wenn ich auf dem Weg nach unten bin.« Ich lachte, sie jedoch nicht.

»Kommen Sie. Der Witz war nicht schlecht. Unter den gegebenen Umständen.«

»Ich vermute, ich bin nicht in der Stimmung, Mr Sharp.«

Ich glaube nicht, dass es witzig gemeint war, aber was sie sagte, brachte mich noch mehr zum Lachen.

Maureen ging auf die andere Seite des Daches und setzte sich mit dem Rücken an die Mauer gelehnt hin. Ich drehte mich um und setzte mich wieder auf den Sims. Aber ich konnte mich nicht konzentrieren. Ich hatte den richtigen Moment verpasst. Sie denken wahrscheinlich, wie viel Konzentration braucht man schon, um sich vom Dach eines hohen Gebäudes zu stürzen? Tja, da wären Sie überrascht. Bevor Maureen kam, war ich vollkommen losgelöst; ich war an dem Punkt, an dem es ein Leichtes gewesen wäre, runterzuspringen. Ich war völlig auf die Gründe konzentriert, aus denen ich eigentlich dort oben war; ich verstand mit schrecklicher Klarheit, dass ich gar nicht erst zu versuchen brauchte, mein Leben da unten wieder aufzunehmen.

Aber der Wortwechsel mit ihr hatte mich abgelenkt, mich wieder in die Welt zurückgeholt, in die Kälte und den Wind und den Klang der wummernden Bässe sieben Stockwerke tiefer. Ich kam nicht mehr in Stimmung; es war so, als wäre eins der Kinder genau in dem Moment wach geworden, als Cindy und ich miteinander schlafen wollten. Für mich hatte es nichts geändert, und ich wusste immer noch, dass ich es irgendwann würde tun müssen. Aber ich wusste, dass ich in den nächsten fünf Minuten nicht dazu kommen würde.

Ich rief Maureen zu: »He! Möchten Sie Plätze tauschen? Sehen, ob Sie es schaffen?« Und ich lachte wieder. Ich fühlte mich wie der geborene Komiker, betrunken und wohl auch geistig zerrüttet genug, um zu glauben, einfach alles, was ich sagte, wäre zum Brüllen komisch.

Maureen trat aus dem Schatten und näherte sich vorsichtig der Lücke im Maschendraht.

»Ich möchte auch alleine dabei sein«, sagte sie.

»Das werden Sie. Ich gebe Ihnen zwanzig Minuten. Danach will ich meinen Platz wiederhaben.«

»Wie wollen Sie wieder hier rüber kommen?«

Daran hatte ich nicht gedacht. Die Trittleiter funktionierte tatsächlich nur in eine Richtung: Auf meiner Seite des Gitters war nicht genug Platz, um sie auszuklappen.

»Sie müssen sie wohl festhalten.«

»Wie meinen Sie das?«

»Sie reichen sie mir oben rüber. Ich lehne sie direkt ans Gitter. Und Sie halten sie von Ihrer Seite aus.«

»Die kann ich unmöglich festhalten. Sie sind zu schwer.«

Und sie war zu leicht. Sie war klein, und sie hatte überhaupt nichts auf den Rippen. Ich fragte mich, ob sie sich vielleicht umbringen wollte, weil sie langsam und qualvoll an irgendeiner Krankheit starb.

»Dann werden Sie sich damit abfinden müssen, dass ich hier bin.«

Ich war mir sowieso nicht sicher, dass ich wieder auf die andere Seite klettern wollte. Das Gitter markierte nun eine Grenze: Vom Dach aus konnte man ins Treppenhaus und vom Treppenhaus auf die Straße und von der Straße zu Cindy und den Kindern und Tina und ihrem Dad und all dem anderen, das mich hier hochgewirbelt hatte wie eine leere Chipstüte im Sturm. Der Sims gab Sicherheit. Dort gab es keine Erniedrigung und Scham – abgesehen von dem Gefühl der Erniedrigung und Scham, das sich zwangsläufig einstellt, wenn man am letzten Tag des Jahres allein auf einem Dachsims sitzt.

»Warum können Sie nicht ums Dach herum auf die andere Seite gehen?«

»Das Gleiche gilt für Sie. Es ist meine Leiter.«

»Sie sind nicht gerade ein Gentleman.«

»Scheiße, das bin ich wahrhaftig nicht. Das ist mit einer der Gründe, warum ich hier oben bin. Lesen Sie denn keine Zeitung?«

»Ich überfliege manchmal die Lokalzeitung.«

»Und was wissen Sie über mich?«

»Sie waren immer im Fernsehen.«

»Mehr nicht?«

»Ich glaub nicht.« Sie sann einen Moment nach. »Waren Sie mit einer von ABBA verheiratet?«

»Nein.«

»Oder einer anderen Sängerin?«

»Nein.«

»Ach ja. Sie mögen Pilze, das weiß ich.«

»Pilze?«

»Sagten Sie. Das weiß ich noch. Da war einer von diesen Fernsehköchen im Studio, und der hat Ihnen was zum Probieren gegeben, und Sie haben gesagt: ›Mmmmm, ich liebe Pilze. Ich könnte den ganzen Tag nur Pilze essen.‹ Waren Sie das nicht?«

»Kann sein. Aber mehr fällt Ihnen nicht ein?«

»Nein.«

»Und warum, glauben Sie, will ich mich dann umbringen?«

»Ich habe keine Ahnung.«

»Sie verarschen mich.«

»Würden Sie bitte auf Ihre Ausdrucksweise achten? Ich finde das beleidigend.«

»Verzeihung.«

Aber ich konnte es einfach nicht fassen. Ich konnte nicht fassen, dass ich jemanden gefunden hatte, der es nicht wusste. Bevor ich ins Gefängnis musste, lauerten die Hyänen von der Boulevardpresse schon vor der Haustür, wenn ich morgens wach wurde. Ich hatte Krisensitzungen mit Agenten und Managern und Fernsehverantwortlichen. Es erschien mir unmöglich, dass irgendwer in England kein Interesse an dem haben sollte, was ich getan hatte, hauptsächlich, weil ich in einer Welt lebte, in der es das einzig Wichtige zu sein schien. Vielleicht hatte Maureen hier auf dem Dach gelebt, überlegte ich. Wenn man hier oben lebte, wäre es ein Leichtes, den Anschluss zu verlieren.

»Was ist mit Ihrem Gürtel?« Sie wies mit dem Kopf auf meine Taille. Für Maureen waren dies die letzten Augenblicke auf Erden. Die wollte sie nicht mit Gerede über meine Vorliebe für Pilze vergeuden (eine Vorliebe, die, fürchte ich, ohnehin nur für die Kamera geheuchelt gewesen war). Sie wollte, dass es zügig weiterging.

»Was ist damit?«

»Machen Sie Ihren Gürtel ab und schlingen Sie ihn um die Leiter. Schnallen Sie ihn auf Ihrer Seite des Gitters zu.«

Ich kapierte, was sie meinte und dass es funktionieren würde, und die nächsten paar Minuten arbeiteten wir in einvernehmlichem Schweigen; sie hob die Leiter über den Zaun, und ich nahm meinen Gürtel ab, führte ihn um Leiter und Gitter, zog ihn fest, verschloss ihn und ruckelte daran, um zu sehen, ob er hielt. Ich wollte wirklich nicht rückwärts fallend sterben. Ich kletterte obendrüber zurück, und wir schnallten den Gürtel ab und stellten die Leiter wieder an ihren ursprünglichen Platz.

Und als ich Maureen gerade friedlich runterspringen lassen wollte, da stürzte diese Irre brüllend auf uns zu.

JESS

Ich hätte nicht so einen Krach schlagen sollen. Das war mein Fehler. Will sagen, das wär mein Fehler gewesen, wenn ich mich hätte umbringen wollen. Ich hätte einfach heimlich, still und leise zu der Stelle gehen sollen, wo Martin den Zaun durchtrennt hatte, auf die Leiter klettern und dann springen sollen. Aber das tat ich nicht. Ich brüllte so was wie: »Weg da, ihr Penner«, und machte so ein Indianergeheul, als wär alles nur ein Spiel – für mich war's das in dem Moment ja auch –, und Martin tackelte mich wie beim Rugby, bevor ich nur den halben Weg geschafft hatte. Und dann kniete er sich irgendwie auf mich und drückte mein Gesicht in dieses raue Pseu-do-Asphalt-Zeug, das sie jetzt auf die Flachdächer machen. Da wollte ich dann wirklich tot sein. Ich wusste nicht, dass es Martin war. Eigentlich sah ich gar nichts, bis er meine Nase in den Dreck rieb, und dann sah ich bloß Dreck. Aber in dem Moment, in dem ich das Dach betrat, wusste ich, was die beiden da oben machten. Man muss kein Genie sein, um da-rauf zu kommen. Na, jedenfalls, als er auf mir saß, sag ich, wie kommt es, dass ihr beide euch umbringen dürft und ich nicht? Und er so, weil du zu jung bist. Wir haben unser Le-ben verpfuscht. Du nicht, noch nicht. Und ich sag, woher wollen Sie das wissen? Und er, niemand hat in deinem Alter schon sein Leben verpfuscht. Und ich so, was ist, wenn ich zehn Leute umgebracht hab? Einschließlich meiner Eltern und, was weiß ich, meiner neugeborenen Zwillinge? Und er meinte, und, hast du? Und ich, yeah, hab ich. (Obwohl das nicht stimmte. Ich wollte nur sehen, was er sagen würde.) Da sagt er, tja, da du hier oben bist, bist du wohl nicht erwischt worden, oder? Ich würde an deiner Stelle in den nächsten Flieger nach Brasilien steigen. Und ich sag, was, wenn ich da-für büßen will, was ich mit meinem Leben angestellt hab? Und er sagt, halt die Klappe.

MARTIN

Das Erste, woran ich dachte, nachdem ich Jess zu Boden ge-worfen hatte, war, dass Maureen sich nicht alleine davonsteh-len sollte. Nicht, dass ich ihr das Leben retten wollte; es hät-te mich einfach nur geärgert, wenn sie Vorteil daraus gezogen hätte, dass ich beschäftigt war, und gesprungen wäre. Gut, lo-gisch ist das nicht; zwei Minuten zuvor hatte ich ihr praktisch noch rübergeholfen. Aber ich sah nicht ein, warum die Ver-antwortung für Jess nur an mir allein hängen bleiben sollte, und ich sah auch nicht ein, warum sie die Leiter benutzen sollte, die ich den ganzen Weg hier raufgeschleppt hatte. Meine Motive waren somit überwiegend egoistischer Natur; nichts Neues also, wie Cindy Ihnen sagen würde.

Nachdem Jess und ich unseren bescheuerten Dialog darüber geführt hatten, wie sie Unmengen von Leuten umgebracht hatte, rief ich Maureen zu, sie solle rüberkommen und mir helfen. Sie guckte furchtsam und kam dann zu uns herübergetrottet.

»Jetzt machen Sie schon.«

»Was soll ich denn tun?«

»Setzen Sie sich auf sie drauf.«

Maureen setzte sich auf Jess' Hintern, ich kniete auf ihren Armen.

»Lass mich los, du perverser alter Sack. Da geht dir wohl noch einer bei ab, was?«

Tja, in Anbetracht der vorausgegangenen Ereignisse gab mir das verständlicherweise einen kleinen Stich. Einen Augenblick lang dachte ich, Jess wüsste, wer ich war, aber nicht mal ich bin so paranoid. Wenn einen mitten in der Nacht jemand rugbygerecht von den Beinen holt, wenn man gerade im Begriff ist, sich von einem Hochhausdach zu stürzen, denkt man wahrscheinlich nicht an Frühstücksfernsehmoderatoren. (Das wäre für Frühstücksfernsehmoderatoren natürlich ein echter Schock. Die meisten von ihnen sind felsenfest davon überzeugt, die Leute dächten beim Frühstück, Mittag- und Abendessen nur an sie.) Ich war erwachsen genug, Jess' Häme zu ignorieren, auch wenn ich ihr gerne die Arme gebrochen hätte.

»Wenn ich loslasse, bist du dann brav?«

»Ja.«

So stand Maureen denn auf, und Jess balgte sich mit ermüdender Vorhersehbarkeit mit ihr um die Leiter, sodass ich sie wieder zu Boden drücken musste.

»Was nun?« fragte Maureen, als wäre ich ein Veteran zahlloser ähnlicher Situationen und müsste darum wissen, wo es langging.

»Ich habe nicht die blasseste Ahnung.«

Weiß der Himmel, warum keiner von uns daran gedacht hatte, dass es an einem bekanntermaßen für Selbstmörder attraktiven Ort am Silvesterabend zugehen würde wie auf dem Picadilly Circus, aber an diesem Punkt der Ereignisse akzeptierte ich die schnöde Realität: Wir waren auf dem besten Weg, aus einem feierlichen und privaten Moment eine Farce und ein Massenspektakel zu machen.

Und genau im Moment dieser Einsicht wurden aus uns dreien vier. Jemand hüstelte höflich, und als wir uns umdrehten, sahen wir einen großen, gut aussehenden, langhaarigen Mann, vielleicht zehn Jahre jünger als ich, der unterm Arm einen Sturzhelm und in der freien Hand zwei große, quadratische Kartons hatte.

»Hat von euch jemand Pizza bestellt?« sagte er.

MAUREEN

Ich wüsste nicht, dass ich vorher schon einmal einem Amerikaner begegnet wäre. Ich war mir gar nicht sicher, dass er einer war, bis die anderen etwas sagten. Man rechnet schließlich nicht damit, dass die Pizza von Amerikanern ausgeliefert wird, oder? Ich jedenfalls nicht, aber vielleicht bin ich ja bloß nicht mehr ganz auf dem Laufenden. Ich bestelle nicht sehr oft Pizza, aber wenn, wurde sie bislang immer von jemandem ausgeliefert, der kein Englisch konnte. Amerikaner liefern keine Sachen aus, richtig? Sie bedienen einen auch nicht in Geschäften oder kassieren den Fahrpreis im Bus. Zu Hause in Amerika wahrscheinlich schon, nehme ich zumindest an, aber nicht hier. Inder und Leute aus der Karibik ja, und in dem Krankenhaus, wo sie sich um Matty kümmern, auch viele Australier, aber keine Amerikaner. Wahrscheinlich hielten wir ihn deswegen anfangs für ein bisschen verrückt. Nur so konnten wir ihn uns erklären. Er sah ein bisschen verrückt aus mit diesen Haaren. Und er glaubte, wir hätten vom Dach des Topper's House aus Pizza bestellt.

»Wie sollen wir von hier aus Pizza bestellt haben?« fragte ihn Jess. Wir hockten immer noch auf ihr, daher klang ihre Stimme sonderbar.

»Mit dem Cellphone«, sagte er.

»Was ist ein Cellphone?« fragte Jess.

»Na schön, mit dem Handy meinetwegen.«

Das muss man ihm lassen, so hätten wir es machen können.

»Bist du Amerikaner?« fragte ihn Jess.

»Yeah.«

»Wieso lieferst du Pizza aus?«

»Wieso sitzt ihr auf ihrem Kopf?«

»Die sitzen auf meinem Kopf, weil dies kein freies Land ist«, sagte Jess. »Hier darf man nicht machen, was man will.«

»Was wolltest du denn machen?«

Sie antwortete nicht.

»Sie wollte runterspringen«, sagte Martin.

»Du ja auch!«

Er ignorierte sie.

»Ihr wolltet alle runterspringen?« fragte uns der Pizzamann.

Wir blieben stumm.

»F…, oder?« sagte er.

»F…, oder?« sagte Jess. »F… oder was?«

»Amerikaner fassen sich kurz«, sagte Martin. »›F…, oder?‹ heißt so viel wie ›Na, das ist ja ein Zufall‹. In Amerika sind sie so beschäftigt, dass sie für ganze Sätze keine Zeit haben.«

32

»Würden Sie bitte Ihre Ausdrucksweise mäßigen?« sagte ich zu ihnen. »Wir sind doch nicht im Schweinestall groß geworden.«

Der Pizzamann setzte sich einfach auf den Boden und schüttelte den Kopf. Ich glaubte, wir täten ihm Leid, aber später erzählte er uns, dass es gar nicht so war.

»Okay«, sagte er nach einer Weile. »Lasst sie los.«

Wir rührten uns nicht.

»He, ihr da. Wollt ihr wohl hören? Muss ich erst rüberkommen und euch zwingen?« Er stand auf und kam auf uns zu.

»Ich glaube, sie ist jetzt okay, Maureen«, sagte Martin, als würde er jetzt aus eigenem Entschluss aufstehen und nicht, weil der Amerikaner ihn verprügeln könnte. Er stand auf, ich stand auf, und Jess stand ebenfalls auf, klopfte sich die Sachen ab und fluchte wüst. Dann starrte sie Martin an.

»Du bist doch dieser eine«, sagte sie. »Dieser Typ aus dem Frühstücksfernsehen. Der mit einer Fünfzehnjährigen geschlafen hat. Martin Sharp. F...! Martin Sharp hat auf meinem Kopf gesessen. Du perverser alter Sack.«

Von irgendwelchen Fünfzehnjährigen wusste ich natürlich nichts. Ich lese solche Zeitungen nicht, außer beim Friseur oder wenn jemand im Bus eine liegen gelassen hat.

»F...?« fragte der Pizzabote. »Der Typ, der im Gefängnis war? Ich hab davon gelesen.«

Martin gab ein Ächzen von sich. »In Amerika weiß auch jeder Bescheid?« fragte er.

»Klar«, sagte der Pizzabote. »Ich hab's aus der *New York Times*.«

»Oh Mann«, sagte Martin, aber man merkte, dass er sich geschmeichelt fühlte.

»Das war bloß ein Witz«, sagte der Pizzabote. »Sie haben eine Sendung im englischen Frühstücksfernsehen moderiert. In den USA kennt Sie kein Mensch. Bleiben Sie mal auf dem Teppich.«

33

»Dann gib uns wenigstens was von der Pizza«, sagte Jess. »Was für welche hast du dabei?«

»Keine Ahnung«, sagte der Pizzabote.

»Lass mich mal gucken«, sagte Jess.

»Nein, ich meine … das sind ja nicht meine, verstehst du?«

»Mensch, sei nicht so ein Weichei«, sagte Jess. (Ehrlich. Das waren ihre Worte. Ich weiß auch nicht warum.) Sie beugte sich und nahm ihm die Pizzakartons ab. Dann machte sie die Kartons auf und stocherte in den Pizzas herum.

»Die hier ist mit Pepperoni. Aber keine Ahnung, was das für eine ist. Gemüse.«

»Vegetarisch«, sagte der Pizzabote.

»Egal«, sagte Jess. »Wer will was haben?«

Ich wählte die Vegetarische. Pepperoni hörte sich wie irgendwas an, das mir nicht bekommen würde.

JJ

Ich hab einer ganzen Reihe von Leuten von dieser Nacht erzählt, und das Schräge ist, dass sie den Selbstmord eher nachvollziehen können als das mit der Pizza. Selbstmord können die meisten Menschen verstehen, schätze ich; selbst wenn es tief drinnen in ihnen vergraben ist, können sich die meisten an Phasen ihres Lebens erinnern, in denen sie nicht wussten, ob sie wirklich am nächsten Morgen noch mal aufwachen wollten. Sterben zu wollen scheint zum Leben zu gehören. Na, jedenfalls, wenn ich Leuten von dieser Silvesternacht erzähle, kommt keiner mit: »Waaaas? Du wolltest dich umbringen?« Nein, dann heißt es eher: »Ja, klar, deine Band war im Arsch, du kamst mit deiner Musik nicht weiter, die dir immer das Wichtigste im Leben war, und dann hat auch noch deine Freundin mit dir Schluss gemacht, wegen der du überhaupt nur in diesem Scheißland warst … Klar, kann ich verstehen, wieso du da oben warst.« Aber praktisch im nächsten Atemzug wollen sie dann wissen, wie ein Typ wie ich dazu kommt, verfickte *Pizzas* auszufahren.

Okay, ihr kennt mich nicht, deswegen müsst ihr mir einfach abnehmen, dass ich nicht blöd bin. Ich verschlinge jedes verdammte Buch, das ich in die Finger kriege. Ich steh auf Faulkner und Dickens und Vonnegut und Brendan Behan und Dylan Thomas. Grade in der Woche – am ersten Weihnachtstag, um genau zu sein – hatte ich *Zeiten des Aufruhrs* von Richard Yates ausgelesen, ein absolut irrer Roman. Ich wollte beim Runterspringen sogar ein Exemplar mitnehmen – nicht nur, weil das irgendwie cool gewesen wäre und der Sache etwas Geheimnisvolles gegeben hätte, sondern weil man damit vielleicht mehr Menschen dazu gebracht hätte, das Buch zu lesen. Aber wie die Dinge sich dann entwickelten, blieb mir keine Vorlaufzeit, und ich ließ es zu Haus. Ich muss einschränkend sagen, es empfiehlt sich nicht, das Buch am ersten Weihnachtstag auszulesen, und das in einem möblierten Zimmer ohne Warmwasser in einer Stadt, in der man eigentlich niemanden kennt. Das hat nicht direkt dazu beigetragen, dass ich mich besser fühlte, wisst ihr, denn der Schluss zieht einen echt runter.

Egal, die Leute kommen gerne zu dem vorschnellen Urteil, dass einer, der am Silvesterabend mit einem beschissenen kleinen Moped für einen Hungerlohn im Londoner Norden Pizzas ausliefert, ein echter Loser sein muss, der aller Wahrscheinlichkeit nach nicht gerade die Pizza Calzone erfunden hat. Okay, wir sind Loser per definitionem, Pizzabote ist nun mal ein Job für Loser. Aber wir sind nicht alle verblödete Arschlöcher. Genau genommen war ich sogar trotz Faulkner und Dickens wahrscheinlich der Dümmste von allen Jungs in dem Laden, zumindest der mit dem niedrigsten Bildungsniveau. Bei uns gab es afrikanische Ärzte, albanische Rechtsanwälte, iranische Chemiker ... ich war der Einzige ohne akademischen Grad. (Ich begreife nicht, wieso es in unserer Gesellschaft nicht mehr Gewalttaten durch Pizzaboten gibt. Stellt euch bloß vor, ihr wärt eine große Nummer in Zimbabwe, Hirnchirurg oder was auch immer, und dann müsstet ihr nach England abhauen, weil das faschistische Regime euren Arsch an die Wand nageln will, und am Schluss müsst ihr euch von einem zugekifften Teenager, der um drei Uhr morgens Fressanfälle kriegt, großkotzig behandeln lassen ... Sollte man da nicht offiziell berechtigt sein, ihm den Unterkiefer zu brechen?) Egal. Es gibt viele Arten, ein Loser zu sein. Es gibt zweifellos viele Arten zu verlieren.

Ich könnte also erklären, dass ich Pizzabote bin, weil England scheiße ist, genauer gesagt, englische Mädchen scheiße sind und ich keinen legalen Arbeitsplatz kriege, weil ich kein Engländer bin. Oder Italiener oder Spanier oder meinetwegen auch nur ein bescheuerter Finne. Deswegen machte ich die einzige Arbeit, die ich kriegen konnte; Ivan, dem lettischen Besitzer des Casa Luigi in der Holloway Road, war es egal, dass ich aus Chicago und nicht aus Helsinki kam. Und eine andere Erklärung wäre, dass so was nun mal vorkommt und es keinen Ort gibt, der zu klein, zu dunkel, zu stickig und zu hoffnungslos ist, um sich darin zu verkriechen.

Das Problem meiner Generation ist, dass wir uns alle für Genies halten. Irgendwas zu produzieren reicht uns nicht, auch nicht, irgendwas zu verkaufen, zu unterrichten, überhaupt einfach irgendwas zu tun, nein, wir müssen etwas darstellen. Das ist unser unveräußerliches Recht als Bürger des 21. Jahrhunderts. Wenn Christina Aguilera oder Britney oder irgendein Wichser von *Amerika sucht den Superstar* was darstellen kann, warum nicht auch ich? Wann komme ich dran? Meine Band, also, wir haben die besten Liveshows geboten, die man in Clubs zu sehen kriegt, und wir haben zwei Alben gemacht, die vielen Kritikern und wenigen normalen Leuten gefallen haben. Aber Talent reicht einem ja nie zum Glücklichsein, oder? Ich mein, müsste es ja eigentlich, denn ein Talent ist ein echtes Geschenk, für das man Gott danken sollte, aber das tat ich nicht. Es ging mir nur auf den Sack, weil mir niemand Geld dafür gab und es mich nicht aufs Cover des *Rolling Stone* brachte.

Oscar Wilde hat mal gesagt, unser wirkliches Leben ist oft ein Leben, das wir gar nicht führen. Kann ich voll unterschreiben, Oscar. In meinem wahren Leben gab es Auftritte als Hauptact in Wembley und im Central Park und Platinalben und Grammys, aber dies war nicht das Leben, das ich führte, was der Grund dafür gewesen sein mag, dass ich glaubte, es wegwerfen zu können. Das Leben, das ich führte, erlaubte mir nicht … ich weiß auch nicht, der Mensch zu sein, für den ich mich hielt. Es erlaubte mir nicht mal den aufrechten Gang. Es kam mir vor, als ginge ich durch einen Tunnel, der enger und enger wurde, dunkler und dunkler, und mit Wasser vollzulaufen begann, und ich musste mich schon total klein machen, und vor mir war eine Felswand, und mein einziges Werkzeug waren meine Fingernägel. Vielleicht empfindet es jeder so, aber das ist kein Grund, daran festzuhalten. Na jedenfalls, an diesem Silvesterabend hatte ich es endgültig satt. Meine Fingernägel waren völlig abgewetzt und meine Fingerspitzen wund gescheuert. Ich konnte nicht weiterscharren. Nachdem es die Band nicht mehr gab, war meine einzige Möglichkeit, mich noch auszudrücken, aus meinem unwahren Leben auszuchecken: Ich würde von diesem Scheißdach fliegen wie Superman. Nur wurde natürlich nichts daraus.

Einige tote Menschen, Menschen, die zu empfindsam waren, um weiterzuleben: Sylvia Plath, van Gogh, Virginia Woolf, Jackson Pollock, Primo Levi und Kurt Cobain natürlich. Und hier ein paar Lebende: George W. Bush, Arnold Schwarzenegger, Osama Bin Laden. Kreuzt die Leute an, mit denen ihr gerne ein Bier trinken würdet, und guckt dann mal, ob sie bei den Lebenden oder bei den Toten stehen. Na gut, ihr könntet einwenden, dass ich geschummelt habe und auf meiner Liste der Lebenden ein paar Leute fehlen, ein paar Dichter, Musiker und so, die mir meine Beweisführung versauen würden. Ihr könntet außerdem sagen, dass Stalin und Hitler nicht so toll waren und ebenfalls nicht mehr unter uns weilen. Aber lasst mich trotzdem gewähren; ihr wisst, wovon ich rede. Empfindsame Menschen kommen hier schwerer zurecht.

Daher war die Entdeckung, dass Maureen, Jess und Martin Sharp auch im Begriff waren, den Jackson-Pollock-Weg aus dieser Welt zu nehmen (ja, schon gut, ich weiß, dass Jackson Pollock nicht vom Dach eines Hochhauses im Londoner Norden gesprungen ist), ein echter Schock. Eine nicht mehr ganz junge Frau, die aussah, wie irgendjemandes Putzfrau, eine kreischende, pubertierende Irre und ein Fernsehmoderator mit orangeroter Birne … Das passte nicht ins Bild. Für solche Leute ist der Selbstmord nicht erfunden worden. Er wurde für Leute wie van Gogh und Woolf und Nick Drake erfunden. Und für mich. Selbstmord hat etwas Cooles zu sein.

Silvesterabend war eine Nacht für sentimentale Loser. Es war mein eigener dummer Fehler. Natürlich musste heute ein Trupp von kleinen Lichtern da oben sein. Ich hätte einen schickeren Termin wählen sollen – den 28. März, an dem Virginia Woolf ins Wasser ging, oder den 25. November (Nick Drake). Wäre in einer dieser Nächte noch jemand auf dem Dach gewesen, dann vermutlich eine verwandte Seele und nicht ein paar hoffnungslose Nieten, die sich eingeredet hatten, das Ende eines Kalenderjahres wäre irgendwie bedeutsam. Das lag nur daran, dass mir die Gelegenheit zu günstig erschien, als ich die Order bekam, Pizzas in die besetzte

Wohnung in Topper's House zu liefern. Ich hatte vorgehabt, zuerst aufs Dach zu steigen, mich umzusehen, um die Lage zu peilen, dann unten die Pizza abzuliefern und es anschließend zu tun.

Und dann sitze ich plötzlich mit drei potenziellen Selbstmördern da, die mir die Pizzas wegfressen, die ich eigentlich hatte ausliefern sollen, und mich anstarren. Offenbar erwarteten sie so eine Art Gettysburg-Rede, wieso ihr angeschlagenes und sinnloses Leben lebenswert wäre. Das war die reine Ironie, denn mir war's scheißegal, ob sie sprangen oder nicht. Ich kannte sie ja gar nicht, und keiner von ihnen sah aus, als würde er der Summe menschlicher Errungenschaften noch viel hinzufügen können. »Also«, sagte ich. »Na toll. Pizza. Eine kleine, gute Sache in einer Nacht wie dieser.« Raymond Carver, wie ihr vermutlich wisst, aber an diese Typen war das verschwendet.

»Und jetzt?« fragte Jess.

»Jetzt essen wir unsere Pizza.«

»Und dann?«

»Warten wir eine halbe Stunde, okay? Dann sehen wir weiter.« Ich weiß nicht, woher das kam. Warum eine halbe Stunde? Und was sollte danach passieren?

»Wir brauchen alle eine kleine Auszeit. Für mich sieht es aus, als wär es hier oben gerade ein bisschen würdelos zugegangen. Dreißig Minuten? Sind wir uns einig?«

Einer nach dem anderen zuckten sie mit den Schultern, dann nickten sie, und wir mampften schweigend unsere Pizza. Es war das erste Mal, dass ich eine Pizza von Ivan probierte. Sie war ungenießbar, wenn nicht gar gesundheitsschädlich.

»Ich werd hier doch keine halbe Stunde rumsitzen und in eure blöden Jammermienen glotzen«, sagte Jess.

»Aber genau damit hast du dich gerade in dieser Minute einverstanden erklärt«, erinnerte sie Martin.

»Na und?«

»Was hat es für einen Sinn, etwas zuzustimmen und sich dann nicht daran zu halten?«

»Keinerlei Sinn.« Jess machte dieses Eingeständnis offenkundig nichts aus.

»Beständigkeit ist die letzte Zuflucht der Phantasielosen«, sagte ich. Wieder Wilde. Ich konnte nicht widerstehen.

Jess funkelte mich wütend an.

»Er ist nur nett zu dir«, sagte Martin.

»Und trotzdem hat alles keinen Sinn, oder?« sagte Jess. »Deswegen sind wir doch hier oben.«

Also, das war jetzt mal eine interessante philosophische Frage. Jess sagte damit, dass wir alle Anarchisten waren, solange wir uns auf dem Dach befanden. Absprachen sind nicht verbindlich, Regeln sind außer Kraft. Wir könnten uns gegenseitig vergewaltigen und ermorden, ohne dass jemand Notiz davon nimmt.

»*To live outside the law you must be honest*«, sagte ich.

»Was soll der Scheiß jetzt wieder heißen?« fragte Jess.

Also, um die Wahrheit zu sagen, hab ich auch nie ganz begriffen, was das heißen soll. Es ist von Bob Dylan, nicht von mir, und ich fand immer, dass es sich gut anhörte. Aber jetzt bot sich mir zum ersten Mal eine Situation, in der ich den Grundsatz anwenden konnte, und ich sah, dass er nichts taugte. Wir lebten außerhalb des Gesetzes und konnten uns jederzeit schamlos belügen, wenn wir wollten, und ich wusste auch nicht recht, was dagegen spräche.

»Nichts«, sagte ich.

»Dann halt die Klappe, Yankee.«

Und das tat ich. Damit blieben uns noch ungefähr achtundzwanzig Minuten von unserer Auszeit übrig.

Vor Ewigkeiten, als ich acht oder neun war, hab ich mal so einen Fernsehfilm über die Beatles gesehen. Jen stand auf die Beatles, es war also sie, die mich genötigt hatte, mir das anzusehen, aber ich hatte auch nichts dagegen. (Wahrscheinlich hab ich *ihr* gegenüber behauptet, ich hätte was dagegen. Wahrscheinlich hab ich einen Riesenaufstand gemacht und sie total genervt.) Na jedenfalls, als Ringo dazustieß, da kriegte man so eine kleine Gänsehaut, denn da war es so weit, da waren sie zu viert und hatten, was sie brauchten, um die berühmteste Band aller Zeiten zu werden. Na ja, genauso kam es mir vor, als JJ mit seiner Pizza auf dem Dach auftauchte. Ich weiß, ich weiß, ihr denkt, ach, das sagt sie nur, weil es sich gut anhört, aber das stimmt nicht. Ich wusste es, ehrlich. Dass er aussah wie ein Rockstar, mit den Haaren und der Lederjacke und so, verstärkte den Eindruck, aber dieses Gefühl von mir hatte mit Musik nichts zu tun; ich meine bloß, ich wusste, dass wir JJ brauchten, und es kam mir richtig vor, dass er auftauchte. Aber er war kein Ringo. Er war mehr wie Paul. Maureen war Ringo, bloß dass sie nicht besonders witzig war. Ich war George, bloß dass ich nicht schüchtern oder religiös war. Martin war John, bloß war er nicht begabt oder cool. Wenn ich so überlege, waren wir vielleicht doch eher eine andere Band mit vier Leuten.

Egal, es kam einem eben so vor, als könnte sich jetzt irgendwas tun, irgendwas Interessantes, darum konnte ich nicht einsehen, dass wir bloß rumsitzen und Pizza essen sollten. Ich sag also so was wie, vielleicht sollten wir reden, und Martin sagt, über was, uns unser Leid klagen? Und dann machte er ein Gesicht, als hätte ich was Blödes gesagt, also nannte ich ihn Wichser, und dann sagte Maureen, tz tz, und fragte mich, ob ich solche Sachen auch zu Hause sagen würde (ja, natürlich), deswegen nannte ich sie Pennerin, und

Martin nannte mich ungezogenes kleines Mädchen, worauf ich ihn anspuckte, was ich nicht hätte tun sollen und übrigens heute auch nicht mehr annähernd so oft mache, und dann tat er so, als wollte er mir an die Kehle gehen, worauf JJ zwischen uns sprang, was ein Glück für Martin war, denn ich glaub nicht, dass er mich wirklich geschlagen hätte, während ich ihn zweifellos geschlagen, gebissen und zerkratzt hätte, und nach diesem kleinen Ausbruch von Aktivität saßen wir eine Weile schnaufend und kurzatmig da und hassten uns. Und dann, als wir uns gerade alle abregten, sagte JJ so was wie, ich wüsste nicht, was es schaden könnte, wenn wir unsere Erfahrungen teilen, bloß dass er es noch amerikanischer als so sagte. Und Martin dann, tja, wer hat denn Interesse dran, deine Erfahrungen zu teilen. Deine Erfahrungen bestehen aus Pizza ausliefern. Darauf JJ, na schön, dann deine Erfahrungen, nicht meine. Aber es war zu spät, ich wusste von dem, was er über das Erfahrungenteilen gesagt hatte, dass er aus demselben Grund wie wir hier oben war. Ich also, du bist hier raufgekommen, um runterzuspringen, stimmt's? Und er sagte nichts, und Martin und Maureen guckten ihn an. Dann meinte Martin bloß, wolltest du mitsamt der Pizza springen? Denn irgendwer hat die ja bestellt. Obwohl Martin nur Spaß machte, schien JJ bei seiner Standesehre gepackt, denn er erklärte uns, dass er hier nur die Lage peilen und dann erst wieder runtergehen und die Pizza ausliefern wollte, um anschließend zurückzukommen. Da sag ich, tja, die haben wir ja nun aufgegessen. Und Martin meinte, Mensch, du siehst nicht wie einer aus, der vom Dach springt, worauf JJ meinte, wenn ihr die typischen Vom-Dach-Springer seid, kann ich nicht sagen, dass mir das Leid tut. Wie ihr seht, war da jede Menge, na ja, Nickeligkeit in der Luft. Also versuchte ich es noch mal. Oh, macht schon, lasst uns reden, hab ich gesagt. Muss ja keine Selbsterfahrungsgruppe draus werden. Bloß, ihr wisst schon, unsere Namen und wieso wir hier sind. Könnte doch interessant werden. Vielleicht lernen wir was draus. Vielleicht sehen wir einen Ausweg oder so. Ich muss zugeben, dass ich so was wie einen Plan verfolgte. Mein Plan war, dass sie mir helfen, Chas zu finden, Chas und ich wieder ein Paar werden, und es mir dann besser geht.

Aber ich musste mich gedulden, denn sie wollten, dass Maureen anfing.

MAUREEN

Ich denke, sie haben mich ausgesucht, weil ich noch kaum was gesagt und bislang noch niemanden gekränkt hatte. Und vielleicht auch, weil ich undurchsichtiger als die anderen war. Martin schien jeder aus der Zeitung zu kennen. Und Jess, Gott steh ihr bei … wir kannten sie erst eine halbe Stunde, aber man konnte sehen, dass dieses Mädchen Probleme hatte. Mein persönlicher Eindruck von JJ, ohne wirklich etwas von ihm zu wissen, war der, dass er vielleicht ein Homosexueller sein könnte, denn er hatte langes Haar und redete so amerikanisch. Viele Amerikaner sind homosexuell, nicht wahr? Ich weiß, dass sie die Homosexualität nicht erfunden haben, denn es heißt, die hätte es schon bei den Griechen gegeben. Aber sie haben dazu beigetragen, sie wieder in Mode zu bringen. Mit dem Homosexuellsein war es ein bisschen wie mit den Olympischen Spielen: mit der Antike verschwunden und dann im zwanzigsten Jahrhundert wieder aufgelebt. Wie dem auch sei, ich wusste nichts über Homosexuelle und vermutete daher einfach, sie wären alle unglücklich und wollten sich umbringen. Aber ich … Von meinem Äußeren konnte man eigentlich auf gar nichts schließen, daher nehme ich an, sie waren neugierig.

Es machte mir nichts aus, darüber zu reden, weil ich wusste, dass ich nicht viel sagen musste. Keiner von diesen

Leuten hätte mit mir tauschen wollen. Ich bezweifelte, dass sie überhaupt verstehen würden, wie ich es so lange aushalten konnte. Es ist immer die Klosache, die die Leute schockt. Früher habe ich, wenn ich jammern musste – etwa wenn ich ein neues Rezept für mein Antidepressivum brauchte –, immer das mit dem Klo angebracht, den Großputz, der an den meisten Tagen nötig war. Es ist schon komisch, denn das macht mir längst nichts mehr aus. Ich kann mich mit der Vorstellung nicht abfinden, dass mein Leben vorbei ist, sinnlos, einfach unerträglich, gänzlich ohne Hoffnung und Freude; aber das Aufwischen macht mir nichts mehr aus. Aber wenn das kommt, greift der Doktor garantiert zum Rezeptblock.

»Ah, verstehe«, sagte Jess, als ich ausgeredet hatte. »Das ist ja nicht schwer. Überleg's dir bloß nicht anders. Du würdest es nur bereuen.«

»Manche Menschen kommen damit zurecht«, sagte Martin.

»Wer?« fragte Jess.

»Wir hatten mal eine Frau in der Sendung, deren Mann seit fünfundzwanzig Jahren im Koma lag.«

»Und das war dann ihre Belohnung? Ins Frühstücksfernsehen eingeladen zu werden?«

»Nein. Ich mein ja nur.«

»Was meinst du nur?«

»Ich meine nur, dass es zu schaffen ist.«

»Aber warum sagst du mir nicht, oder?«

»Vielleicht liebte sie ihn.«

Sie redeten schnell, Martin und Jess und JJ. Wie Leute in einer Soap Opera, zack zack zack. Wie Menschen, die wissen, was sie sagen sollen. Ich hätte nie so schnell reden können, jedenfalls nicht damals; es machte mir bewusst, dass ich seit über zwanzig Jahren kaum etwas gesagt hatte. Und der Mensch, mit dem ich am häufigsten sprach, hatte nicht antworten können.

»Was gab es denn da zu lieben?« sagte Jess. »Der war doch eine Matschbirne. Und nicht einmal eine ansprechbare Matschbirne. Eine Matschbirne im Koma.«

»Läge er nicht im Koma, wäre er ja wohl keine Matschbirne, oder?« fragte Martin.

»Ich liebe meinen Sohn«, sagte ich. Ich wollte nicht, dass sie etwas anderes dachten.

»Ja«, meinte Martin. »Natürlich tun Sie das. Wir wollten nichts Gegenteiliges behaupten.«

»Sollen wir ihn für dich umbringen?« fragte Jess. »Ich könnte heute Nacht hingehen, wenn du willst. Bevor ich mich selber umbringe. Mir ist das gleich. Mich juckt das nicht. Und er hat ja wohl auch nicht viel vom Leben zu erwarten, oder? Wenn er reden könnte, würde er mir vermutlich dafür danken, der arme Kerl.«

Tränen traten mir in die Augen, und JJ bemerkte das.

»Hast du sie nicht mehr alle, du …?« sagte er zu Jess. »Schau, was du angerichtet hast.«

»'Tschuldigung«, sagte Jess. »War nur so eine Idee.«

Aber deswegen weinte ich gar nicht. Ich weinte, weil mein einziger Wunsch auf dieser Welt, das Einzige, das mir das Leben lebenswert erscheinen lassen könnte, war, dass Matty starb. Und weil ich wusste, warum ich weinte, musste ich nur noch mehr weinen.

MARTIN

Über mich wusste sowieso jeder alles, darum sah ich nicht, was diese Lachnummer bringen sollte, und das sagte ich ihnen auch.

»Ach, komm, Mann«, sagte JJ in seiner enervierend amerikanischen Art. Ich finde, Amerikaner können einem sehr schnell auf den Wecker gehen. Ja, ja, sie sind unsere Freunde und da drüben zählt Erfolg noch, anders als bei dem neidischen Pack hierzulande, aber dieses ultralässige Getue ist mir zuwider. Ich meine, Sie hätten ihn sehen sollen. Man hätte denken können, er wäre auf dem Dach, um Reklame für seinen neusten Film zu machen. Man wäre nie drauf gekommen, dass er durch Archway geknattert war, um Pizza auszuliefern.

»Wir wollen deine Seite der Geschichte hören«, sagte Jess.

»›Meine Seite‹ gibt es nicht. Ich war völlig bescheuert, und nun zahle ich den Preis dafür.«

»Du willst dich also gar nicht rechtfertigen? Hier bist du doch unter Freunden«, sagte JJ.

»Sie hat mich gerade noch angespuckt«, machte ich geltend. »Was für eine Freundin ist das?«

»Ach, stell dich nicht so an«, sagte Jess. »Meine Freunde spucken mich dauernd an. Ich nehm das nie persönlich.«

»Solltest du vielleicht. Vielleicht ist das von deinen Freunden genau so gemeint.«

Jess schnaubte. »Wenn ich das persönlich nähme, hätte ich überhaupt keine Freunde mehr.« Das ließen wir mal unkommentiert.

»Also, was wollt ihr wissen, das ihr nicht schon kennt?«

»Jede Geschichte hat zwei Seiten«, sagte Jess. »Wir kennen nur die unschöne Seite.«

»Ich wusste nicht, dass sie erst fünfzehn ist«, sagte ich. »Mir hat sie gesagt, sie wäre achtzehn. Sie sah wie achtzehn aus.« Das war's. Das war die gute Seite der Geschichte.

»Wenn sie also – sagen wir – sechs Monate älter gewesen wäre, wärst du jetzt nicht hier oben?«

»Nein, wäre ich wohl nicht. Denn dann hätte ich nicht gegen das Gesetz verstoßen. Wäre nicht ins Gefängnis gekommen. Hätte nicht meinen Job verloren, meine Frau hätte nichts mitgekriegt …«

»Willst du damit sagen, du hast bloß Pech gehabt?«

»Ich würde sagen, ein gewisses Maß an schuldhaftem Versagen war auch dabei.« Das war, wie ich Ihnen wohl nicht erklären muss, ein Versuch in trockenem Understatement; ich wusste da noch nicht, dass feine Ironie an Jess glatt verschwendet war.

»Bloß weil du ein beschissenes Wörterbuch verschluckt hast, heißt das noch lange nicht, dass du nichts Unrechtes getan hast«, sagte Jess.

»Das ist genau das, was mit ›schuldhaftem Vers…‹«

»Denn andere verheiratete Männer hätten erst gar nicht mit ihr gebumst, egal, wie alt sie war. Und du hast auch noch Kinder und so, oder?«

»Die habe ich in der Tat.«

»Also hat Pech gar nichts damit zu tun.«

»Ach du Scheiße! Was meinst du, warum ich wohl meine Füße über die Kante habe baumeln lassen, Spatzenhirn? Ich hab's vergeigt. Ich versuche nicht, mich rauszureden. Ich find mich selbst so mies, dass ich sterben möchte.«

»Das will ich hoffen.«

»Danke. Und vielen Dank auch für die Idee zu dieser Übung. Sehr hilfreich. Sehr … kurativ.«

Noch ein mehrsilbiges Wort, noch ein giftiger Blick.

»Eins interessiert mich«, sagte JJ.

»Tu dir keinen Zwang an.«

»Warum ist es einfacher, sich in diese Leere zu stürzen, als sich dem zu stellen, was du getan hast?«

»Genau das tue ich doch damit.«

»Es ficken andauernd Leute mit minderjährigen Mädchen und verlassen Frau und Kinder. Die springen aber nicht alle vom Dach, Mann.«

»Stimmt. Aber wie Jess gesagt hat, vielleicht sollten sie das.«

»Ehrlich? Du meinst, jeder, der so einen Fehler begangen hat, sollte sterben? Puh. Das ist ja echt kranke Scheiße«, sagte JJ.

Dachte ich wirklich so? Vielleicht ja. Oder vielleicht hatte ich mal so gedacht. Wie einige von Ihnen wissen werden, habe ich in Zeitungen Dinge geschrieben, die mehr oder weniger genau darauf hinaus liefen. Das war natürlich vor meinem Sündenfall. Ich habe zum Beispiel für die Wiedereinführung der Todesstrafe plädiert. Ich habe Rücktritte und medikamentöse Kastrationen, Haftstrafen, öffentliche Geißelungen und Mea Culpas jedweder Art gefordert. Und vielleicht habe ich es sogar ernst gemeint, als ich sagte, dass man Männer, die ihr Ding nicht in der Hose lassen können, sofort … Ehrlich gesagt, ich weiß nicht mehr, welche Strafe ich für Schürzenjäger und gewohnheitsmäßige Ehebrecher gefordert habe. Das müsste ich in der fraglichen Kolumne noch mal nachlesen. Aber der Punkt ist, dass ich nun das umsetzte, was ich gepredigt hatte. Ich war unfähig gewesen, mein Ding in der Hose zu lassen, deswegen musste ich nun springen. Das war der Preis, den man zahlen musste, wenn man als Boulevardblattkolumnist die Regeln brach, die man selber aufgestellt hatte.

»Nicht für jeden Fehler, nein. Aber für diesen vielleicht.«

»Jesus«, sagte JJ. »Du gehst echt hart mit dir ins Gericht.«

»Es ist ja nicht nur das. Es ist das öffentliche Aufsehen. Die Demütigung. Die Freude an der Demütigung. Die Sendung im Kabelfernsehen, die drei Zuschauer hat. Alles. Ich … ich hab keinerlei Spielraum mehr. Ich kann weder vor noch zurück.«

Es trat nachdenkliches Schweigen ein, das vielleicht zehn Sekunden anhielt.

»Schön«, sagte Jess. »Ich bin dran.«

Ich kam direkt zur Sache. Ich sagte einfach, ich heiße Jess und ich bin 18 und bin hier, weil ich ein paar familiäre Probleme hab, auf die ich nicht näher einzugehen brauche. Und dann die Trennung von diesem Typ. Chas. Und der schuldet mir eine Erklärung. Denn er hat nichts gesagt. Er ist einfach gegangen. Aber ich denke, wenn er es mir erklären würde, würde ich mich besser fühlen, denn er hat mir das Herz gebrochen. Ich kann ihn bloß nicht finden. Ich habe unten auf der Party nach ihm gesucht, aber er war nicht da. Deswegen bin ich hier raufgegangen.

Und Martin sagt total sarkastisch, du willst dich also umbringen, weil Chas nicht auf einer Party erschienen ist? Gütiger Himmel.

Also das hab ich nie behauptet, und das sag ich ihm auch. Und er dann wieder, okay, dann bist du hier, weil dir jemand eine Erklärung schuldet. Ist es das?

Er versuchte, mich dumm dastehen zu lassen, und das war nicht fair, denn das könnten wir bei jedem von uns machen. Ich könnte ja zum Beispiel sagen, buhuu heul, ich darf nicht mehr ins Frühstücksfernsehen. Buhuuhuu, mein Sohn ist ein Scheintoter, und ich hab keinen zum Reden und muss dauernd seine ihr wisst schon aufwischen. Na gut, Maureen konnte man nicht so vorführen. Aber ich fand es irgendwie nicht angebracht, so was ins Lächerliche zu ziehen. Man hätte sich über jeden von uns vieren lustig machen können; man kann sich über jeden lustig machen, der unglücklich ist, man muss nur grausam genug sein.

Ich sag also, das hab ich auch nicht gesagt. Ich hab gesagt, eine Erklärung könnte mich vielleicht davon abhalten. Ich hab nicht gesagt, das wäre der Hauptgrund, weswegen ich hier oben bin, oder? Pass auf, wir könnten dich mit Handschellen ans Treppengeländer ketten, und das würde dich davon abhalten. Aber du bist nicht hier oben, weil dich keiner ans Treppengeländer gefesselt hat, oder?

Dazu fiel ihm nichts mehr ein. Was mich freute.

JJ war netter. Er verstand, dass ich Chas finden wollte, deswegen meinte ich, sag bloß?, nur wünschte ich dann, ich hätte das mit dem »sag bloß?« sein lassen, denn er fühlte mit mir, und »sag bloß?« ist ja eigentlich Verarschung, oder? Aber er ignorierte das und fragte, wo Chas wäre, und ich sagte, das wüsste ich nicht, auf irgendner Party, und er sagte, schön, wieso suchst du ihn dann nicht, statt hier oben diesen Quatsch zu machen, und ich sagte, ich hätte keine Energie und keine Hoffnung mehr, und als ich das aussprach, wusste ich, dass es stimmte. Euch kenn ich nicht. Das Einzige, was ich über euch weiß, ist, dass ihr das hier lest. Ich weiß nicht, ob ihr glücklich seid oder nicht; ich weiß nicht, ob ihr jung seid oder nicht. Ich hoffe irgendwie, dass ihr jung und traurig seid. Wenn ihr alt und glücklich seid, dann könnte ich mir vorstellen, dass ihr versonnen lächelt, wenn ich sage, er hat mir das Herz gebrochen. Ihr erinnert euch daran, wie euch mal einer das Herz gebrochen hat, und denkt, ach ja, ich weiß, wie sich das anfühlt. Aber das wisst ihr nicht, ihr blasierten alten Knacker. Klar, vielleicht erinnert ihr euch, wie euch irgendwie angenehm traurig zumute war. Ihr erinnert euch vielleicht, wie ihr in eurem Zimmer Musik gehört oder Schokolade gegessen habt, oder allein spazieren gegangen seid, eingehüllt in einen Wintermantel, und euch einsam und tapfer vorkamt. Aber könnt ihr euch daran erinnern, dass es sich bei jedem Bissen, den ihr zu euch nehmt, so anfühlt, als würd man sich in den eigenen Magen beißen? Könnt ihr euch an den Geschmack von Rotwein erinnern, der einem wieder hochkommt und in die Kloschüssel spritzt? Könnt ihr euch daran erinnern, jede Nacht zu träumen, ihr wärt noch zusammen und er würde zärtliche Sachen zu euch sagen und euch berühren, so dass ihr jeden Morgen, wenn ihr wach werdet, alles erneut durchmachen müsst? Könnt ihr euch daran erinnern, euch seine Initialen mit einem Küchenmesser in den Arm zu ritzen? Könnt ihr euch daran erinnern, zu nah an der Kante eines U-Bahn-Bahnsteigs zu stehen? Nein? Dann haltet eure blöde Fresse. Schiebt euch euer Lächeln in euren schlaffen alten Arsch.

JJ

Ich wollte eigentlich einfach drauflosreden, ihnen alles erzählen, was sie wissen mussten – Big Yellow, Lizzie, der ganze Kram. Es gab keinen Anlass zu lügen. Mir wurde wohl ein bisschen mulmig, als ich den anderen zuhörte, denn sie schienen alle aus gutem Grund hier oben zu sein. Oh, Mann, jeder verstand, warum Maureens Leben nicht lebenswert war. Und klar, Martin hat sich irgendwie sein eigenes Grab geschaufelt, aber trotzdem, so ein Ausmaß von Schmach und Schande … Ich bezweifle, dass ich mich an seiner Stelle noch so lange gehalten hätte. Und Jess war sehr unglücklich und sehr durchgeknallt. Also, es war jetzt nicht so, dass die Leute direkt miteinander konkurrierten, aber wir … wie soll ich sagen, markierten irgendwie unser Territorium. Und möglicherweise war ich etwas verunsichert, weil Martin an meinen Baum gepinkelt hatte. Ich sollte eigentlich der Schmach-und-Schande-Mann sein, aber meine Schmach und Schande begannen langsam etwas blass auszusehen. Er war eingefahren, weil er mit einer Fünfzehnjährigen geschlafen hatte, und die Boulevardpresse hatte ihn gründlich gefickt. Ich hatte von einem Mädchen den Laufpass gekriegt und meine Band hatte es nicht weit gebracht. Ist ja furchtbar.

Trotzdem hatte ich nicht vorgehabt zu lügen, bis ich diesen Stress mit meinem Namen hatte. Jess war so beschissen aggressiv, da verlor ich einfach die Nerven.

»Also«, sagte ich. »Okay. Ich heiße JJ und …«

»Wofür steht das?«

Immer fragen die Leute, wofür meine Initialen stehen, und nie verrate ich es ihnen. Ich hasse meine Namen. Die Sache war, dass mein Dad autodidaktisch veranlagt war und die BBC total, ich sag mal, verehrte; deswegen hockte er ständig in seinem Hobbyraum und hörte sich auf dem riesigen alten Kurzwellenradio den World Service an. Er war total besessen von einem Kerl, der in den 60ern im Radio allgegenwärtig war, ein Typ namens John Julius Norwich, der war eine Art Lord oder so was und hatte ein paar Millionen Bücher über Kirchen und so Zeug geschrieben. Und nach dem war ich benannt. John Julius. War ich Lord, Anchorman im Radio oder wenigstens Engländer? Nein. Brach ich die Schule ab und gründete eine Band? Yep. Ist John Julius ein guter Name für einen Schulabbrecher? Nee. Aber JJ ist okay. JJ ist einigermaßen cool.

»Das geht nur mich was an. Also, ich heiße JJ und ich bin hier, weil …«

»Ich werd schon rauskriegen, wie du heißt.«

»Wie denn?«

»Ich gehe zu dir nach Haus und durchwühle alles so lange, bis ich einen Hinweis finde. Deinen Pass oder einen Kontoauszug oder so was. Und wenn ich nichts finden kann, klaue ich einfach irgendwas, woran du hängst, und geb es dir erst zurück, wenn du damit rausrückst.«

Herr im Himmel. Wie ist die denn drauf?

»Du würdest eher so was tun, als mich mit meinen Initialen anzureden?«

»Yeah. Klar. Es kotzt mich an, Sachen nicht zu wissen.«

»Ich kenne dich ja nicht sehr gut«, sagte Martin. »Aber wenn dir deine Unwissenheit zu schaffen macht, hätte ich gedacht, es müsste ein, zwei Sachen auf der Liste geben, die noch vor JJs Namen kommen.«

»Was soll das jetzt wieder heißen?«

»Weißt du, wie unser Finanzminister heißt? Oder wer *Moby Dick* geschrieben hat?«

»Nein«, sagte Jess. »Natürlich nicht.« Als ob jeder, der solche Sachen weiß, bescheuert wär. »Aber das sind keine *Geheimnisse*, oder? Ich mag es nicht, *Geheimnisse* nicht zu wissen. Diese anderen Sachen kann ich jederzeit rauskriegen, wenn mir danach ist, aber mir ist nicht danach.«

»Wenn er es uns nicht sagen will, will er es uns nicht sagen. Nennen deine Freunde dich JJ?«

»Yeah.«

»Dann soll es uns auch recht sein.«

»Aber mir ist es nicht recht«, sagte Jess.

»Halt einfach die Klappe und lass ihn erzählen«, sagte Martin.

Aber für mich war der richtige Moment vorbei. Der Moment der Wahrheit jedenfalls, haha. Ich wusste, dass ich keine faire Anhörung bekommen würde; von Jess und Martin gingen Wellen der Feindseligkeit aus, die überall hochschlugen.

Ich starrte sie einen Moment lang an.

»Und?« sagte Jess. »Hast du etwa vergessen, warum du dich umbringen wolltest?«

»Natürlich nicht«, sagte ich.

»Na, dann spuck's endlich aus.«

»Ich bin unheilbar krank«, sagte ich.

Versteht ihr? Ich dachte ja, ich würde die Typen nie wieder sehen. Ich war mir ziemlich sicher, dass wir uns früher oder später die Hände schütteln, uns einen guten Was-weiß-ich wünschen und dann entweder die Treppen wieder runtertrotten oder von dem beschissenen Dach springen würden, je nach Laune, Charakter, Ausmaß des Problems etc. Ich hätte nie gedacht, dass mir das immer wieder so sauer aufstoßen würde wie eine Essiggurke in einem Big Mac.

»Stimmt, du siehst auch gar nicht gut aus«, sagte Jess. »Was hast du? AIDS?« AIDS hätte gepasst. Jeder weiß, dass man damit noch monatelang rumlaufen kann; jeder weiß, dass es unheilbar ist. Aber trotzdem ... Ich hatte ein paar Freunde, die daran gestorben waren, und damit spaßt man nicht. Ich wusste, dass ich AIDS gefälligst aus dem Spiel zu lassen hatte. Aber – und das alles fuhr mir in den dreißig Sekunden nach Jess' Frage durch den Kopf – welche andere tödliche Krankheit eignete sich da? Leukämie? Das Ebola-Virus? Keins von beiden lädt einen wirklich ein: Nein, nur zu, Mann, bedien dich. Als tödliche Krankheit bin ich ein Witz. Ich bin nicht so schlimm, dass es jemand pietätlos finden könnte.

»Ich habe da so was an meinem Gehirn. Es nennt sich CCR.« Was natürlich für Creedence Clearwater Revival steht, eine meiner Lieblingsbands, eins meiner wichtigsten Vorbilder. Ich fand, sie sahen alle nicht wie große Creedence-Fans aus. Jess war zu jung, wegen Maureen musste ich mir echt keinen Kopf machen, und Martin war so ein Typ, der höchstens misstrauisch geworden wäre, wenn ich behauptet hätte, ich wäre unheilbar an ABBA erkrankt.

»Das steht für Craniale Corno-Dingenskirchen.« Mit dem »Cranial« war ich ganz zufrieden. Das hörte sich recht glaubwürdig an. Das »Corno-« war allerdings schwach, das muss ich zugeben.

»Gibt es keine Heilungschance?« fragte Maureen.

»Na klar«, sagte Jess. »Klar gibt's eine Heilungschance. Man muss eine Pille schlucken. Er ist nur zu doof dazu.«

»Es kommt wohl vom Drogenmissbrauch. Drogen und Alkohol. Es ist also beschissenerweise meine eigene Schuld.«

»Da musst du dir ja wie der letzte Spacken vorkommen«, sagte Jess.

»Tu ich auch«, sagte ich. »Falls ›Spacken‹ Arschloch heißen soll.«

»Yeah. Aber egal, du hast gewonnen.«

Was mir ein für allemal bestätigte, dass sich ein gewisser Wettbewerbsgedanke eingeschlichen hatte.

»Ehrlich?« Ich fühlte mich geschmeichelt.

»Aber klar. Sterben? Scheiße, nee. Das ist wie, wie heißt das ... Karo oder Pik oder dieses ... Trumpf! Du bist Trumpf, Mann.«

»Ich würde sagen, eine tödliche Krankheit zu haben sticht nur in diesem Spiel«, sagte Martin. »Bei ›Wer-ist-das-ärmste-Schwein?‹ Woanders ist das nicht viel wert.«

»Wie lang hast du das schon?« fragte Jess.

»Ich weiß nicht.«

»Nur Pi mal Daumen. So aus dem Kopf.«

»Halt die Klappe, Jess«, sagte Martin.

»Was hab ich jetzt schon wieder gesagt? Ich wollte bloß wissen, womit wir hier zurechtkommen müssen.«

»*Wir* müssen hier mit gar nichts zurechtkommen«, sagte ich. »*Ich* muss damit zurechtkommen.«

»Aber du kommst nicht damit zurecht«, sagte Jess.

»Ach, ja? Und das von einem Mädchen, das mit einer Abfuhr nicht zurechtkommt.«

Wir verfielen in feindseliges Schweigen.

»Na schön«, sagte Martin. »Gut. Das reicht fürs Erste.«

»Und nun?« fragte Jess.

»Du gehst zuallererst mal nach Hause«, sagte Martin.

»Einen Scheiß werd ich. Warum sollte ich?«

»Weil wir dich dahin eskortieren werden.«

»Ich geh nur unter einer Bedingung nach Haus.«

»Die wäre?«

»Ihr müsst mir erst helfen, Chas zu finden.«

»Wir alle?«

»Ja, genau. Oder ich bring mich wirklich um. Und dafür bin ich zu jung. Hast du selbst gesagt.«

»Im Nachhinein weiß ich nicht, ob das stimmt«, sagte

Martin. »Du bist ziemlich reif für dein Alter. Das ist mir mittlerweile klar geworden.«

»Dann ist es okay, wenn ich springe?« Sie bewegte sich auf die Dachkante zu.

»Komm wieder her«, sagte ich.

»Mir ist das scheißegal«, sagte sie. »Entweder spring ich, oder wir suchen Chas. Mir ist das gleich.«

Und damit war die Sache entschieden, wir glaubten ihr nämlich. Vielleicht hätten andere Leute in anderen Nächten ihr nicht geglaubt, aber wir drei und in dieser Nacht hatten keine Zweifel. Es war auch nicht so, dass wir sie für ernstlich selbstmordgefährdet hielten; wir hatten bloß den Eindruck, sie könnte jederzeit tun, wozu sie gerade Lust hatte, und falls sie Lust haben sollte, von einem Hochhaus zu springen, um mal zu wissen, wie das so ist, würde sie es ausprobieren. Und wenn man das erst mal begriffen hatte, stellte sich nur noch die Frage, wie viel einem an ihr lag.

»Aber du brauchst unsere Hilfe doch nicht«, sagte ich. »Wir wüssten nicht, wo wir Chas überhaupt suchen sollen. Du bist die Einzige, die ihn finden kann.«

»Ja, aber wenn ich allein bin, komm ich auf komische Gedanken. Verwirrte. So bin ich ja hier oben gelandet.«

»Was meint ihr?« fragte Martin uns Übrige.

»Ich gehe nirgendwohin«, sagte Maureen. »Ich werde weder das Dach verlassen noch meine Meinung ändern.«

»In Ordnung. Das hätten wir auch gar nicht von Ihnen verlangt.«

»Denn sie werden nach mir suchen.«

»Wer?«

»Die Leute vom Pflegeheim.«

»Na und?« sagte Jess. »Was sollen sie machen, wenn sie Sie nicht finden?«

»Sie werden Matty irgendwo unterbringen, wo es grässlich ist.«

»Matty, ist das der lebende Leichnam? Ist es dem nicht scheißegal, wo er hinkommt?«

Maureen warf Martin einen hilflosen Blick zu.

»Geht es ums Geld?« fragte Martin. »Müssen Sie deswegen morgen früh tot sein?«

Jess schnaubte, aber mir war klar, warum er das gefragt hatte.

»Ich habe nur für eine Nacht bezahlt«, sagte Maureen.

»Haben Sie genug Geld für mehr als eine Nacht?«

»Ja, natürlich.« Anscheinend fühlte sie sich durch die Vermutung, sie hätte es nicht, irgendwie verpisst. Angepisst, meine ich.

»Dann rufen Sie doch an und sagen, er würde zwei Nächte bleiben.«

Maureen blickte ihn erneut hilflos an. »Warum?«

»Darum«, sagte Jess. »Jedenfalls gibt's hier oben nichts mehr für uns zu tun, oder?«

Martin gab einen Laut von sich, der wie ein Lachen klang.

»Wie, etwa doch?« fragte Jess.

»Nicht, dass ich wüsste«, sagte Martin. »Abgesehen vom Naheliegenden.«

»Ach, das«, sagte Jess. »Vergiss es. Dafür haben wir den Zeitpunkt verpasst. Das spüre ich. Also müssen wir uns eine andere Beschäftigung suchen.«

»Selbst wenn du Recht hast und wir den Zeitpunkt verpasst haben«, sagte ich, »warum müssen wir dann gemeinsam was unternehmen? Warum gehen wir nicht alle nach Haus und setzen uns vor den Fernseher?«

»Weil ich auf komische Gedanken komme, wenn ich allein bin. Hab ich doch schon gesagt.«

»Warum sollte uns das kümmern? Vor einer halben Stunde kannten wir dich noch gar nicht. Mir ist es ziemlich egal, ob du komisch draufkommst, wenn du allein bist.«

»Hast du denn gar nicht so eine Art Zusammengehörig-keitsgefühl, wegen dem, was wir durchgemacht haben?«
»Nee.«
»Das kommt noch. Ich seh schon, wir werden noch Freunde sein, wenn wir alle längst alt sind.«
Ein Schweigen folgte. Das war offenkundig keine Vision, die von allen geteilt wurde.

MAUREEN

Mir gefiel es nicht, dass sie mich als knauserig hinstellten. Mit Geld hatte das gar nichts zu tun. Ich nahm eine Nacht in Anspruch, also habe ich eine Nacht bezahlt. Danach würde irgendein anderer zahlen müssen, aber davon hätte ich nichts mehr mitbekommen.

Ich merkte, dass sie es nicht verstanden. Ich meine, sie konnten schon verstehen, dass ich unglücklich war. Aber sie konnten die Logik dahinter nicht verstehen. Für sie sah das so aus: Wenn ich sterben würde, würde Matty in irgendein Heim kommen. Warum steckte ich ihn dann nicht einfach in ein Heim und blieb am Leben? Wo wäre da der Unterschied? Aber das zeigte nur, dass sie weder mich noch Matty noch Father Anthony oder sonst jemanden aus der Kirchengemeinde verstanden. Keiner, den ich kenne, denkt so.

Aber diese Leute sind auch anders als alle, die ich kenne. Sie ähneln mehr den Leuten im Fernsehen, den Leuten aus *Eastenders* und den anderen Serien, wo die Leute immer sofort wissen, was sie sagen müssen. Ich will damit nicht sagen, sie wären schlechte Menschen. Ich sage nur, sie sind anders. Wäre Matty ihr Sohn, würden sie sich nicht so viele Gedanken machen. Sie haben nicht dasselbe Pflichtbewusstsein. Sie würden einfach sagen: »Wo ist da der Unterschied?«, und damit hätte es sich, und vielleicht haben sie damit Recht, aber sie sind nicht ich, und ich weiß nicht, wie ich ihnen das begreiflich machen kann.

Sie sind nicht ich, aber ich wünschte, ich wäre sie. Vielleicht nicht genau wie sie, denn *so* glücklich sind sie ja auch nicht. Aber ich wünschte, ich würde zu den Menschen gehören, die wissen, was sie sagen müssen, zu den Menschen, die da keinen Unterschied sehen. Denn mir kommt es so vor, als hätte man dann größere Chancen, ein erträgliches Leben zu führen.

Daher wusste ich nicht, was ich sagen sollte, als Martin mich fragte, ob ich wirklich sterben wolle. Die nahe liegende Antwort wäre gewesen: Selbstverständlich, Sie Dummkopf, deswegen bin ich doch die Treppen hochgestiegen, deswegen habe ich einem Jungen – guter Gott, einem Mann –, der mich gar nicht hören kann, den ganzen Quatsch über eine Silvesterparty erzählt, die es nur in meiner Phantasie gab. Aber darauf gibt es auch noch eine andere Antwort, nicht wahr? Und diese Antwortet ist: Nein, natürlich nicht, Sie Dummkopf. Bitte halten Sie mich zurück. Bitte helfen Sie mir. Bitte machen Sie aus mir einen Menschen, der leben möchte, vielleicht einen Menschen, dem eine Kleinigkeit fehlt. Einen Menschen, der sagen könnte, ich habe etwas Besseres verdient als das hier. Nichts *viel* Besseres; nur so viel, dass es gerade genügt, anstatt dass es gerade nicht genügt. Denn deswegen war ich hier oben: Es gab nicht genug, was mich zurückhielt.

»Und?« fragte Martin. »Wären Sie bereit, bis morgen Abend zu warten?«

»Was soll ich den Leuten im Heim erzählen?«

»Haben Sie die Telefonnummer dabei?«

»Es ist zu spät, um da noch anzurufen.«

»Irgendwer wird schon Nachtdienst haben. Geben Sie mir die Nummer.« Er zog eins dieser kleinen tragbaren Telefone aus der Tasche und knipste es an. Es begann zu klingeln, und er drückte einen Knopf und hielt das Telefon an sein Ohr. Er hörte wohl eine Nachricht ab.

»Irgendwer liebt dich«, sagte Jess, aber er ignorierte sie.

Ich hatte Adresse und Telefonnummer auf mein Briefchen notiert. Ich fischte es aus meiner Tasche, konnte aber in der Dunkelheit nichts entziffern.

»Geben Sie her«, sagte Martin.

Mir war das unangenehm. Das war meine kleine Notiz, mein Abschiedsbrief, und ich wollte nicht, dass ihn irgendwer in meinem Beisein las, aber ich wusste nicht, wie ich das ausdrücken sollte, und bevor ich mich versah, hatte Martin die Hand danach ausgestreckt und mir den Brief weggenommen.

»Lieber Himmel«, sagte er, als er darauf blickte. Ich spürte, wie ich rot wurde. »Ist das Ihr Abschiedsbrief?«

»Cool. Lies mal vor«, sagte Jess. »Meine sind blöd, aber ich wette, ihrer ist noch blöder.«

»Dei-*ne* sind blöd?« fragte JJ. »Soll das heißen, es gibt davon Hunderte oder so?«

»Ich schreib dauernd welche«, sagte Jess. Sie schien das nicht so eng zu sehen. Die beiden Jungs guckten sie an, blieben jedoch stumm. Doch man konnte ihnen ansehen, was sie sich dachten.

»Was denn?« fragte Jess.

»Ich könnte mir denken, dass die meisten von uns nur einen geschrieben haben«, sagte Martin.

»Ich ändere häufig meine Meinung«, sagte Jess. »Das muss ja wohl erlaubt sein. Eine wichtige Entscheidung immerhin.«

»Eine der wichtigsten«, sagte Martin. »Gehört bestimmt in die Top Ten.« Er war einer von diesen Menschen, bei denen man nie wusste, ob sie Witze machten oder nicht. »Egal. Den hier werde ich jedenfalls nicht vorlesen.« Er warf einen Blick darauf, um die Nummer abzulesen, und tippte sie dann ein. Und ein paar Sekunden später war schon alles erledigt. Er entschuldigte sich dafür, dass er so spät anrief, dann erklärte er ihnen, es wäre etwas dazwischengekommen, Matty müsse noch einen weiteren Tag dableiben, und das war's. Er sagte das so, als wüsste er, dass sie keine weiteren Fragen stellen würden. Hätte ich angerufen, hätte ich eine lange, komplizierte Erklärung vorgebracht, warum ich um vier Uhr morgens anrief, eine, die ich mir schon monatelang vorher zurechtgelegt hätte, und dann hätten sie mich durchschaut, ich hätte alles zugegeben und hätte Matty am Schluss ein paar Stunden früher anstatt einen Tag später zurückbekommen.

»Gut«, sagte JJ. »Das mit Maureen wäre geritzt. Bleibst nur noch du, Martin. Bist du dabei?«

»Also, wo steckt denn dieser Chas überhaupt?« fragte Martin.

»Keine Ahnung«, sagte Jess. »Auf irgendeiner Party. Kommt es darauf an? Wo er gerade steckt?«

»Ja. Ich würde lieber von diesem Sch…dach springen, als versuchen, um vier Uhr morgens ein Taxi aufzutreiben, das mich nach irgendwo in South London fährt«, sagte Martin.

»Er kennt überhaupt keinen in South London«, sagte Jess.

»Gut«, sagte Martin. Und als er das sagte, war klar, dass wir alle statt Selbstmord zu begehen vom Dach runtersteigen und nach Jess' Freund, oder was er sonst war, suchen würden. Es war nicht gerade ein toller Plan. Aber es war der einzige Plan, den wir hatten, deswegen konnten wir nur versuchen, das Beste daraus zu machen.

»Gib mir dein Handy, dann telefonier ich mal rum«, sagte Jess.

Also gab Martin ihr sein Telefon, und sie ging auf die andere Seite des Dachs, wo niemand sie hören konnte, und wir warteten ab, dass sie uns sagte, wo es hingehen sollte.

Ich weiß, was ihr denkt, ihr Neunmalklugen, die den *Guardian* lesen, bei Waterstones einkaufen und ebenso wenig auf die Idee kämen, das Frühstücksfernsehen einzuschalten, wie sie ihren Kindern Zigaretten kaufen würden. Ihr denkt: Ach, der Typ hat's doch nicht ernst gemeint. Der wollte bloß, dass ein Paparazzo seinen so genannten »Hilfeschrei« festhält, damit er einen Exklusivbericht über »Mein Horrorselbstmord« an die *Sun* verscherbeln kann. »SHARP SCHAFFT DEN AB-SPRUNG«. Und ich kann verstehen, warum ihr das glaubt, meine Freunde. Ich klettere eine Leiter rauf, gönne mir ein paar Schlucke Scotch aus dem Flachmann, während meine Beine über dem Abgrund baumeln, aber kaum kommt irgendein dummes kleines Mädchen und bittet mich, ihren Exfreund zu suchen, der irgendwo auf einer Party ist, blase ich es ab und ziehe mit ihr los. Das sollen Selbstmordabsichten sein?

Zuallererst darf ich Ihnen verraten, dass ich auf Aaron T. Becks Selbstmordabsichtsskala sehr gute Werte erziele. Ich wette, Sie wussten nicht mal, dass eine solche Skala existiert, oder? Tja, die gibt es, und ich glaube, ich bin auf etwa einundzwanzig von dreißig möglichen Punkten gekommen, womit ich recht zufrieden war, wie Sie sich denken können. Ja, der Gedanke an Selbstmord war schon länger als drei Stunden vor dem Versuch aufgetreten. Ja, selbst wenn ich medizinische Hilfe erhalten hätte, wäre es mein sicherer Tod gewesen: Topper's House hat fünfzehn Stockwerke, und man geht davon aus, dass alles über zehn in jedem Fall reicht. Ja, ich habe planmäßige Vorkehrungen getroffen: Leiter, Drahtschere usw. Ein Schuss, ein Treffer. Die einzigen Fragen, bei denen ich eventuell nicht die maximale Punktzahl erreichen konnte, waren die beiden nach der Wahl des Orts und des Zeitpunkts, wie es bei Aaron T. Beck heißt. »Niemand in

Sicht- oder Rufweite« bringt die höchste Punktzahl, genau wie »Intervention äußerst unwahrscheinlich«. Sie könnten einwenden, dass Intervention nahezu unvermeidbar war, wenn man sich ausgerechnet in der von Selbstmördern bevorzugten Nacht den bei Selbstmördern beliebtesten Ort in ganz North London aussuchte; dem würde ich entgegenhalten, dass wir eben schlichte Gemüter waren. Beschränkt oder abartig selbstbezogen, suchen Sie es sich aus.

Und trotzdem, hätte es da oben nicht vor Menschen gewimmelt, wäre ich natürlich jetzt nicht mehr hier, also liegt der gute Beck vielleicht doch richtig. Wir mögen nicht direkt darauf gebaut haben, dass uns jemand retten würde, aber sobald wir uns da oben über den Weg liefen, bestand eindeutig der gemeinsame Wunsch – ein in erster Linie von einem Gefühl der Beschämung bestimmter Wunsch –, die ganze Idee zu den Akten zu legen, zumindest für diese Nacht. Keiner von uns stieg diese Treppen mit der neu gewonnenen Überzeugung hinunter, das Leben sei etwas Wunderbares und Kostbares; wenn überhaupt, dann waren wir auf dem Weg nach unten noch eine Spur unglücklicher als auf dem Weg nach oben, denn der einzige Ausweg aus unseren unterschiedlichen Nöten, den wir gefunden hatten, war uns nun verwehrt, zumindest für den Augenblick. Darüber hinaus hatte auf dem Dach eine Art verrückte, nervöse Erregung geherrscht, und für ein paar Stunden hatten wir in einer Art rechtsfreiem Raum gelebt, in dem die Gesetze von da unten nicht mehr galten. Obwohl es unsere Probleme waren, die uns hier heraufgeführt hatten, kam es einem vor, als könnten sie keine Treppen steigen, wie die Daleks. Und nun mussten wir wieder runter und uns ihnen erneut stellen. Aber uns schien nichts anderes übrig zu bleiben, zumindest fürs Erste. Auch wenn uns bis auf diese eine Sache nichts verband, genügte diese eine Sache, um in uns das Gefühl zu wecken, alles andere – sowohl Geld, als auch Klassenzugehörigkeit, Bildung,

Alter oder kulturelle Interessen – sei einen Dreck wert; wir waren in diesen paar Stunden unerwartet zu einer eigenen Nation zusammengewachsen und wollten jetzt erst mal nur mit unseren neuen Landsleuten zusammen sein. Ich hatte kaum ein Wort mit Maureen gewechselt und kannte nicht einmal ihren Nachnamen, aber sie verstand mich besser als meine Ehefrau während der letzten fünf Jahre unserer Ehe. Maureen wusste durch den Ort, an dem wir uns begegnet waren, dass ich unglücklich war, und das bedeutete, dass sie das Wichtigste über mich wusste; Cindy zeigte sich über alles, was ich sagte oder tat, stets bass erstaunt. Es wäre doch zu schön gewesen, wenn ich mich in Maureen verliebt hätte, oder? Ich sehe schon die Schlagzeile: SHARP SATTELT UM! Und dann käme die Geschichte, der alte Kinderschänder hätte sein Fehlverhalten eingesehen und sich lieber mit einer netten, einfachen Dame mittleren Alters häuslich niedergelassen, als Schulmädchen oder drittklassigen Schauspielerinnen mit Silikonbusen nachzulaufen. Das hätten Sie wohl gern.

JJ

Während Jess ihre gesamten Bekannten anrief, um rauszufinden, wo sich dieser Chas rumtrieb, lehnte ich an der Mauer, guckte durch das Gitter auf die Stadt und überlegte, was ich in diesem Moment wohl hören würde, wenn ich einen iPod oder einen Discman besessen hätte. Als Erstes kam mir Jonathan Richmans »Abominable Snowman in the Market« in den Sinn, vielleicht weil es niedlich und naiv ist und mich an eine Zeit in meinem Leben erinnerte, in der ich es mir noch leisten konnte, auch so zu sein. Und dann begann ich, »In Between Days« von The Cure zu summen, was mir passender vorkam. Es war nicht heute und es war nicht morgen, und es war nicht letztes Jahr und nicht nächstes Jahr und überhaupt, die ganze Sache auf dem Dach war nicht Fisch und nicht Fleisch, ein Schwebezustand, weil wir uns noch nicht ganz entschieden hatten, wie es für unsere unsterblichen Seelen weitergehen sollte.

Jess telefonierte zehn Minuten mit zuverlässigen Quellen aus Chas' engerem Umfeld und kam dann mit der Information zurück, er sei höchstwahrscheinlich auf einer Party in Shoreditch. Wir marschierten fünfzehn Stockwerke durch wummernden Dub und den Gestank von Pisse und traten dann wieder auf die Straße, wo wir bibbernd in der Kälte standen und auf ein Taxi warteten. Keiner sagte viel, außer Jess, die genug für uns alle redete. Sie erklärte uns, wessen Party es war und wer höchstwahrscheinlich da sein würde.

»Tessa und die ganze Bagage werden da sein.«

»Aha«, sagte Martin. »Die Bagage also.«

»Und Alfie und Tabitha und die ganze Posse, die samstags immer ins Ocean geht. Und Acid-Head Pete und der Rest von der Graphikdesign-Clique.«

Martin seufzte; Maureen sah seekrank aus.

Ein junger Afrikaner in einem schrottigen alten Ford hielt neben uns an. Er kurbelte das Beifahrerfenster runter und beugte sich rüber.

»Wo wollt ihr hin?«

»Shoreditch.«

»Dreißig Pfund.«

»Dir haben sie wohl ins Gehirn geschissen«, sagte Jess.

»Klappe«, sagte Martin und kletterte auf den Beifahrersitz. »Ich zahle«, sagte er. Wir Übrigen stiegen hinten ein.

Niemand von uns sagte ein Wort.

»Party?« fragte der Fahrer.

»Ist Ihnen Acid-Head Pete ein Begriff?« fragte ihn Martin. »Nun, wir hoffen, ihn zu treffen. Sollte echt dufte werden.«

»Dufte«, schnaubte Jess. »Wie kann man bloß so ein

Peinsack sein?« Wenn man mit Jess rumalbern und Wörter ironisch benutzen will, sollte man ihr reichlich Vorlaufzeit geben.

Es war mittlerweile ungefähr vier Uhr morgens, aber es waren endlos viele Leute unterwegs, in eigenen Wagen, in Taxis und zu Fuß. Alle schienen in Gruppen unterwegs zu sein. Manchmal winkten uns Leute zu; Jess winkte jedes Mal zurück.

»Wie steht's mit Ihnen?« fragte Jess den Fahrer. »Arbeiten Sie die ganze Nacht? Oder genehmigen Sie sich nachher irgendwo einen Schluck?«

»Arbeite *toute la nuit*«, sagte der Fahrer. »Ganze Nacht.«

»Das ist Pech«, sagte Jess.

Der Fahrer lachte freudlos.

»Ja. Pech.«

»Ärgert es deine Alte?«

»Bitte?«

»Deine Alte. *La femme*. Stört sie das nicht? Dass du die ganze Nacht arbeitest?«

»Nein, stört sie nicht. Nicht jetzt. Nicht da, wo sie jetzt ist.«

Jeder mit dem geringsten emotionalen Gespür hätte merken können, dass sich die Stimmung im Taxi verfinsterte. Jeder mit etwas Lebenserfahrung hätte sich denken können, dass wir hier einen Mann mit Vorgeschichte hatten und dass seine Geschichte, wie immer sie lautete, wohl kaum dazu angetan wäre, uns in Partylaune zu versetzen. Jeder Mensch mit etwas Verstand hätte an dieser Stelle geschwiegen.

»Oh«, sagte Jess. »Böse Frau, wa?«

In mir zog sich alles zusammen, und ich bin sicher, den anderen ging es genauso. Kodderschnauze hatte wieder zugeschlagen.

»Nicht böse. Tot.« Er sagte das ausdruckslos, als würde er sie nur bei einem Irrtum korrigieren, als wären »böse« und

»tot« Adressen, die die Leute oft verwechseln, wie sein Job es mit sich brachte.

»Oh.«

»Ja. Böse Männer sie ermorden. Sie, ihre Mutter, ihren Vater.«

»Oh.«

»Ja. In meinem Land.«

»Verstehe.«

Ausgerechnet an dem Punkt entschied sich Jess, nichts mehr zu sagen: just an der Stelle, wo ihr Schweigen sie mies aussehen ließ. Wir fuhren also weiter und hingen unseren Gedanken nach. Und ich würde eine Million Kröten wetten, dass jeder von uns im Mahlstrom seiner Gedanken ähnliche Fragen formulierte: Warum hatten wir ihn nicht da oben getroffen? Oder war er oben gewesen und wie wir wieder runtergegangen? Würde er hämisch grinsen, wenn wir ihm unsere Sorgen erzählten? Was fiel ihm ein, so verdammt ... hart im Nehmen zu sein? Als wir ankamen, wo wir hinwollten, gab Martin ihm ein sehr großzügiges Trinkgeld, und er war erfreut und dankbar und bezeichnete uns als seine Freunde. Wir wären gern seine Freunde gewesen, aber wahrscheinlich hätte er nicht mehr viel Interesse an uns gehabt, wenn er uns erst mal näher kannte.

Maureen wollte nicht mit uns reinkommen, aber wir schoben sie durch die Tür und die Treppe hoch in einen Raum, der einem New Yorker Loft so nahe kam wie kein anderer, den ich bis jetzt hier gesehen hatte. In NYC hätte er ein Vermögen gekostet, was bedeutet, dass er in London ein Vermögen plus noch mal dreißig Prozent Aufschlag kostet. Noch jetzt um vier Uhr morgens war er knüppelvoll, und zwar voll von genau den Leuten, die ich am wenigsten leiden kann: dämlichen Kunststudenten. Gut, Jess hatte uns ja gewarnt, aber es war trotzdem ein Schock. Die ewigen Wollmützen und die Schnurrbärte, bei denen Teile fehlten, die ganzen frischen Tattoos und Plastikschuhe ... also, ich bin ja ein liberaler Mensch und will nicht, dass Bush den Irak bombadiert, und ich weiß einen guten Joint genauso zu schätzen wie jedermann, aber diese Figuren erfüllen mich trotzdem mit Grausen und Abscheu, hauptsächlich, weil ich weiß, dass ihnen meine Band nicht gefallen hätte. Wenn wir in einer Universitätsstadt vor Leuten wie denen spielen mussten, wusste ich immer, dass wir es schwer haben würden. Die mögen keine richtige Musik, diese Typen. Sie mögen die Ramones oder die Temptations oder die 'Mats nicht; die stehen auf DJ Bleepy und seine verkackten Bleeps. Oder sie tun so, als wären sie gottverdammte Gangstas, und hören Hip-Hop über Nutten und Knarren.

Daher hatte ich von Anfang an beschissene Laune. Ich befürchtete, dass ich mit irgendwem aneinander geraten würde, und legte mir sogar zurecht, wegen was: Ich würde entweder Martin oder Maureen vor dem Gespött irgendeines Wichsers mit Ziegenbärtchen oder einer Frau mit Oberlippenbart in Schutz nehmen. Aber es passierte nichts. Das Verrückte war, dass Martin mit seinem Anzug und der Sonnenstudiobräune und Maureen in ihrem Regenmantel und ihren Damenbequemschuhen da genau reinpassten. Sie sahen so spießig aus, dass es, ihr wisst schon, schon wieder irgendwie *schrill* aussah. Martin mit seiner Fernsehfrisur hätte glatt einer von Kraftwerk sein können, und Maureen konnte als echt sonderbare Version von Maureen Tucker von Velvet Underground durchgehen. Und ich – ich trug verblichene schwarze Hosen, eine Lederjacke und ein altes Gitanes-T-Shirt und kam mir wie der letzte Freak vor.

Es gab nur einen Vorfall, bei dem ich dachte, ich würde vielleicht jemandem das Nasenbein brechen müssen. Martin stand da und trank Wein direkt aus der Flasche, und zwei so Typen starrten ihn auf einmal an. »Martin Sharp! Kennst du doch, vom Frühstücksfernsehen!«

Ich zuckte zusammen. Ich bin schließlich nicht oft mit Prominenten unterwegs, und mir war nicht bewusst gewesen, dass mit Martins Gesicht auf eine Party zu kommen ungefähr so ist, als käme man nackt: Es erkennen einen sogar Kunststudenten. Aber das hier war verzwickter als simples Erkanntwerden.

»Ja, alles klar! Gut getroffen!« sagte sein Kumpel.

»Oi, Sharpy!«

Martin lächelte sie freundlich an.

»So was sagen die Leute sicher andauernd zu dir, oder?« sagte einer von den beiden.

»Was?«

»Na ja, oi, Sharpy und so.«

»Ja, stimmt«, sagte Martin. »Das tun sie.«

»Trotzdem, Pech. Da siehst du schon wie einer vom Fernsehen aus, und dann wie dieses Arschloch.«

Martin antwortete mit einem lockeren Was-will-man-machen-Schulterzucken und wandte sich wieder mir zu.

»Alles klar?«

»So ist das Leben«, sagte er und sah mich an. Irgendwie war es ihm gelungen, einer leeren Floskel neue Tiefe zu geben.

Maureen war mittlerweile offenkundig starr vor Angst. Jedes Mal, wenn irgendwer lachte, fluchte oder etwas zerbrach, fuhr sie zusammen; sie starrte die Partygäste an, als sähe sie fünfzehn Meter große Fotos von Diane Arbus auf einem Imax-Screen.

»Möchten Sie etwas trinken?«

»Wo ist Jess?«

»Die sucht Chas.«

»Danach können wir gehen?«

»Klar.«

»Gut. Mir gefällt es hier nicht.«

»Mir auch nicht.«

»Wo gehen wir dann wohl als Nächstes hin?«

»Keine Ahnung.«

»Aber wir gehen alle zusammen, oder?«

»Das nehm ich an. So war's abgemacht, oder? Bis wir diesen Knaben gefunden haben.«

»Ich hoffe, wir finden ihn nicht«, sagte Maureen. »Nicht so schnell. Ich hätte gern einen Sherry, wenn Sie einen auftreiben können.«

»Wissen Sie, ich glaube nicht, dass hier viel Sherry zu finden ist. Diese Leute sehen für mich nicht nach Sherry-Trinkern aus.«

»Weißwein? Ob sie den wohl haben?«

Ich fand ein paar Pappbecher und eine Flasche, in der noch ein Rest war.

»Cheers.«

»Cheers.«

»Jedes Silvester das Gleiche, was?«

»Wie meinen Sie das?«

»Na ja, warmer Weißwein, eine beschissene Party mit lauter Idioten. Dabei hatte ich mir geschworen, dieses Jahr würde alles anders.«

»Wo waren Sie denn letztes Jahr Silvester?«

»Ich war auf einer Party bei mir zu Haus. Mit Lizzie, meiner Ex.«

»War's schön?«

»Ja, es war ganz nett. Und Sie?«

»Ich war zu Hause. Bei Matty.«

»Verstehe. Und haben Sie vor einem Jahr schon …«

»Ja«, sagte sie rasch. »Oh, ja.«

»Verstehe.« Und dann wusste ich nicht so recht, was ich sagen sollte, darum nippten wir beide an unserem Wein und guckten den Idioten zu.

MAUREEN

Es kann doch nicht hygienisch sein, in einer Wohnung ohne Zimmer zu leben. Selbst Leuten, die in möblierten Zimmern leben, steht normalerweise ein vernünftiges Badezimmer zur Verfügung, mit Türen, Wänden und einem Fenster. Dieser Raum, der Raum, in dem die Party stattfand, hatte nicht mal das. Es war wie eine Bahnhofstoilette, außer dass es nicht mal ein gesondertes Männerklo gab. Es gab bloß eine kleine Wand, die das Bad und die Toilette vom Rest abtrennte, deswegen konnte ich nicht draufgehen, obwohl ich musste; jeder hätte um die Ecke kommen und sehen können, was ich mache. Und ich muss wohl nicht näher darauf eingehen, wie unhygienisch alles war. Mutter sagte immer, unangenehmer Geruch sei einfach der Gestank von Bakterien; tja, wem immer diese Wohnung gehörte, er musste überall Bakterien haben. Nicht, dass überhaupt jemand die Toilette hätte benutzen können: Als ich danach suchte, kniete gerade jemand davor und schnüffelte am Klodeckel. Ich habe nicht die leiseste Vorstellung, was jemanden dazu bewegen könnte, am Deckel einer Toilette zu riechen (und auch noch während jemand zusah! Man stelle sich das vor!). Aber ich glaube, die Menschen haben die unterschiedlichsten Perversionen. Es war genau das, was ich erwartet hatte, als ich auf diese Party kam und den Krach hörte und sah, was für eine Sorte von Leuten das war; wenn mich jemand gefragt hätte, was solche Leute meiner Meinung nach auf der Toilette machen, hätte ich womöglich gesagt, am Klodeckel schnüffeln.

Als ich zurückkam, stand Jess in Tränen aufgelöst da, und die übrigen Partygäste waren etwas auf Distanz zu uns gegangen. Irgendein Junge hatte ihr erzählt, Chas sei da gewesen und wieder gegangen, und zwar mit jemandem, den er auf der Party getroffen hatte, einem Mädchen. Jess wollte, dass wir alle zusammen zu diesem Mädchen nach Hause gin-

gen, und JJ versuchte sie davon zu überzeugen, dass die Idee
nicht so gut wäre.

»Das geht schon klar«, sagte Jess. »Ich kenne sie. Wahrscheinlich ist das nur ein Missverständnis. Wahrscheinlich
weiß sie das von mir und Chas gar nicht.«

»Und wenn doch?« fragte JJ.

»Tja«, sagte Jess. »In dem Fall kann ich das ja wohl nicht
durchgehen lassen, oder?«

»Was soll das heißen?«

»Umbringen würde ich sie nicht. So verrückt bin ich
auch wieder nicht. Aber ich würde ihr ein bisschen wehtun
müssen. Sie vielleicht ein bisschen anritzen.«

Als Frank unsere Verlobung löste, hatte ich nicht geglaubt, dass ich es je verwinden würde. Er tat mir fast so Leid
wie ich mir selbst, denn ich hatte es ihm nicht leicht gemacht. Wir waren im Ambler Arms, das heute allerdings
nicht mehr so heißt, in der Ecke beim Spielautomaten, und
der Wirt kam an unseren Tisch und forderte Frank auf, mich
nach Haus zu bringen, denn niemand wolle Geld in den Automaten stecken, solange ich daneben saß und mir die Augen
aus dem Kopf heulte, und sie verdienten an ruhigen Abenden
immer ganz anständig an dem Spielautomaten. Damals hätte
ich meinem Leben beinahe ein Ende gesetzt – daran gedacht
hatte ich ganz bestimmt. Aber ich dachte, ich könnte mich
durchbeißen, ich dachte, alles könnte sich zum Besseren
wenden. Stellen Sie sich vor, welchen Ärger ich allen erspart
hätte, hätte ich es getan! Ich hätte uns beide umgebracht,
mich und Matty, aber das wusste ich damals natürlich nicht.
Ich achtete gar nicht auf das dumme Zeug, das Jess redete –
auf Leute mit dem Messer losgehen. Ich hatte mir allen möglichen Unsinn ausgemalt, als Frank und ich uns trennten; ich
habe den Leuten weisgemacht, Frank hätte wegziehen müssen, er sei geisteskrank, er wäre Alkoholiker und hätte mich
geschlagen. Nichts davon entsprach der Wahrheit. Frank war

ein liebenswerter Mann, dessen einziges Verbrechen darin bestand, mich nicht genügend zu lieben, und weil das nicht unbedingt ein Kapitalverbrechen war, hatte ich mir schlimmere ausdenken müssen.

»Wart ihr verlobt?« fragte ich Jess und wünschte gleich, ich hätte es nicht getan.

»Verlobt?« fragte Jess. »Verlobt? Sch…, wo sind wir denn hier? Bei ›Stolz und Vorurteil‹? ›Oooh, Mr. Darcy, dürfte ich um Ihre Hand bitten?‹ ›Oh ja, Miss Kleindoofi-Schnuti, ich wäre entzückt.‹« Den letzten Teil sagte sie mit alberner Piepsstimme, aber das werden Sie sich schon gedacht haben.

»Es verloben sich immer noch Leute«, sagte Martin. »So dumm ist die Frage nicht.«

»Was für Leute verloben sich?«

»Ich zum Beispiel«, sagte ich. Aber ich sagte es zu leise, weil sie mir Angst einjagte, deshalb zwang sie mich, es zu wiederholen.

»Echt? Ja, aber welche *lebenden* Menschen verloben sich? Leute von der Arche Noah interessieren mich nicht. Leute mit, was weiß ich, mit Schuhen und Regenmänteln interessieren mich nicht.« Ich hätte sie gerne gefragt, was wir ihrer Meinung nach anstelle der Schuhe tragen sollten, aber ich hatte meine Lektion gelernt.

»Egal, mit was für einem A…loch hast du dich denn verlobt?«

Ich hatte nicht damit angefangen. Ich fand es ungerecht, dass so was der Dank war, wenn man jemandem zu helfen versuchte.

»Hast du mit ihm gebumst? Ich wette, ja. Wie hatte er's am liebsten? Von hinten? Damit er dich nicht angucken musste?«

Und da packte Martin sie und zerrte sie raus auf die Straße.

Als Martin mich nach draußen zerrte, war ich grade wieder kurz davor, ein anderer Mensch zu werden. Das kann ich, ganz wie ich Bock hab. Macht das nicht jeder so, wenn er merkt, dass er die Kontrolle über sich verliert? Ihr wisst schon: Man sagt sich, alles klar, jetzt bin ich mal total belesen, und dann geht man hin und leiht sich ein paar Bücher aus und trägt sie eine Zeit lang mit sich rum. Oder, meinetwegen, ich bin ein Kiffertyp, und dann raucht man viel Gras. Egal was. Und man fühlt sich dadurch anders. Wenn man sich die Kleidung oder Vorlieben oder Sprache, die Art zu reden, von anderen ausleiht, dann ist das wie ein kleiner Urlaub von sich selbst, finde ich.

Es war höchste Zeit, sich anders zu fühlen. Ich weiß nicht, warum ich diese Sachen zu Maureen gesagt hab; ich weiß die meiste Zeit nicht, warum ich was sage. Ich wusste, ich war zu weit gegangen, aber ich konnte mich nicht bremsen. Ich werd wütend, und wenn es losgeht, ist es, als wär einem übel. Ich kotze und kotze mich auf irgendwen aus und kann erst aufhören, wenn ich leer bin. Ich war froh, dass Martin mich nach draußen schleifte. Man musste mich aufhalten. Man musste mich unbedingt aufhalten. Deswegen nahm ich mir vor, von jetzt an mehr wie ein Mensch von früher zu sein. Ich gelobte, nicht mehr zu fluchen oder zu spucken; ich gelobte, harmlose alte Frauen, die unübersehbar mehr oder weniger unberührt sind, nicht zu fragen, ob es ihnen mal einer von hinten besorgt hat.

Martin war stinksauer auf mich, bezeichnete mich als Miststück und Idiotin und fragte, was Maureen mir eigentlich getan hätte. Und ich sagte bloß, ja, Sir, und nein, Sir, und tut mir sehr Leid, Sir, und ich guckte auf den Boden und nicht ihn an, nur um ihm zu demonstrieren, dass es mir wirklich Leid tat. Und dann machte ich einen Knicks, was ich irgendwie für eine nette Geste hielt. Und er fragte, was soll der Scheiß jetzt? Was soll der alberne Quatsch mit dem ja, Sir, nein, Sir? Also erklärte ich ihm, dass ich aufhören wollte, ich selbst zu sein, und niemand mein altes Ich je wieder zu Gesicht bekommen würde, und dazu fiel ihm nichts mehr ein.

Ich wollte nicht, dass sie irgendwann von mir die Schnauze voll hatten. Die Leute haben meistens irgendwann von mir die Schnauze voll, hab ich festgestellt. Chas zum Beispiel hatte irgendwann von mir die Schnauze voll. Und das sollte echt nicht mehr passieren, sonst würde ich am Schluss ganz allein dastehen. Für Chas war es, glaub ich, einfach zu viel auf einmal; ich war zu direkt und zu schnell, und er kriegte es mit der Angst zu tun. Die Sache in der Tate Modern zum Beispiel. Das war definitiv ein Fehler. Denn die Vibes da drin ... okay, ein paar von den Sachen sind voll schräg und intensiv und so weiter, aber das musste nicht heißen, dass ich auch extrem schräg und intensiv draufkomme. Das war ein ganz unangebrachtes Verhalten, wie Jen es genannt hätte. Ich hätte warten sollen, bis wir mit Bilder- und Installationengucken fertig und wieder draußen waren, bevor ich loslegte. Ich glaube, Jen hat auch die Schnauze voll von mir gehabt.

Das Gleiche mit der Sache im Kino, die im Nachhinein betrachtet wahrscheinlich das Fass zum Überlaufen gebracht hatte. Das war auch unangemessenes Verhalten. Vielleicht war ja auch weniger das Verhalten unangemessen, denn dieses Gespräch musste ich irgendwann führen, als der Ort (Holloway Odeon), der Zeitpunkt (mitten im Film) und die Lautstärke (extrem). Eins der Argumente, die Chas an dem Abend vorbrachte, war, dass ich nicht reif genug wäre, um ein Kind großzuziehen, und heute sehe ich ein, dass ich ihm gewissermaßen den Beweis lieferte, als ich mitten in *Moulin Rouge* rumkreischte, ich wollte ein Baby von ihm.

Aber egal. Martin schiss mich erst mal ausgiebig zusammen, und dann schien er einfach einzuschrumpeln, wie ein

Ballon, der Luft verliert. »Stimmt was nicht, Sir, Alter?« fragte ich, aber er schüttelte bloß den Kopf, und das sagte mir genug. Es verriet mir, dass es vier Uhr morgens war, dass er irgendwo vor der Tür stand, während drinnen eine Party stattfand, auf der er niemanden kannte, und wenige Stunden, nachdem er mit Selbstmordabsichten auf einem Dach gesessen hatte, jemanden anschrie, den er ebenfalls nicht kannte. Ach ja, und seine Frau und seine Kinder hassten ihn. In jeder anderen Situation hätte ich gesagt, er hätte plötzlich den Lebenswillen verloren. Ich ging hin und legte ihm die Hand auf die Schulter, und er guckte mich an, als wär ich ein Mensch und keine reine Nervensäge, und beinahe hätte sich zwischen uns was ergeben – nicht einen romantischen Moment à la Ross und Rachel (ja, träumt weiter!), aber einen Moment gegenseitigen Verstehens. Aber dann wurden wir gestört, und der Moment war verpasst.

JJ

Ich möchte euch von meiner alten Band erzählen – ich schätze, weil ich angefangen hatte, diese Typen hier als meine neue zu betrachten. Wir waren vier Leute und hießen Big Yellow. Ursprünglich hießen wir Big Pink, als Referenz an das Album von The Band, aber da hielten uns alle für eine schwule Band, deswegen wechselten wir die Farbe. Ich und Eddie hatten die Band auf der High School gegründet und schrieben die Stücke gemeinsam und waren wie Brüder bis zu dem Moment, wo wir es dann nicht mehr waren. Billy war Schlagzeuger und Jesse der Bassist und … scheiße, das ist euch so was von egal, oder? Alles, was ihr wissen müsst, ist Folgendes: Wir hatten etwas, das sonst niemand hatte. Vor meiner Zeit gab es vielleicht ein paar Leute, die es hatten – die Stones, The Clash oder The Who. Aber niemand, den *ich* je gesehen habe, hatte es. Ich wünschte, ihr wärt bei einem unserer Konzerte gewesen, denn dann wüsstet ihr, dass ich euch nicht verarsche, aber so müsst ihr mir eben einfach glauben: An guten Abenden konnten wir die Leute einsaugen und zwanzig Meilen weiter wieder ausspucken. Ich mag unsere Alben immer noch, aber es waren unsere Auftritte, an die sich die Leute erinnern; manche Bands gehen einfach raus und spielen ihre Songs ein bisschen lauter und schneller, doch uns war was anderes eingefallen; wir spielten sie immer schneller oder langsamer und coverten Stücke, die wir liebten und von denen wir wussten, dass sie auch den Leuten gefallen würden, die gekommen waren, um uns zu hören, und unsere Auftritte bekamen für die Menschen eine Bedeutung, wie es Konzerte heute nicht mehr tun. Wenn Big Yellow live spielte, war das, als wär der Heilige Geist über sie gekommen; statt Applaus, Pfiffen und Gejohle gab es Heulen, Zähneknirschen und In-verschiedenen-Zungen-Reden. Wir erlösten Seelen. Wenn ihr Rock 'n' Roll liebt, alles von – ich weiß nicht –, von Elvis über James Brown bis White Stripes, dann hättet ihr eure Jobs hinschmeißen und euch in unserem Verstärker einnisten wollen, bis euch die Ohren abgefallen wären. Diese Auftritte waren mein Lebensinhalt, und das ist nicht bloß so dahingesagt.

Ich wünschte, ich würde mir nur was vormachen. Ehrlich. Dann ginge es mir besser. Aber wir hatten immer Message-Boards auf unserer Website, und ich las sie hin und wieder und wusste, dass die Leute es ebenso empfanden wie wir. Ich guckte mir auch die Boards anderer Bands an, und die hatten keine solchen Fans wie wir. Klar, jeder hat Fans, die das lieben, was man macht, sonst wären es ja schließlich keine Fans, oder? Aber dadurch, dass ich die Boards von anderen las, wusste ich, dass unsere Fans unsere Konzerte mit einem ganz besonderen Gefühl verließen. Wir konnten es spüren, und sie spürten es auch. Das Problem war nur, dass es wohl nicht genug von ihnen gab. Egal.

Maureen war schwindlig, nachdem Jess auf sie losgegangen war, und wer könnte ihr da einen Vorwurf machen. Oh Mann. Ich hätte mich auch erst mal hinsetzen müssen, wenn Jess auf mich losgegangen wäre, und ich hab schon einiges erlebt. Ich ging mit Maureen raus auf eine kleine Dachterrasse, die aussah, als würde sie zu keiner Tages- beziehungsweise Jahreszeit je Sonne abkriegen, aber trotzdem standen da ein Campingtisch und ein Grill. Diese kleinen Grills haben sie überall in England, stimmt's? Für mich repräsentieren sie den Sieg der Hoffnung über die Verhältnisse, da man mit ihnen nichts weiter anfangen kann, als sie durchs Fenster anzustarren, wie sie im strömenden Regen stehen. Es saßen ein paar Leute am Campingtisch, aber als sie sahen, dass Maureen sich nicht ganz wohl fühlte, standen sie auf und gingen wieder rein, und wir setzten uns. Ich erbot mich, ihr ein Glas Wasser zu holen, aber sie wollte nichts, also saßen wir nur eine Weile rum. Und dann hörten wir beide so ein Zischeln aus dem Schatten in der Ecke, wo der Grill stand, und entdeckten schließlich, dass da ein Typ kauerte. Er war jung, hatte lange Haare und ein armseliges Bärtchen, und er hockte da im Dunkeln und versuchte, unsere Aufmerksamkeit auf sich zu lenken.

»Entschuldigt bitte«, flüsterte er, so laut er es wagte.

»Wenn du was von uns willst, komm her.«

»Ich kann nicht raus ins Licht.«

»Was würde denn dann passieren?«

»Das ist jemand durchgedreht, der versuchen könnte, mich umzubringen.«

»Hier sind bloß Maureen und ich.«

»Der ist überall.«

»Wie der liebe Gott«, sagte ich.

Ich ging hinüber und hockte mich neben ihn.

»Wie kann ich dir helfen?«

»Amerikaner?«

»Ja.«

»Oh. Howdy, Partner.« Wenn ich euch verrate, dass er das witzig fand, wisst ihr alles, was ihr über Chas wissen müsst. »Hör mal, kannst du mal auf der Party nachsehen, ob die Luft rein ist?«

»Wie sieht der Verrückte denn aus?«

»Die. Ich weiß, ich weiß, aber die ist echt unheimlich. Ein Kumpel hat sie gesehen und mir geraten, mich hier draußen zu verstecken, bis sie weg ist. Ich war einmal mit ihr zusammen. Nicht im Sinn von ›es war einmal‹, sondern bloß ein einziges Mal. Dann habe ich es gelassen, weil die nicht ganz dicht ist und …«

Das war ja spitze.

»Du bist Chas, oder?«

»Woher weißt du das?«

»Ich bin ein Freund von Jess.«

Oh, Mann, ich wünschte, ihr hättet seinen Gesichtsausdruck sehen können. Er sprang auf und sah sich nach einem Fluchtweg über die Hauswand hinter ihm um. Einen Moment glaubte ich, er würde versuchen, wie ein Eichhörnchen daran hochzulaufen.

»Scheiße«, sagte er. »Fuck. Tut mir Leid. Scheiße. Hilfst du mir beim Rüberklettern?«

»Nein. Ich möchte, dass du mitkommst und mit ihr redest. Sie hat einen, na ja, einen harten Abend hinter sich, und eine kleine Aussprache könnte sie vielleicht etwas beruhigen.«

Chas lachte. Es war das freudlose, verzweifelte Lachen eines Mannes, der wusste, dass man um Jess zu beruhigen lieber auf Betäubungsmunition für Elefanten als auf ein gutes Gespräch setzte.

»Weißt du, dass ich seit dem Abend, an dem ich mit ihr zusammen war, keinen Sex mehr hatte?«

»Nein, Chas, das wusste ich nicht. Woher sollte ich? Wo hätte ich was darüber lesen sollen?«

»Ich hatte zu viel Angst. Ich darf diesen Fehler nicht noch mal machen. Ich will mich nicht noch mal von einer Frau im Kino zusammenscheißen lassen. Weißt du, mir macht's nichts aus, nie wieder Sex zu haben. So ist es einfacher. Ich bin zweiundzwanzig. Wenn man erst mal sechzig ist, hat man sowieso keinen Bock mehr drauf, oder? Das heißt, es sind nur vierzig Jahre. Weniger sogar. Damit kann ich leben. Frauen sind echt gemeingefährlich, Alter.«

»Den Scheiß glaubst du doch selbst nicht, Mann. Du hattest bloß ein bisschen Pech.«

Ich sagte das, weil ich wusste, dass das die richtige Entgegnung war, nicht, weil ich es aus Erfahrung besser wusste. Es stimmt nicht, dass alle Frauen echt gemeingefährlich sind, natürlich nicht – bloß die Frauen, mit denen ich und Chas geschlafen hatten.

»Hör mal. Wenn du mit rauskommst und kurz mit ihr redest, was könnte dir schlimmstenfalls passieren?«

»Sie hat zweimal versucht, mich umzubringen, und mich einmal hinter Gitter gebracht. Außerdem hab ich in drei Pubs, zwei Galerien und einem Kino Hausverbot. Außerdem habe ich eine offzielle Verwarnung vom …«

»Ist ja gut. Du willst also sagen, im schlimmsten Fall stirbst du einen qualvollen, gewaltsamen Tod. Und ich, mein Freund, sage dir, es ist besser, als Mann zu sterben, statt sich wie eine Memme unter einem Grill zu verstecken.«

Maureen war aufgestanden und uns in die dunkle Grillecke gefolgt.

»Ich würde auch versuchen, dich umzubringen, wenn ich Jess wäre«, sagte sie sanft – so sanft, dass man die Brutalität der Aussage kaum mit der Schüchternheit in der Stimme in Einklang bringen konnte.

»Da hast du's. Wohin du guckst, steckst du in Schwierigkeiten.«

»Wer zum Henker ist die nun wieder?«

»Ich heiße Maureen«, sagte Maureen. »Warum solltest du ungestraft damit durchkommen?«

»Womit denn bloß? Ich hab nichts verbrochen.«

»Hast du nicht gesagt, du hättest Sex mit ihr gehabt?« fragte Maureen. »Na gut, du hast es nicht ausdrücklich gesagt. Aber du hast gesagt, du hättest seitdem keinen Sex mehr gehabt. Daher gehe ich davon aus, dass du mit ihr geschlafen hast.«

»Na ja, wir haben das eine Mal Sex gehabt. Aber da wusste ich noch nicht, dass sie eine gemeingefährliche Irre ist.«

»Das heißt, nachdem du gemerkt hattest, dass das arme Mädchen labil und verletzlich ist, bist du einfach abgehauen.«

»Ich musste abhauen. Sie ist auf mich losgegangen. Unter anderem sogar mit einem Messer.«

»Und warum war sie hinter dir her?«

»Was soll das? Was geht Sie das an?«

»Ich sehe es nicht gerne, wenn Menschen zur Verzweiflung getrieben werden.«

»Und was ist mit mir? Sie treibt *mich* zur Verzweiflung. Mein Leben ist ein Scherbenhaufen.«

Also, Chas konnte es zwar nicht wissen, aber das war kein Argument, mit dem man einem von uns, den *Topper's House Four,* kommen konnte. Wir waren sozusagen alter Adel, Familie von und zu Scherbenhaufen schlechthin. Chas hatte sich vom Sex verabschiedet, während wir vorgehabt hatten, uns ganz vom Leben zu verabschieden.

»Du musst mit ihr reden«, sagte Maureen.

»Du kannst mich mal«, sagte Chas. Und dann, klatsch, scheuerte Maureen ihm eine, so fest sie konnte.

Ich weiß nicht, wie oft ich schon mit ansehen musste, wie Eddie auf einer Party oder nach einem Konzert irgendwem eine reingehauen hat. Und Eddie würde über mich wahrscheinlich dasselbe sagen, auch wenn ich meiner Erinnerung nach der Mann des Friedens war, der nur gelegentlich in gewalttätiges Verhalten abrutschte, und er der Mann der Gewalt, der nur gelegentlich seine friedfertigen und klaren Momente hatte. Na schön, und Maureen war mehr der Typ putziges Tantchen, aber zuzusehen, wie sie hinlangte, weckte wieder alte Erinnerungen.

Bei Maureen war es Folgendes: Sie hatte viel mehr Mumm als ich. Sie war drangeblieben, um herauszufinden, wie es sein würde, nie das Leben führen zu können, das sie sich erträumt hatte. Ich weiß nicht, welche Träume sie gehabt haben mag, aber gehabt hatte sie sie, wie jeder andere auch, und nachdem Matty zur Welt gekommen war, wartete sie zwanzig Jahre ab, ob das Leben sich irgendwie dafür revanchieren würde: aber von wegen. Sie hatte verdammt viel Gefühl in diese Ohrfeige gelegt, und ich konnte mir vorstellen, auch irgendwen so hart zu schlagen, wenn ich erst in ihrem Alter wäre. Das war mit einer der Gründe, warum ich nie in dieses Alter kommen wollte.

MAUREEN

Frank ist Mattys Vater. Dass das nicht für jeden gleich ersichtlich war, kam mir komisch vor, wo es doch für mich so auf der Hand lag. Ich habe nur mit einem einzigen Mann intim verkehrt, und auch mit diesem Mann nur ein einziges Mal, und bei dem einen Mal in meinem Leben, wo ich intim mit jemand war, wurde Matty gezeugt. Wie sind da die Chancen, hm? Eins zu einer Million? Eins zu zehn Millionen? Keine Ahnung. Aber selbst eins zu zehn Millionen bedeutet, dass es sehr viele Frauen wie mich auf der Welt gibt. Das macht man sich nicht klar, wenn man überlegt, eins zu zehn Millionen. Da denkt man nicht, das sind aber viele Menschen.

Mir ist über die Jahre klar geworden, dass wir weit weniger Schutz vor Schicksalsschlägen genießen, als man sich vorzustellen wagt. Denn ich finde es nicht fair, nur ein einziges Mal intim zu sein und dann ein Kind zu bekommen, das weder laufen noch sprechen noch seine Mutter erkennen kann ... Also, mit Fairness hat das wohl nicht viel zu tun, was? Man muss nur einmal intim sein, um ein Kind zu zeugen, irgendein Kind. Es gibt kein Gesetz, das besagt: Ein Kind wie Matty kriegst du nur, wenn du verheiratet bist oder noch viele andere Kinder hast oder mit vielen verschiedenen Männern geschlafen hast. Solche Gesetze gibt es nicht, auch wenn Sie oder ich denken mögen, dass es sie geben sollte. Und wenn man erst mal ein Kind wie Matty hat, kann man sich des Gedankens nicht erwehren: Damit hat sich's! Das war mein komplettes Unglückspaket, das Unglück eines ganzen Lebens in einem Rutsch. Aber ich glaube kaum, dass Glück so funktioniert. Matty würde mich nicht vor Brustkrebs oder Handtaschenräubern bewahren. Das sollte er vielleicht, aber er tut es nicht. In gewisser Weise bin ich froh, dass ich nie ein weiteres Kind bekommen habe, ein normales. Ich hätte mehr Garantien von Gott verlangt, als er mir hätte bieten können.

Außerdem bin ich katholisch und glaube darum sowieso weniger an Glück als ans Büßen. Im Bußetun sind wir ganz groß, weltspitze. Ich habe mich gegen die Kirche versündigt, und Matty ist der Preis, den man für so etwas bezahlt. Der Preis mag etwas hoch gegriffen sein, aber schließlich soll man diese Sünden auch nicht auf die leichte Schulter nehmen, oder? Eigentlich habe ich also nur bekommen, was ich verdiente. Lange Zeit war ich sogar dankbar, denn ich hatte das Gefühl, ich könnte mich noch hier auf Erden reinwaschen, und im Himmel gäbe es dann nichts mehr nachzukarten. Aber jetzt bin ich mir nicht mehr so sicher. Wenn der Preis, den man für eine Sünde zahlen muss, so hoch ist, dass man sich irgendwann umbringen will und damit eine noch schlimmere Sünde begeht, dann muss sich IRGENDWER verrechnet haben. Denn das ist überteuert.

Ich habe noch nie jemanden geschlagen, in meinem ganzen Leben nicht, obwohl ich es schon oft wollte. Aber diese Nacht war anders. Ich war in einem Schwebezustand, irgendwo zwischen Leben und Tod, und ich hatte das Gefühl, als wäre es ganz egal, was ich täte, bis ich wieder auf das Dach von Topper's House zurückkehren würde. Und da begriff ich zum ersten Mal, dass ich so was wie Ferien von mir selbst machte. Darauf hätte ich ihm am liebsten noch eins verpasst, einfach weil ich die Möglichkeit hatte, aber ich tat es nicht. Das eine Mal hatte gereicht: Chas ging zu Boden – eher vor Schreck, denke ich, als von dem Schlag, denn ich bin nicht sehr stark – und kniete dann auf allen Vieren, den Kopf mit den Händen schützend.

»Es tut mir Leid«, sagte Chas.

»Was?« fragte JJ ihn.

»Ich weiß nich genau«, sagte er. »Alles.«

»Ich hatte mal einen Freund wie dich«, sagte ich zu ihm.

»Es tut mir Leid«, wiederholte er.

»Das tut weh. Es ist ein scheußliches Verhalten, mit jemandem intim zu sein und dann zu verschwinden.«

»Das sehe ich jetzt ein.«

»Tatsächlich?«

»Ich glaub, ja.«

»Von da unten siehst du ziemlich wenig«, sagte JJ. »Wieso stehst du nicht wieder auf?«

»Ich möchte nicht noch mal geschlagen werden.«

»Wäre es übertrieben zu sagen, dass du nicht unbedingt der Mutigste bist?« fragte ihn JJ.

»Es gibt die unterschiedlichsten Arten, Mut zu beweisen«, sagte Chas. »Wenn du damit ausdrücken willst, dass ich keinen großen Wert auf physische Tapferkeit lege … ja, dann ist das nicht übertrieben. Ich finde, so was wird überbewertet.«

»Tja, weißt du, Chas, ich denke, es ist echt mutig von dir zu zeigen, dass du vor so einem kleinen Persönchen wie Maureen Angst hast. Ich respektiere deine Aufrichtigkeit, Alter. Du wirst ihn doch nicht noch mal schlagen, oder, Maureen?«

Ich versprach ihm, es nicht zu tun, und Chas stand wieder auf. Es war ein seltsames Gefühl, mit anzusehen, dass sich ein Mann meinetwegen so verhielt.

»Nicht gerade ein tolles Leben, sich unter dem Grill anderer Leute zu verstecken, was?« fragte JJ.

»Nein. Aber ich sehe wirklich keine Alternativen.«

»Wie wär's, wenn du mal mit Jess redest?«

»Bloß nicht. Lieber lebe ich für immer hier draußen. Im Ernst. Weißt du, ich hab schon dran gedacht, wegzuziehen.«

»Ach, in einen anderen Hinterhof? Vielleicht einen mit ein bisschen Gras?«

»Nein«, sagte Chas. »Nach Manchester.«

»Pass auf«, sagte JJ. »Ich weiß, sie kann einem Angst machen. Deswegen solltest du jetzt mit ihr reden. Wo wir dabei sind. Weißt du, wir könnten … vermitteln. Wär dir das nicht lieber, als in eine andere Stadt zu ziehen?«

»Aber was soll ich sagen?«

»Das könnten wir uns ja vorher zurechtlegen. Gemeinsam. Irgendwas, das sie erst mal vertröstet.«

»Was zum Beispiel?«

»Ich weiß definitiv, dass sie dich heiraten würde, wenn du sie fragst.«

»Äh, nein, pass auf, das ist einfach nicht …«

»War nur ein Witz, Chas. Los, Mann, die Zukunft sieht bald wieder rosig aus.«

»Die Zukunft sieht finster aus. Es sind finstere Zeiten.«

»Finstere Zeiten, fürwahr. Die Geschichte mit Jess, der Umzug nach Manchester, das Leben unter einem Grill und dann noch die Twin Towers, ja, ja.«

»Genau.«

JJ schüttelte den Kopf.

»Okay. Also, was könntest du ihr sagen, das dich aus diesem verf… Schlamassel befreit?«

Und dann studierte JJ ein paar Sachen mit ihm ein, als wäre er Schauspieler und wir wären in einer Vorabendserie.

MARTIN

Ich versuche mich auch dann und wann ganz gerne als Heimwerker. Ich habe das Schlafzimmer der Mädchen eigenhändig gestrichen, mit Schablonen und allem Drum und Dran. (Gut, es waren Fernsehkameras dabei, und außerdem hat die Produktionsfirma bis auf den letzten Tropfen Dayglo-Farbe alles bezahlt, aber das schmälert die Leistung nicht im Geringsten.) Na, wie auch immer, wenn Sie ebenfalls diesem Hobby frönen, wissen Sie jedenfalls, dass man manchmal, besonders im Badezimmer, auf Löcher stößt, die wirklich zu groß sind, um sie einfach zuzuspachteln. Wenn man schlampig veranlagt ist, nimmt man in einem solchen Fall irgendwas, was gerade zur Hand ist, geknickte Streichhölzer oder ein Stückchen vom Badeschwamm. Tja, genau das war in dieser Nacht die Funktion von Chas: Er war ein Stückchen Schwamm, das einen Riss abdichtete. Die ganze Sache mit Jess und Chas war natürlich eine Farce, reine Zeit- und Energieverschwendung, eine Banalität am Rande; aber sie nahm uns in Anspruch, sie holte uns vom Dach runter, und selbst, als ich mir seine absurde kleine Ansprache anhörte, erkannte ich, was sie wert war. Darüber hinaus kapierte ich, dass wir in den kommenden Wochen und Monaten noch wesentlich mehr Füllmaterial brauchen würden. Vielleicht brauchen wir das alle, ob selbstmordgefährdet oder nicht. Vielleicht ist das Leben an sich ein zu großer Riss, um es ohne weiteres zuspachteln zu können. Darum brauchen wir alles, was wir

kriegen können – Hobel und Schwingschleifer und Fünfzehnjährige, egal was –, um es mit etwas auszustopfen.

»Hi, Jess«, sagte Chas, als er von der Party raus auf die
Straße bugsiert wurde. Er versuchte, so heiter, freundlich und
entspannt zu klingen, als hätte er ohnehin gehofft, irgendwann im Laufe der Nacht auf Jess zu treffen, doch sein gene-
reller Mangel an Willensstärke kam ihm dazwischen; es ist
schwer, Frohsinn überzeugend zu vermitteln, wenn man zu
feige ist, Blickkontakt herzustellen. Auf mich wirkte er wie
ein Kleinkrimineller, den sie in einem Film dabei erwischt
hatten, den ortsansässigen Paten zu beklauen: den Hals in der
Schlinge und verzweifelt bemüht, sich einzuschleimen, um
seine Haut zu retten.

»Warum wolltest du nicht mit mir reden?«

»Ja. Okay. War mir klar, dass du das fragen würdest. Und
ich habe selbst schon darüber nachgedacht. Ich habe sogar
sehr gründlich darüber nachgedacht, weil, weißt du, weil es …
Ich bin nicht stolz darauf. Es ist ein Zeichen von Schwäche.
Das ist ein schwacher Punkt von mir.«

»Übertreib's nicht, Alter«, sagte JJ. Anscheinend versuchte niemand, auch nur so zu tun, als hätte das hier die ent-
fernteste Ähnlichkeit mit einem echten Gespräch.

»Ja. Stimmt. Also. Zuerst mal sollte ich sagen, tut mir
Leid und es kommt nicht wieder vor. Und zweitens: Ich finde dich sehr attraktiv und deine Gesellschaft sehr anregend,
und …«

Diesmal räusperte sich JJ nur demonstrativ.

»… Und, äh. Es liegt nicht an mir, es liegt an dir.« Er
zuckte zusammen. »Verzeihung. Verzeihung. Es liegt nicht
an dir, es liegt an mir.«

Genau in dem Moment, als er versuchte, sich an seinen
Text zu erinnern, fing er meinen Blick auf.

»He. Du siehst ja aus wie dieser Wichser aus der Glotze.
Martin Dingens.«

»Das ist er auch«, sagte Jess.

»Woher kennst du *den* denn?«

»Das ist eine lange Geschichte«, sagte ich.

»Wir waren beide oben auf dem Dach vom Topper's House. Wir wollten runterspringen«, sagte Jess und machte auf die Art die lange Geschichte beträchtlich kürzer – ohne dabei etwas Wesentliches zu unterschlagen, wie man fairerweise sagen muss.

Man sah förmlich, wie Chas diese Information schluckte, so wie eine Schlange Eier schluckt: Man konnte den langsamen Marsch Richtung Gehirn verfolgen. Ich bin sicher, Chas' Persönlichkeit verfügte über zahlreiche einnehmende Facetten, aber eine rasche Auffassungsgabe zählte nicht dazu. »Wegen dem Mädchen, das du gebumst hast? Und weil deine Frau und deine Kinder dich rausgeschmissen haben?« fragte er schließlich.

»Warum fragst du nicht Jess, warum sie runterspringen wollte? Ist das nicht wichtiger?«

»Halt die Klappe«, sagte Jess. »Das ist privat.«

»Ach, und meine Angelegenheiten sind das nicht?«

»Nein«, sagte sie. »Nicht mehr. Es weiß doch jeder Bescheid.«

»Wie ist Penny Chambers eigentlich so? Im wirklichen Leben?«

»Ist es das, worüber wir hier draußen reden wollten?« fragte JJ leise.

»Nein. Stimmt. 'Tschuldigung. Es lenkt einen bloß ein bisschen ab, wenn einer vom Fernsehen danebensteht.«

»Soll ich weggehen?«

»Nein«, sagte Jess sofort. »Ich will dich dabeihaben.«

»Hätte gar nicht gedacht, dass du sein Typ bist«, sagte Chas. »Zu alt. Und außerdem eine Fotze.« Er kicherte und guckte sich dann um, ob jemand mitlachte, aber keiner von uns – keiner von ihnen, sollte ich sagen, denn selbst Chas erwartete wohl kaum, dass ich über mein Alter oder meinen Fotzenstatus lachen würde – zeigte sich im Mindesten amüsiert.

»Ah, verstehe. So ist das also, was?«

Und, ja, plötzlich war es genau so: Für jeden und mit jedem von uns war es ernster als mit ihm. Sogar Jess erkannte das.

»Der Idiot hier bist du«, sagte sie. »Nichts von dem hier hat irgendwas mit dir zu tun. Verpiss dich, geh mir aus den Augen.« Und dann trat sie ihn – der gute alte Arschtritt mit Anlauf, als wären sie zwei Zeichentrickfiguren.

Und damit war Chas abgefrühstückt.

JESS

Wenn man traurig ist – also richtig traurig, Topper's-House-traurig –, will man nur mit Leuten zusammen sein, die auch traurig sind. Vor dieser Nacht war mir das nicht klar, aber es wurde mir plötzlich bewusst, als ich in Chas' Gesicht sah. Darin war nichts. Es war nichts weiter als das Gesicht eines zweiundzwanzigjährigen Jungen, der noch nie etwas geleistet hatte, außer ein paar Pillen einzuwerfen, der sich nie Gedanken gemacht hatte, außer woher er die nächsten Eckys kriegen könnte, und nie ein tieferes Gefühl erlebt hatte als Völlegefühl. Es waren die Augen, die ihn verrieten: Als er diese blöde Bemerkung über Martin machte und erwartete, dass wir darüber lachten, da füllte der Witz seine Augen vollständig aus, und weiter war in ihnen nichts. Es waren einfach lachende Augen, keine ängstlichen oder kummervollen Augen – die Augen, die ein Baby macht, wenn es gekitzelt wird. Wenn die anderen Witze machten (*wenn* sie welche machten – Maureen war nicht gerade eine Stimmungskanone), konnte man, auch während sie lachten, immer noch sehen, was sie auf dieses Dach geführt hatte – in ihren Augen war nocht etwas anderes, etwas, das sie hinderte, sich ganz auf den Moment einzulassen. Ihr könnt zwar einwenden, wir hätten gar nicht da oben sein dürfen, da Selbstmord ein Ausweg für Feiglinge ist, ihr könnt auch sagen, dass keiner von uns hinreichenden Grund hatte, sterben zu wollen. Aber man kann uns nicht vorwerfen, diesen Wunsch nicht empfunden zu haben, denn das hatten wir alle, und das war wichtiger als alles andere. Chas würde nie begreifen, wie das ist, ehe er nicht selbst diese Linie überschritt.

Denn das hatten wir vier getan – eine Linie überschritten. Ich meine damit nicht, dass wir was Böses getan haben. Ich meine bloß, dass uns etwas widerfahren war, das uns von den meisten anderen Menschen unterscheidet. Uns verband nichts, außer dem Ort, an dem wir schließlich gelandet waren, diesem Betonviereck hoch oben direkt unterm Himmel, und das war das Größte, was man mit jemandem gemein haben kann. Zu behaupten, Maureen und ich hätten nichts gemeinsam, weil sie Regenmäntel trägt und Blasmusik oder so was hört, wäre so, als würde man sagen, ich weiß auch nicht, das Einzige, was ich mit diesem Mädchen gemeinsam habe, ist, dass wir dieselben Eltern haben. Von all dem hatte ich gar nichts gewusst, bis Chas das über Martin sagte, dass Martin eine Fotze wär.

Was ich noch begriff, war, dass Chas mir alles Mögliche hätte erzählen können – er würde mich lieben, er würde mich hassen, Außerirdische hätten Besitz von ihm ergriffen und der Chas, den ich kannte, würde nun auf einem anderen Planeten leben –, nichts davon hätte irgendeinen Unterschied gemacht. Ich hatte immer noch keine Erklärung erhalten, dachte ich, aber was soll's? Was hätte ich davon gehabt? Die hätte mich auch nicht glücklicher gemacht. Das ist wie sich kratzen, wenn man Windpocken hat. Man meint, es würde helfen, aber dann juckt es bloß an einer anderen Stelle, und dann wieder woanders. Mein Jucken kam mir plötzlich meilenweit weg vor, und ich hätte auch mit den längsten Armen auf der Welt nicht drankommen können. Als ich das begriff, überkam mich die Angst, das Jucken würde ewig anhalten, und das wollte ich nicht.

Ich wusste über alles Bescheid, was Martin angestellt hatte, doch als Chas weg war, wollte ich immer noch, dass er mich in die Arme nahm. Es hätte mir nicht mal was ausgemacht, wenn er irgendwas versucht hätte, aber das tat er nicht. Irgendwie machte er genau das Gegenteil: Er hielt mich ganz komisch, als wär ich in Stacheldraht gewickelt.

Es tut mir Leid, fing ich an. Es tut mir Leid, dass der kleine Scheißkerl dich beschimpft hat. Und er sagte, es wär nicht meine Schuld gewesen, aber ich sagte ihm, natürlich wär es das, denn wenn er mir nicht begegnet wäre, hätte er nicht die traumatisierende Erfahrung machen müssen, in der Silvesternacht als Fotze bezeichnet zu werden. Dann sagte er, man würde ihn häufig als Fotze bezeichnen.

(Das stimmt tatsächlich. Ich kenne ihn jetzt schon länger und würde sagen, ich hab schon ungefähr fünfzehnmal gehört, wie ihn Leute, völlig Fremde, als Fotze beschimpft haben, etwa zehnmal als Arschloch, ungefähr genauso oft als Wichser und etwa ein halbes Dutzend Mal als Penner. Außerdem: Trottel, Flachwichser, Schwanzlutscher, Vollidiot, Schleimscheißer und Pimmelfresse.) Niemand kann ihn leiden, irgendwie komisch, wo er doch berühmt ist. Wie kann man berühmt sein, wenn einen keiner leiden kann? Martin meint, das läge nicht an der Geschichte mit der Fünfzehnjährigen; er schätzt, dass es, wenn überhaupt, danach sogar eher etwas besser geworden sei, denn die Leute, die ihn vorher Fotze genannt hätten, seien genau die, die an Sex mit Minderjährigen nichts Schlimmes fänden. Statt ihm Beleidigungen an den Kopf zu werfen, riefen sie nun Sachen wie: Weiter so, alter Junge, immer ran an den Speck, reife Leistung und so weiter. So negativ sich seine Haft auf seine Ehe, sein Verhältnis zu seinen Kindern, seine Karriere oder seine geistige Gesundheit ausgewirkt hatte, was die persönlichen Verunglimpfungen anging, sei sie ihm sogar eher zugute gekommen.

Aber es scheinen ja alle möglichen Leute berühmt zu sein, ohne Fans zu haben. Tony Blair ist da ein gutes Beispiel. Und die ganzen anderen Figuren, die Frühstücksfernsehen oder Quizshows moderieren. Ich glaube fast, denen zahlt man so hohe Gagen, weil Fremde ihnen auf der Straße Gemeinheiten nachrufen. Noch nicht mal Leute, die Knöllchen schreiben, werden als Fotzen beschimpft, wenn sie mit ihrer Familie einkaufen gehen. Damit blieben als einzige Vorteile, die es hatte, Martin zu sein, das Geld und natürlich die Einladungen zu Filmpremieren und in zweifelhafte Nachtclubs. Und genau da bringt man sich in Schwierigkeiten.

Das waren nur einige der Gedanken, die mir durch den Kopf gingen, als Martin und ich uns umarmten. Aber die brachten mich nicht weiter. Außerhalb meines Kopfes war es fünf Uhr morgens, und wir waren alle unglücklich und wussten nicht, wohin.

Ich also, was nun? Und ich rubbelte meine Hände aneinander, als hätten wir alle viel zu viel Spaß, um die Nacht schon enden zu lassen – so als wäre es vier Uhr morgens und wir kämen gerade aus dem Ocean und wollten nach Bethnal Green, um Bagels und Kaffee zu frühstücken, oder zu irgendwem nach Hause, um einen durchzuziehen und zu chillen. Ich also, in wessen Bude? Ich wette, deine ist todschick, Martin. Ich wette, du hast Whirlpools und so Zeugs. Das wär super. Und Martin meinte, nein, dahin können wir nicht. Und im Übrigen sind meine Whirlpool-Zeiten lange vorbei. Ich glaube, er meinte damit, dass er pleite war, nicht dass er zu fett wäre, um in einen reinzupassen oder so. Denn Martin ist nicht fett. Er ist zu eitel, um fett zu sein.

Da sag ich also, egal, solange du einen Wasserkessel und ein paar Cornflakes hast. Da meinte er, hab ich nicht, und ich, was hast du denn zu verbergen? Und dann sagte er, nichts, aber er sagte es auf so eine komische Art, auf eine verlegene Art, als hätte er doch was zu verbergen. Und dann fiel mir eine Sache von vorher ein, von der ich glaubte, sie könnte wichtig sein, und fragte, wer hat dir denn die ganze Zeit Nachrichten auf dem Handy hinterlassen? Und er, niemand. Und ich, ist das ein Herr Niemand oder eine Frau Niemand? Und er wieder bloß, niemand. Da wollte ich dann wissen, wieso er nicht wollte, dass wir zu ihm gehen, und er meinte, weil ich dich nicht kenne. Und ich sagte, ja klar, genau wie du diese Fünfzehnjährige nicht gekannt hast.

Und dann sagte er, so als ob er wütend wär, okay, na klar, meinetwegen. Gehen wir zu mir. Warum auch nicht?

Und das machten wir dann auch.

JJ

Die Ohrfeige für Chas war zwar ein verbindender Moment zwischen mir und Maureen gewesen, doch um ehrlich zu sein, ging ich die ganze Zeit davon aus, dass sich meine neue Band, falls wir alle so lange durchhielten, zur Frühstückszeit wegen musikalischer Differenzen wieder auflösen würde. Frühstückszeit hieße ja, dass wir bis zu einer neuen Morgenröte, neuer Hoffnung, einem neuen Jahr und Tralala durchgehalten hätten. Ohne jemanden beleidigen zu wollen, wollte ich echt nicht am hellichten Tag in Gesellschaft dieser Figuren gesehen werden, wenn ihr versteht, was ich meine – besonders nicht mit … einigen gewissen. Aber Frühstück und Tageslicht waren immer noch zwei, drei Stunden weit weg, daher glaubte ich, kaum eine andere Wahl zu haben, als sie zu Martin zu begleiten. Alles andere wäre gemein und unhöflich gewesen, und ich traute mir selbst noch nicht genug, um längere Zeit allein zu bleiben.

Martin wohnte in einem kleinen, dörflichen Teil von Islington, direkt um die Ecke von Tony Blairs altem Haus, und echt nicht die Wohngegend, die man sich aussuchen würde, wenn man knapp bei Kasse ist, wie es bei Martin der Fall sein soll. Er bezahlte das Taxi, und wir folgten ihm die Stufen hoch zur Haustür. Ich sah drei oder vier Klingelschilder, also gehörte ihm nicht alles, aber ich hätte es mir nicht leisten können, überhaupt hier zu wohnen.

Bevor er den Schlüssel ins Schloss steckte, hielt er inne und drehte sich um.

»Hört mal«, sagte er und dann sagte er nichts, also lauschten wir.

»Ich hör nichts«, sagte Jess.

»Nein, die Art von Hören meinte ich nicht. Ich meinte: Hört mal, ich will euch was sagen.«

»Na, dann los«, sagte Jess. »Spuck's aus.«

»Es ist sehr spät. Also nehmt … nehmt Rücksicht auf die Nachbarn.«

»Ist das alles?«

»Nein.« Er holte tief Luft. »Es wird höchstwahrscheinlich jemand da sein.«

»In deiner Wohnung?«

»Ja?«

»Wer?«

»Ich weiß nicht, wie du sie nennen würdest. Mein Date. Wie auch immer.«

»Du hattest am Abend ein Date?« Ich versuchte, meiner Stimme nichts anmerken zu lassen, aber, wisst ihr, meine Fresse … Die muss ja einen tollen Abend gehabt haben. Im einen Augenblick sitzt man noch mit einem Kerl in einem Club oder sonstwo, und im nächsten ist er weg, weil er irgendwo vom Hochhaus springen will.

»Ja. Wieso?«

»Nichts. Bloß …« Mehr musste man gar nicht sagen. Den Rest konnte man der Vorstellungskraft überlassen.

»Heilige Scheiße«, sagte Jess. »Was ist denn das für ein Date, bei dem du am Schluss auf der Dachkante von so einem beschissenen Hochhaus landest?«

»Ein eher unglücklich verlaufenes«, sagte Martin.

»Eins, das verdammt in die Hose ging, würde ich sagen«, sagte Jess.

»Eben«, sagte Martin. »Deswegen habe ich mich auch so ausgedrückt.«

Er öffnete die Tür zu seiner Wohnung und ließ uns den Vortritt, daher sahen wir das Mädchen auf dem Sofa einen Moment vor ihm. Sie war vielleicht zehn oder fünfzehn Jahre jünger als er und hübsch, auf diese unterbelichtete Wetterfee-Art. Sie trug ein teuer wirkendes schwarzes Kleid und sah ganz schön verheult aus. Sie starrte erst uns und dann ihn an.

»Wo hast du gesteckt?« Sie versuchte es leichthin zu sagen, doch das gelang ihr nicht besonders.

»Nur mal raus. Zufällig traf ich …« Er wies auf uns.

»Trafst du wen?«

»Du weißt schon. Ein paar Leute.«

»Und deswegen bist du mitten am Abend abgehauen?«

»Nein. Ich wusste nicht, dass ich den Leuten hier begegnen würde, als ich wegging.«

»Und was sind das für Leute?« fragte das Mädchen.

Ich hätte gerne gehört, was Martin dazu sagt, das hätte ganz lustig sein können, aber Jess fuhr dazwischen.

»Du bist Penny Chambers«, sagte Jess.

Sie sagte nichts dazu, vermutlich weil sie das bereits wusste. Wir stierten sie an.

»Penny Chambers«, sagte Maureen. Sie schnappte nach Luft wie ein gottverdammter Fisch.

Penny Chambers sagte immer noch nichts, aus demselben Grund wie zuvor.

»*Guten Morgen mit Penny und Martin*«, sagte Maureen.

Zum dritten Mal keine Reaktion. Wenn Martin Regis war, dann war Penny Kathy Lee. Der englische Regis hatte die englische Kathy Lee verführt und sich dann verpisst, um sich umzubringen. Das war echt zum Schreien, müsst ihr doch zugeben.

»Geht ihr beide miteinander?« fragte ihn Jess.

»Wie bitte?« sagte Martin.

»Beantworte die Frage«, sagte Penny. »Das wüsste ich auch gerne.«

»Jetzt ist wirklich nicht der geeignete Moment, das zu erörtern«, sagte Martin.

»Ach, da musst du erst überlegen?« sagte Penny. »Das höre ich zum ersten Mal.«

»Es ist kompliziert«, sagte Martin. »Das wusstest du doch.«

»Nein.«

»Du wusstest, dass ich nicht glücklich bin.«

»Ja, ich wusste, dass du unglücklich bist. Aber ich wusste nicht, dass du meinetwegen unglücklich bist.«

»Ich bin nicht … Das heißt nicht … Können wir später darüber reden? Unter vier Augen?«

Er brach ab und wies auf die drei gaffenden Gesichter. Ich denke, ich kann hier für alle sprechen, wenn ich erkläre, dass Selbstmordkandidaten in der Regel dazu neigen, ziemlich mit sich selbst beschäftigt zu sein: In den letzten paar Wochen hieß es praktisch nur ich, ich, ich. Wir labten uns also richtig an dem Mist, a) weil es nicht um uns ging, und b) weil es nicht die Art von Unterhaltung war, die uns total deprimieren musste. Es war, zumindest für den Moment, nur ein Beziehungskrach, und er lenkte uns von uns selbst ab.

»Und wann sind wir unter vier Augen?«

»Bald. Aber wahrscheinlich nicht sofort.«

»Schön. Und worüber unterhalten wir uns in der Zwischenzeit? Mit deinen drei Freunden hier?«

Niemand wusste etwas darauf zu sagen. Martin war der Gastgeber, daher lag es an ihm, gemeinsamen Gesprächsstoff zu finden. Na dann viel Glück.

»Du solltest Tom und Christine anrufen«, sagte Penny.

»Ja, mach ich. Morgen.«

»Die müssen dich für wahnsinnig unhöflich halten.«

»Wer sind Tom und Christine? Die Leute, bei denen du zum Abendessen warst?«

»Ja.«

»Was hast du denen denn erzählt?«

»Er hat ihnen gesagt, er müsste mal eben ins Bad«, sagte Penny.

Jess lachte schallend los. Martin warf ihr einen schnellen Blick zu, ließ sich dann seine lahme Ausrede noch mal durch den Kopf gehen und musste grinsen, ganz kurz nur, mit gesenktem Blick. Die Situation war mir seltsam vertraut. Wisst ihr, so als wenn dir von deinem Vater gerade wegen irgendwas der Arsch aufgerissen wird, und ein Kumpel steht dabei und kann sich kaum das Lachen verkneifen. Und du versuchst, ihn nicht anzusehen, weil du dann auch lachen müsstest. Genau so lief das ab. Jedenfalls bekam Penny sein lausbübisches Grinsen mit und schoss quer durchs Zimmer auf den bewussten Lausbub zu. Er packte sie bei den Handgelenken, damit sie ihn nicht schlagen konnte.

»Das findest du auch noch komisch?«

»Tut mir Leid. Ehrlich. Ich weiß, dass das ganz und gar nicht komisch ist.« Er versuchte, sie in die Arme zu nehmen, aber sie riss sich von ihm los und setzte sich wieder hin.

»Wir brauchen was zu trinken«, sagte Martin. »Macht es dir was aus, wenn sie auf ein Glas bleiben?«

Ich lass mir fast von jedem und in jeder Lage einen ausgeben, doch selbst ich war unschlüssig, ob ich die Einladung annehmen sollte. Aber letztlich war ich doch einfach zu durstig.

MARTIN

Erst als wir bei mir in der Wohnung waren, fiel mir wieder ein, dass ich gesagt hatte, Penny wäre ein richtiges Luder, das mit jedem fickte und sich wahllos alles durch die Nase zog. Aber wann hatte ich das gesagt? Die nächsten dreißig Minuten oder so betete ich inständig darum, dass ich es gesagt hatte, bevor Jess auftauchte, als Maureen und ich noch allein waren; für den Fall, dass Jess es gehört hatte, zweifelte ich keine Sekunde daran, dass sie Penny brühwarm weitererzählen würde, was ich für eine Meinung von ihr hatte.

Überflüssig zu erwähnen, dass die Meinung, die ich von Penny hatte, jeder Grundlage entbehrte. Penny und ich leben nicht zusammen, aber wir treffen uns seit ein paar Monaten, mehr oder weniger seit ich aus dem Gefängnis gekommen bin, und wie Sie sich vorstellen können, hat sie in dieser Zeit einige Widrigkeiten erdulden müssen. Wir wollten nicht, dass die Presse davon erfuhr, deswegen gingen wir nie aus und trugen häufiger, als es unbedingt nötig gewesen wäre, Hüte und Sonnenbrillen. Ich hatte – nein, ich habe – eine Exfrau und Kinder, woran sich auch weiterhin nichts ändern wird. Ich hatte nur einen Teilzeitjob bei einem erbärmlichen Kabelsender. Und wie ich bereits erwähnte, hatte ich keine übertrieben gute Laune.

Und wir hatten eine gemeinsame Geschichte. Es hatte eine kurze Affäre zwischen uns gegeben, als wir gemeinsam moderierten, doch wir waren beide verheiratet, daher endete die Affäre traurigerweise schmerzhaft. Nach sehr viel schlechtem Timing und vielen Vorhaltungen kamen wir dann endlich zusammen, aber wir hatten den richtigen Zeitpunkt verpasst. Ich war bloß noch Ausschussware. Ich war gebrochen, fertig, ein Wrack, ich pfiff auf dem letzten Loch; sie dagegen hatte sich blendend gehalten, war schön und jung und jeden Morgen für ein Millionenpublikum auf Sendung. Ich konnte nicht glauben, dass sie aus einem anderen Grund als Nostalgie und Mitleid mit mir zusammen sein wollte, und es gelang ihr auch nicht, mich vom Gegenteil zu überzeugen. Vor ein paar Jahren hatte sich Cindy so einem schrecklichen Literaturkreis angeschlossen, in dem sich unglückliche, verklemmte Mittelschichtslesben fünf Minuten über irgendeinen Roman unterhalten, den sie nicht kapieren, um sich den Rest des Abends gegenseitig vorzujammern, wie widerlich die Männer sind. Jedenfalls las sie da so ein Buch über ein Paar, das sich liebte, aber ewig lange nicht zueinander fand und erst die Kurve kriegte, als sie praktisch schon hundert waren. Sie fand es toll und überredete mich, es auch zu lesen, wozu ich ungefähr so lange brauchte wie die Protagonisten, um zusammenzufinden. Tja, und so kam mir das vor, nur dass die lieben Alterchen im Buch mehr Freude am Leben hatten als Penny und ich. Ein paar Wochen vor Weihnachten hatte ich ihr in einem Anfall von Selbstekel und Verzweiflung gesagt, sie solle sich verpissen, darum ging sie an dem Abend mit einem Fernsehkoch aus, der Gast in der Sendung war. Der spendierte ihr die allererste Line Koks ihres Lebens, sie landeten im Bett, und am nächsten Morgen kam sie in Tränen aufgelöst zu mir. Wegen dieser Geschichte hatte ich Maureen erzählt, sie wäre eine reiche Schlampe, die sich alles durch die Nase zog und mit jedem fickte. Heute sehe ich ein, dass ich da ein bisschen ungnädig war.

Und das, plus/minus ein paar hundert Aussprachen und Wutausbrüche, ein paar Dutzend weitere Trennungen und eine Ohrfeige dann und wann – von ihr ausgeteilt, möchte ich betonen –, war der Grund dafür, dass Penny nun auf meinem Sofa saß und auf mich wartete. Sie hätte noch lange warten können, hätte unsere spontane Dachparty nicht stattgefunden. Ich hatte mir nicht mal die Mühe gemacht, ihr einen Abschiedsbrief zu schreiben, eine Unterlassung, die mir erst jetzt Gewissensbisse zu bereiten begann. Warum hatten wir an der absurden Illusion festgehalten, diese Beziehung wäre in irgendeiner Weise zukunftsfähig? Ich weiß nicht recht. Als ich Penny fragte, was das alles solle, sagte sie mir bloß, dass sie mich liebe, eine Antwort, die eher geeignet war, zu verwirren und zu vernebeln als zu erhellen, fand ich. Und was mich anging … Tja, ich verband aus vielleicht nachvollziehbaren Gründen Penny mit einer Zeit, bevor alles den Bach runterging: der Zeit vor Cindy, vor der Fünfzehnjährigen, vor dem Gefängnis. Ich hatte es geschafft, mir einzureden, dass ich, wenn ich das mit Penny auf die Reihe kriegte, auch alles andere wieder hinbekäme, dass ich mich irgendwie wieder zurückversetzen könnte, als wäre die eigene Jugend ein Ort, den man aufsuchen kann, wann immer einem danach ist. Und nun die weltbewegende Neuigkeit: Das ist sie nicht. Wer hätte das gedacht.

Mein vordringlichstes Problem war, wie ich meine Verbindung zu Maureen, JJ und Jess erklären sollte. Die Wahrheit würde Penny verletzen und beunruhigen, aber es war schwer, sich eine halbwegs tragfähige Lüge auszudenken. Was hätte uns wohl verbinden sollen? Wir sahen weder wie Arbeitskollegen noch wie Literaturbegeisterte, Clubber oder Drogenabhängige aus; das Problem war, wie man es auch drehte und wendete, Maureen – sofern man es als Problem bezeichnen konnte, nicht wie eine Drogenabhängige auszusehen. Und selbst wenn sie Arbeitskollegen oder Drogenabhängige gewesen wären, wäre es mir trotzdem schwer gefallen zu erklären, warum ich sie so dringend hatte treffen müssen. Ich hatte unseren Gastgebern erklärt, ich wolle ins Bad; warum sollte ich dann eine halbe Stunde vor Mitternacht an

Silvester aus dem Haus stürzen, um der Jahreshauptversammlung irgendeiner obskuren Gesellschaft beizuwohnen?

Daher entschied ich mich, einfach so zu tun, als gäbe es nichts zu erklären.

»Tut mir Leid. Penny, das sind JJ, Maureen, Jess. JJ, Maureen, Jess, das ist Penny.«

Penny schien selbst dem gegenseitigen Bekanntmachen nicht zu trauen, als fingen meine Lügen damit schon an.

»Aber du hast mir immer noch nicht erklärt, wer die da sind.«

»Soll heißen …?«

»Soll heißen: Woher kennst du sie und wo habt ihr euch getroffen?«

»Das ist eine lange Geschichte.«

»Ich hab Zeit.«

»Maureen kenne ich von … Wo sind wir uns über den Weg gelaufen, Maureen? Das allererste Mal?«

Maureen stierte mich an.

»Das ist schon ewig her, stimmt's? Das fällt uns gleich wieder ein. JJ gehörte früher zur alten Channel-5-Clique, und Jess ist seine Freundin.«

Jess schlang ein wenig theatralischer, als mir lieb gewesen wäre, ihren Arm um JJ.

»Und wo waren die alle heute Abend?«

»Hör mal, sie sind nicht schwerhörig. Oder schwachsinnig. Das sind keine … schwerhörigen Schwachsinnigen.«

»Wo wart ihr alle heute Nacht?«

»Auf … ner Art … Party«, sagte JJ vorsichtig.

»Wo?«

»In Shoreditch.«

»Wessen Party?«

»Wessen Party war das, Jess?«

Jess zuckte gleichgültig die Schultern, als wäre es halt eine total verrückte Nacht gewesen.

»Und was hast du da gesucht? Um halb zwölf? Während wir zum Abendessen eingeladen waren? Ohne mich?«

»Das versteh ich selbst nicht.« Und dabei versuchte ich, zugleich hilflos und reuig auszusehen. Jetzt hatten wir, hoffte ich, die Grenze zum Reich psychologischer Komplexität und Unwägbarkeit überschritten und waren in einem Land, in dem Nichtwissen und Sprachlosigkeit erlaubt waren.

»Du hast eine andere, stimmt's?«

Eine andere? Wie um alles in der Welt sollte das die Erklärung für irgendwas hier sein? Warum sollte eine Affäre es notwendig machen, eine nicht mehr junge Frau, eine Punkette in der Pubertät und einen Amerikaner mit Lederjacke und Rod-Stewart-Frisur mit nach Hause zu bringen? Wie sollte das alles zusammenpassen? Aber nach kurzem Nachdenken begriff ich, dass Penny so was wahrscheinlich nicht zum ersten Mal erlebte und wusste, dass sich normalerweise jedes häusliche Rätsel mit Untreue erklären ließ. Wäre ich in Begleitung von Sheena Easton und Donald Rumsfeld reingekommen, hätte Penny sich wahrscheinlich nur kurz am Kopf gekratzt und dann genau dasselbe gesagt.

Außerdem wäre es unter anderen Umständen, an anderen Abenden, der richtige Schluss gewesen; ich will mir nicht schmeicheln, aber ich war immer ganz findig, wenn ich Cindy betrogen habe. Einmal habe ich einen nagelneuen BMW gegen eine Wand gesetzt, bloß weil ich eine Erklärung brauchte, warum ich mit vier Stunden Verspätung von der Arbeit kam. Cindy kam nach draußen, um die zerknautschte Kühlerhaube zu inspizieren, sah mich dann an und sagte: »Du hast eine andere, stimmt's?« Ich leugnete natürlich. Aber schließlich ist alles – sei es ein neues Auto zu demolieren oder Donald Rumsfeld zu überreden, einen am Neujahrsmorgen in aller Frühe in eine Wohnung in Islington zu begleiten – leichter, als einfach die Wahrheit zu sagen. Dieser Blick, den sie dir zuwirft, ein Blick, der dich durch die Augen hindurch direkt in den

Abgrund schauen lässt, an dem sie ihren ganzen Schmerz, ihre Wut und ihre Verachtung bewahrt ... wer würde irgendeine Anstrengung scheuen, um dem zu entgehen?

»Also?«

Meine Antwort verzögerte sich, weil ich mit einer komplizierten Kopfrechenaufgabe beschäftigt war: Ich versuchte auszurechnen, bei welcher Lösung ich summa summarum am wenigsten Verlust machte. Aber das Zögern wurde natürlich als Eingeständnis meiner Schuld gewertet.

»Du mieses Schwein.«

Ich war kurz versucht, darauf hinzuweisen, dass ich nach dem unglückseligen Vorfall mit dem Koks und dem Fernsehkoch noch etwas gut hätte, aber das hätte nur dazu beigetragen, ihren Aufbruch zu verzögern. Mehr als alles andere wollte ich mich jetzt mit meinen neuen Freunden in meinen eigenen vier Wänden betrinken. Daher blieb ich stumm. Die anderen fuhren hoch, als sie beim Rausgehen die Tür zuknallte, doch ich hatte damit gerechnet.

MAUREEN

Noch vor dem Bad habe ich mich auf den Teppichboden übergeben. Na ja, ich sage »Teppichboden«, aber eigentlich übergab ich mich da, wo ein Teppichboden hätte sein müssen, doch er besaß keinen. Was ganz gut war, denn so war es nachher viel einfacher, sauber zu machen. Ich habe viele dieser Sendungen gesehen, in denen sie einem das Haus neu einrichten, und nie verstanden, wieso sie einem immer einreden, die Teppiche wegzuschmeißen, sogar gute, die noch einen schönen dicken Flor haben. Aber jetzt frage ich mich, ob sie zuerst einmal eruieren, ob die Leute, die in dem Haus wohnen, sich häufig übergeben oder nicht. Ich habe festgestellt, dass viele jüngere Leute blanke Fußböden haben, und natürlich übergeben die sich öfter, bei dem vielen Bier und sonst was, das sie trinken. Und bei den Drogen, die sie heute nehmen, wohl auch, vermute ich. (Muss man sich von Drogen übergeben? Ich würde sagen, ja, oder?) Und einige der jungen Familien in Islington scheinen auch nichts für Teppichboden übrig zu haben. Aber wissen Sie, das liegt vermutlich daran, dass Kleinkinder auch unentwegt erbrechen müssen. Vielleicht übergibt sich Martin also häufig. Oder er hat einfach viele Bekannte, die sich schnell übergeben. So wie mich.

Mir war übel, weil ich Alkohol nicht gewöhnt bin und auch weil ich seit mehr als einem Tag nichts mehr gegessen hatte. Silvester war ich zu nervös gewesen, um etwas zu essen, und es wäre mir auch unsinnig erschienen. Ich hatte nicht mal etwas von Mattys Brei gegessen. Denn schließlich ist Essen nichts anderes als ein Kraftstoff, nicht wahr? Es sorgt dafür, dass man weiterhin funktioniert. Aber ich wollte gar nicht weiter funktionieren. Es wäre mir wie Verschwendung erschienen, mit vollem Magen vom Topper's House zu springen – so als würde man ein voll getanktes Auto verkaufen. Deswegen war mir schon flau, ehe wir mit dem Whisky angefangen hatten, schon von dem Weißwein auf der Party, und nach ein paar Schlucken begann sich das Zimmer zu drehen.

Nachdem Penny gegangen war, hatten wir uns eine Weile angeschwiegen. Wir wussten nicht, ob man von uns erwartete, die Tatsache zu bedauern oder nicht. Jess bot sich an, ihr nachzulaufen und ihr zu erklären, dass Martin nichts mit einer anderen hätte, doch Martin fragte sie, wie sie ihr denn erklären wolle, was wir hier machten, und Jess sagte darauf, die Wahrheit sei nicht das Schlechteste, worauf Martin sagte, ihm sei es lieber, wenn Penny schlecht von ihm denke, als dass sie erführe, dass er sich hatte umbringen wollen.

»Du tickst ja nicht richtig«, sagte Jess. »Wenn sie wüsste, wie wir uns kennen gelernt haben, würdest du ihr unheimlich

Leid tun. Wahrscheinlich würde sogar ein Mitleids-Fick für dich rausspringen.«

Martin lachte. »Ich glaube nicht, dass das so abläuft, Jess«, sagte er.

»Wieso nicht?«

»Wenn sie hört, wie wir uns kennen gelernt haben, ist sie völlig geschockt. Sie würde denken, es wäre irgendwie ihre Schuld. Es ist schrecklich zu erfahren, dass dein Lover so unglücklich ist, dass er sterben möchte. Da stellt man sich selbst in Frage.«

»Ja. Und?«

»Und ich müsste stundenlang ihr Händchen halten. Und auf Händchenhalten habe ich keine Lust.«

»Am Schluss würdest du trotzdem zu deinem Mitleids-Fick kommen. Ich hab ja nicht gesagt, er wär leicht verdient.«

Manchmal vergaß man ganz, dass Jess ja ebenfalls unglücklich war. Wir anderen standen immer noch unter Schock. Ich wusste nicht, wie ich Whisky trinkend im Wohnzimmer eines bekannten Fernsehmoderators gelandet war, wo ich doch eigentlich das Haus verlassen hatte, um mich umzubringen, und man merkte, dass der Abend auch für JJ und Martin verwirrend gewesen war. Aber für Jess schien das ganze Wie-geht's-wie-steht's auf dem Dach nur ein unbedeutender Zwischenfall gewesen zu sein, nach dem man sich an den Kopf fasst, hinsetzt und eine Tasse Tee mit viel Zucker trinkt, um dann seinen Alltag wieder aufzunehmen. Wenn man sie über Geschlechtsverkehr aus Mitgefühl oder irgendeinen anderen Unsinn, der ihr gerade in den Kopf kam, reden hörte, konnte man sich nicht vorstellen, was sie bewogen haben mochte, die ganze Treppe rauf aufs Dach zu steigen – ihre Augen funkelten, und sie sprühte vor Energie. Sie amüsierte sich offensichtlich. Wir Übrigen amüsierten uns nicht. Wir hatten uns zwar nicht umgebracht, aber wir amüsierten uns auch nicht. Wir waren zu nah dran gewesen herunterzuspringen. Und dabei war es Jess, die von uns allen am nächsten dran gewesen war. JJ war gerade mal aus dem Treppenhaus getreten. Martin hatte zwar die Beine über die Dachkante baumeln lassen, sich aber nicht wirklich aufgerafft, es zu tun. Und ich selbst hatte es nicht mal auf die andere Seite des Zauns geschafft. Doch Jess hätte es getan, wenn Martin sich nicht auf ihren Kopf gesetzt hätte, da bin ich sicher.

»Lasst uns was spielen«, sagte Jess.

»F… dich ins Knie«, sagte Martin.

Ich konnte mich unmöglich von dieser rüden Ausdrucksweise weiterhin schockieren lassen. Ich wollte es nicht so weit kommen lassen, dass ich am Ende noch selber fluchte, daher war es mir ganz angenehm, dass die Nacht langsam zu Ende ging. Aber dass ich mich daran gewöhnt hatte, machte mir etwas bewusst. Mir wurde bewusst, dass sich bei mir nie etwas verändert hatte. In Martins Wohnung konnte ich auf mich selbst zurückblicken – auf die, die ich vor wenigen Stunden noch gewesen war – und dabei denken: »Oh, damals bin ich noch eine ganz andere gewesen. Kaum zu glauben, dass ich mich über ein paar unanständige Wörter aufregen konnte!« Ich war im Verlauf der Nacht sogar älter geworden. Wenn man jünger ist, gewöhnt man sich daran, an dieses Gefühl, plötzlich ein anderer zu sein. Man wacht morgens auf und begreift nicht mehr, wie man in einen Menschen verliebt sein oder eine bestimmte Art von Musik mögen konnte, obwohl es erst ein paar Wochen her ist. Aber als Matty kam, kam alles zum Stillstand und es änderte sich gar nichts mehr. Genau das ist die eine, einzige Sache, die einen innerlich absterben lässt, bis man sich schließlich wünscht, man wäre richtig tot. Ich weiß, die Menschen setzen aus allen möglichen Gründen Kinder in die Welt, aber einer davon ist bestimmt der, dass Kinder, die aufwachsen, ein Gefühl von Bewegung ins Leben bringen – Kinder nehmen dich mit auf

eine Reise. Doch Matty und ich, wir blieben an der Bushaltestelle zurück. Er lernte nie laufen oder sprechen, geschweige
denn lesen oder schreiben: Er blieb tagein, tagaus ein und
derselbe, das Leben blieb tagein, tagaus dasselbe, und ich
blieb ebenfalls dieselbe.

Ich weiß, es ist an sich keine große Sache, an einem
Abend mehrere hundert Mal ein Wort wie Sch… zu hören,
doch selbst das war etwas Ungewohntes für mich, etwas Neues. Als ich Martin auf dem Dach begegnete, taten mir die
Ausdrücke, die er benutzte, körperlich weh, doch jetzt prall-
ten sie einfach von mir ab, als hätte ich einen Schutzhelm auf.
Taten sie doch, oder? Man müsste schon sehr dumm sein, um
sich dreihundertmal an einem Abend körperlich wehtun zu
lassen. Darum fragte ich mich, was sich noch alles ändern
würde, wenn ich noch ein paar Tage so weitermachte. Ich
hatte bereits jemanden geschlagen, und nun saß ich da und
trank Whisky mit Coca-Cola. Sie kennen das doch, wenn
Leute im Fernsehen sagen: »Du solltest mehr unter Menschen gehen.« Nun verstand ich, was sie damit meinten.

»Elender Schweinehund«, sagte Jess.

»Ja«, sagte Martin. »Ganz genau. Damit sagst du mir
nichts Neues.«

»Was hab ich jetzt wieder gesagt?«

»Du hast mich als elenden Schweinehund bezeichnet.
Ich habe lediglich angemerkt, dass das Adjektiv ›elend‹ die
momentane Phase meines Lebens und ganz besonders die
heutige Nacht sehr treffend beschreibt. Ich bin tatsächlich
verdammt elend dran, wie du mittlerweile mitbekommen haben müsstest.«

»Was, immer noch?«

Martin lachte. »Ja. Immer noch. Obwohl wir heute Nacht
so viel Spaß hatten. Was hat sich denn deiner Meinung nach
in den letzten paar Stunden geändert? War ich immer noch
im Gefängnis? Scheint mir doch so. Habe ich nach wie vor

eine Fünfzehnjährige verführt? Bedauerlicherweise hat sich in der Hinsicht nicht viel geändert. Ist meine Karriere immer noch ein Scherbenhaufen, bin ich immer noch von meinen Kindern getrennt? Unglücklicherweise sowohl als auch. Obwohl ich auf einer Party bei deinen amüsanten Freunden in Shoreditch war und mich als F… titulieren lassen musste? Was bin ich bloß für ein Sauertopf, hm?«

»Ich dachte, wir hätten uns gegenseitig aufgemuntert.«

»Tatsache? Ist das dein Ernst?«

»Ja.«

»Verstehe. Geteiltes Leid ist halbes Leid, und da wir zu viert sind, sogar gevierteltes? So was in die Richtung?«

»Na ja, ihr habt *mich* aufgemuntert.«

»Ja. Na schön.«

»Was soll das jetzt heißen?«

»Gar nichts. Es freut mich, dass wir dich aufgemuntert haben. Dann spricht deine Depression offensichtlich darauf besser an als unsere, und deine Situation ist nicht ganz so ausweglos. Herzlichen Glückwunsch. Doch leider wird JJ immer noch sterben, Maureen hat immer noch einen schwerbehinderten Sohn, und mein Leben ist immer noch ein besch… Scherbenhaufen. Um ehrlich zu sein, Jess, ich sehe nicht, wie ein paar Drinks und eine Partie Monopoly uns da weiterhelfen könnten. Hast du Lust auf Monopoly, JJ? Hilft das gegen CCR? Oder eher nicht?«

Ich war schockiert, aber JJ schien es nichts auszumachen. Er grinste nur und sagte: »Eher nicht, glaub ich.«

»An Monopoly hatte ich auch gar nicht gedacht«, sagte Jess. »Monopoly dauert zu lange.«

Und dann fuhr Martin sie an, aber ich bekam nicht mit, was er sagte, denn ich begann zu würgen. Ich hielt mir die Hand vor den Mund und rannte aufs Badezimmer zu. Aber wie gesagt, ich schaffte es nicht mehr.

»Gottverd… heilige Sch…«, sagte Martin, als er die

Schweinerei sah, die ich angerichtet hatte. Also, an die Art Flucherei könnte ich mich nie gewöhnen, die, die den Heiland betrifft. Ich glaube, das werde ich nie richtig finden.

JJ

Ich begann meinen CCR-Schwindel langsam zu bereuen, daher war ich gar nicht unglücklich, als Maureen ihren Whisky mit Cola über Martins aschblonden Parkettboden kotzte. Ich hatte plötzlich das starke Bedürfnis, alles zu gestehen, aber das Geständnis wäre ein ziemlich mieser Start ins neue Jahr gewesen. Und das zu dem ohnehin schon miesen Start, immerhin hatte ich ja vorgehabt, mich vom Hochhaus zu stürzen, und diese CCR-Lüge in die Welt gesetzt. Tja, jedenfalls war ich froh, dass wir plötzlich alle um Maureen herum standen, ihr auf den Rücken klopften und ihr ein Glas Wasser anboten, weil der Geständnis-Moment vorüberging.

Die Wahrheit war, dass ich mich nicht wie ein Sterbender fühlte; ich fühlte mich wie ein Mann, der hin und wieder sterben wollte, und da besteht ein Unterschied. Ein Mensch, der sterben will, ist wütend und voller Lebenskraft und verzweifelt und angeödet und ausgepumpt, alles auf einmal. Er legt sich mit jedem an und möchte sich zu einer Kugel zusammenrollen und irgendwo im Schrank verstecken. Er will jedem sagen, wie Leid es ihm tut, und er will jeden wissen lassen, wie gemein sie ihn alle im Stich gelassen haben. Ich kann mir nicht vorstellen, dass Sterbende das empfinden, es sei denn, Sterben ist noch beschissener, als ich dachte. (Aber warum auch nicht? Jeder andere x-beliebige Scheiß ist schlimmer, als ich dachte, warum sollte es da beim Sterben anders sein?)

»Ich hätte gern ein Pfefferminz«, sagte sie. »Ich hab welche in meiner Handtasche.«

»Wo ist deine Handtasche?«

Sie sagte einen Moment nichts und stöhnte dann leise auf.

»Wenn Sie sich wieder übergeben müssen, könnten Sie mir dann den Gefallen tun und die letzten paar Meter zum Klo kriechen?« sagte Martin.

»Nein, nicht das«, sagte Maureen. »Es ist wegen meiner Handtasche. Sie ist noch auf dem Dach. Da in der Ecke, direkt wo Martin das Loch in den Zaun gemacht hat. Es sind nur meine Schlüssel, die Pfefferminzbonbons und ein paar Pfundmünzen drin.«

»Wir werden schon ein Pfefferminz auftreiben, falls das Ihre Sorge ist.«

»Ich hab Kaugummis dabei«, sagte Jess.

»Kaugummis sind nicht so mein Fall«, sagte Maureen. »Außerdem habe ich eine Brücke, die ein bisschen locker sitzt. Ich hatte nichts mehr unternommen, um sie in Ordnung bringen zu lassen, weil …«

Sie beendete den Satz nicht. Das brauchte sie auch nicht. Ich denke, wir alle hatten aus nahe liegenden Gründen einige Dinge unerledigt gelassen.

»Dann sehe ich mal nach, ob ich ein Pfefferminzbonbon für Sie habe«, sagte Martin. »Wenn Sie möchten, können Sie sich aber auch die Zähne putzen. Sie können Pennys Zahnbürste benutzen.«

»Vielen Dank.«

Sie kam auf die Beine, setzte sich dann aber wieder auf den Boden.

»Was fange ich jetzt an? Wegen der Tasche?«

Die Frage war an uns alle gerichtet, aber Martin und ich sahen Jess an und warteten auf eine Antwort. Genauer gesagt, wir wussten die Antwort, doch die Antwort würde in einer weiteren Frage bestehen, und wir beide hatten im Verlauf der Nacht gelernt, dass Jess taktlos genug war, sie zu stellen.

»Die Frage ist«, sagte Jess prompt, »brauchst du sie noch?«

»Oh«, sagte Maureen, als die Taschen-Implikationen zu ihr durchdrangen.

»Verstehst du, was ich meine?«

»Ja. Ja, ich verstehe.«

»Wenn du nicht sicher bist, ob du sie noch brauchen wirst, sag es einfach. Weil, na ja, es ist eine wichtige Frage, und wir wollen dich nicht drängen. Aber wenn du sicher bist, dass du sie nicht mehr brauchst, dann sagst du es am besten gleich. Dann können wir uns den Weg sparen.«

»Ich würde nicht von euch verlangen mitzukommen.«

»Aber das wollen wir«, sagte Jess. »Stimmt doch, oder?«

»Und wenn Sie wissen, dass Sie Ihre Schlüssel nicht brauchen, können Sie den Tag über hier bleiben«, sagte Martin. »Machen Sie sich darum keine Gedanken.«

»Verstehe«, sagte Maureen. »Gut. Ich hatte eigentlich nicht … Ich dachte, ich weiß auch nicht. Ich wollte für ein paar Stunden mal nicht dran denken.«

»Okay«, sagte Martin. »Na gut. Dann gehen wir noch mal hin.«

»Macht es Ihnen nichts aus?«

»Überhaupt nichts. Es wäre dumm, sich umzubringen, nur weil Sie Ihre Handtasche nicht dabeihaben.«

Als wir am Topper's House ankamen, fiel mir ein, dass ich Ivans Moped letzte Nacht hier stehen gelassen hatte. Es war nicht mehr da, und ich hatte ein schlechtes Gewissen, denn Ivan war kein so übler Typ, und er war nicht etwa ein Rolls-Royce fahrender, Zigarren rauchender Kapitalist. Er war zu arm. Tatsächlich fährt er eins seiner eigenen Mopeds. Na, jedenfalls kann ich ihm jetzt nie mehr unter die Augen treten, aber das Schöne an solchen Cash-auf-die-Kralle-Minijobs ist ja unter anderem, dass man praktisch genauso viel verdienen kann, wenn man an roten Ampeln Windschutzscheiben putzt.

»Mein Auto hatte ich auch hier stehen gelassen«, sagte Martin.

»Ist das auch weg?«

»Ich hatte es nicht abgeschlossen, und der Schlüssel steckte. Das war als Akt der Nächstenliebe gedacht. Das wird mir in Zukunft nicht mehr passieren.«

Wenigstens die Tasche fand sich dort, wo Maureen sie stehen gelassen hatte, ganz in der Ecke des Dachs. Erst dort oben konnten wir sehen, dass wir fast bis zur Morgenröte durchgehalten hatten. Und es war eine Morgenröte, die sich sehen lassen konnte, mit Sonne und blauem Himmel. Wir spazierten übers Dach, um zu gucken, was man alles sehen konnte, und die anderen machten mit mir eine kleine Amerikaner-in-London-Sightseeing-Tour: St. Paul's, das Riesenrad am Fluss, das Haus, in dem Jess wohnte.

»Es macht mir keine Angst mehr«, sagte Martin.

»Echt?« fragte Jess. »Hast du mal über die Dachkante geguckt? Oh Fuck, der Horror. Wenn du mich fragst, sieht die Scheiße im Dunkeln echt besser aus.«

»Ich meinte nicht die Höhe«, sagte Martin. »Ich meinte London. Es sieht unverfänglich aus.«

»Es sieht wunderschön aus«, sagte Maureen. »Ich weiß nicht, wann ich das letzte Mal so viel sehen konnte.«

»Das habe ich auch nicht gemeint. Ich meinte ... ich weiß es selbst nicht. Da war das ganze Silvestergeknalle und es waren Leute unterwegs, und uns hat es hier rauf verschlagen, weil wir nicht wussten, wohin.«

»Ja. Außer, man wäre zum Abendessen eingeladen gewesen«, sagte ich. »Wie du.«

»Ich kannte da doch niemanden. Sie hatten mich nur aus Mitleid eingeladen. Ich gehörte nicht dazu.«

»Und jetzt fühlst du dich wieder einbezogen?«

»Da unten ist nichts, wovon man sich ausgeschlossen fühlen könnte. Jetzt ist es wieder einfach nur eine große Stadt. Guck mal. Der da ist allein. Und die da auch.«

»Das ist eine verfickte Politesse«, sagte Jess.

»Ja, und sie ist allein, und heute hat sie noch weniger Freunde als ich. Aber letzte Nacht hat sie wahrscheinlich irgendwo auf dem Tisch getanzt.«

»Mit anderen Politessen höchstwahrscheinlich«, sagte Jess.

»Aber ich war nicht mit anderen Fernsehmoderatoren zusammen.«

»Oder anderen Perversen.«

»Nein. Stimmt. Ich war allein.«

»Abgesehen von den anderen Leuten bei diesem Essen«, sagte ich. »Aber okay. Wir wissen, worauf du hinauswillst. Deswegen ist Silvester ja ein so beliebter Abend für Selbstmorde.«

»Wann ist der nächste?« fragte Jess.

»31. Dezember«, sagte Martin.

»Ja, ja. Sehr witzig. Der nächstbeliebte Termin?«

»Das wäre dann Valentinstag«, sagte Martin. »Das wäre in … sechs Wochen? Warten wir doch noch sechs Wochen. Wie wär's? Wahrscheinlich geht's uns am Valentinstag allen absolut beschissen.«

Wir starrten alle in die schöne Aussicht. Sechs Wochen – das klang ganz gut. Sechs Wochen waren nicht allzu lang. Das Leben konnte in sechs Wochen schon ganz anders aussehen – es sei denn, man muss sich um ein schwerbehindertes Kind kümmern. Oder die eigene Karriere liegt in Scherben. Oder man ist der Trottel der Nation.

»Weißt du, wie es dir in sechs Wochen gehen wird?« fragte mich Maureen.

Ach ja, natürlich – oder man hat eine tödliche Krankheit. Dann sähe das Leben auch nicht sehr viel anders aus.

Ich zuckte die Achseln. Woher zum Teufel sollte ich wissen, wie es mir bis dahin gehen würde? Diese Krankheit war brandneu. Niemand konnte voraussagen, wie sie verlaufen würde – nicht mal ich, dabei hatte ich sie erfunden.

»Also treffen wir uns wieder, ehe die sechs Wochen rum sind?«

»Verzeihung, aber … Seit wann heißt es ›wir‹?« fragte Martin. »Wieso sollten wir uns überhaupt in sechs Wochen treffen? Warum können wir uns nicht umbringen, wo und wann immer wir wollen?«

»Keiner hält dich zurück«, sagte Jess.

»Der ganze Sinn dieser Übung ist doch sicher, dass mich jemand zurückhält. Wir halten uns gegenseitig zurück.«

»Ja, bis die sechs Wochen rum sind.«

»Ergo meintest du genau das Gegenteil, als du sagtest, ›Keiner hält dich zurück‹«.

»Pass mal auf«, sagte Jess. »Wenn du jetzt nach Hause kommst und den Kopf in den Gasofen steckst, was soll ich dagegen tun?«

»Genau. Der Sinn der Übung ist also welcher?«

»Ich frag ja nur, okay? Denn wenn wir eine Gang sind, versucht jeder von uns, sich an die Regeln zu halten. Aber eigentlich gibt's ja nur eine. Regel eins: Wir bringen uns sechs Wochen lang nicht um. Und wenn wir keine Gang sind, tja, dann, auch egal. Also, sind wir nun eine Gang oder nicht?«

»Sind wir nicht«, sagte Martin.

»Warum nicht?«

»Ich will nicht unhöflich sein, aber …« Martin hoffte offenkundig, dass dieser Halbsatz, den er mit einer Hand in unsere Richtung wedelte, es ihm ersparen würde, ins Detail gehen zu müssen. Aber ich hatte nicht vor, ihn so davonkommen zu lassen.

Bis zu diesem Moment hatte ich mich selbst nicht als Mitglied einer Gang gefühlt. Aber jetzt gehörte ich zu dieser

Gang, für die Martin nicht viel übrig hatte, und fühlte mich ihr verpflichtet.

»Aber was?« fragte ich.

»Na ja. Ihr seid nicht, ihr wisst schon. Eigentlich kein Umgang für mich.« Das sagte er wörtlich so, ich schwöre es. Der Tonfall war deutlich über unserem Niveau.

»Fick dich doch«, sagte ich. »Als ob ich normalerweise irgendwas mit Arschlöchern wie dir zu tun hätte.«

»Schön, dann wäre ja alles klar. Wir sollten uns alle die Hand geben, einander für einen äußerst lehrreichen Abend danken und dann getrennte Wege gehen.«

»Und sterben«, sagte Jess.

»Möglicherweise«, sagte Martin.

»Und das willst du wirklich?« fragte ich.

»Es ist nicht gerade mein Herzenswunsch, zugegeben. Aber ich verrate euch kein Geheimnis, wenn ich sage, in letzter Zeit finde ich die Aussicht zusehends attraktiver. Aber was geht dich das überhaupt an?« fragte er Jess. »Ich hatte den Eindruck, dass dir nichts und niemand was bedeutet. Ich dachte, das wäre dein Ding.«

Jess überlegte einen Moment. »Du kennst doch diese Filme, wo Typen auf der Spitze des Empire State Building oder auf so einem Berggipfel miteinander kämpfen, ja? Da kommt immer irgendwann die Stelle, wo der Schurke abrutscht und der Held ihn zu retten versucht. Aber dann reißt der Ärmel seiner Jacke ab, er stürzt in die Tiefe, und du hörst ihn den ganzen Weg nach unten schreien. Aaaaaagh. So was will ich.«

»Du willst zusehen, wie ich in den Tod stürze?«

»Ich wüsste gern, dass ich es wenigstens versucht hab. Ich will den abgerissenen Ärmel rumzeigen können.«

»Ich hätte nicht gedacht, dass du Diplom-Samariterin bist«, sagte Martin.

»Bin ich nicht. Das ist bloß meine persönliche Lebensphilosophie.«

»Ich fände es besser, wir würden uns regelmäßig sehen«, sagte Maureen leise. »Wir alle. Abgesehen von euch dreien weiß niemand, wie es in mir aussieht. Und Matty. Ich werde es Matty erklären.«

»Ach, verdammte Scheiße«, sagte Martin. Er fluchte, weil er wusste, dass er geschlagen war: Keiner von uns hatte die innere Stärke, Maureen zu sagen, sie solle sich verpissen.

»Es sind ja nur sechs Wochen«, sagte Jess. »Wenn es dir hilft, schmeißen wir dich persönlich am Valentinstag vom Dach.«

Martin schüttelte den Kopf, aber es war keine Weigerung, sondern eher Ausdruck seiner Kapitulation.

»Das werden wir alle noch bereuen«, sagte er.

»Prima«, sagte Jess. »Sind also alle einverstanden?«

Ich zuckte die Schultern. Was Besseres wusste ich auch nicht.

»Länger als sechs Wochen mache ich nicht mit«, sagte Maureen.

»Niemand wird Sie zwingen«, sagte Martin.

»Nur, dass das von Anfang an klar ist«, sagte Maureen.

»Ist vermerkt«, sagte Martin.

»Klasse«, sagte Jess. »Damit wär's abgemacht.«

Wir gaben uns die Hand, Maureen nahm ihre Handtasche, und dann gingen wir alle frühstücken. Uns fiel nichts ein, worüber wir hätten reden können, aber das schien niemanden zu stören.

TEIL 2

Es dauerte nicht lange, bis die Zeitungen Wind davon bekamen. Ein paar Tage vielleicht. Ich war in meinem Zimmer, als Dad mich nach unten rief und fragte, was ich Silvester getrieben hätte. Ich sagte, nix Besonderes, und er meinte, soso, das scheinen die Zeitungen aber anders zu sehen. Und ich, wie, die Zeitungen? Und er, tja, sie wollen anscheinend eine Story über dich und Martin Sharp bringen. Kennst du Martin Sharp? Und ich so, jo, flüchtig, hab ihn bloß an dem Abend auf einer Party getroffen, näher kenn ich den nicht. Und darauf Dad wieder, was ist das verdammt noch mal für eine Party, auf der man Martin Sharp begegnet? Und mir fiel auch nicht ein, was für eine Party das hätte sein können, deswegen sagte ich nix. Und dann Dad wieder, und war da ... ist da irgendwas ... also total am Ausflippen. Ich geh also in die Offensive: Ob ich mit ihm gefickt hab? Natürlich nicht! Besten Dank! Martin Sharp, ausgerechnet! Iiii-bah! Und so weiter und so weiter, bis er es geschnallt hatte.

Es war natürlich der verdammte Chas, der die Zeitungen angerufen hatte. Wahrscheinlich hatte die kleine Ratte das auch früher schon versucht, aber solange es bloß um mich ging, hatte er nicht viel zu verkaufen. Jess Crichton und Martin Sharp im Doppelpack allerdings ... unwiderstehlich. Was meint ihr, was dafür wohl rausspringt? Ein paar hundert Pfund? Mehr? Um ehrlich zu sein, ich hätt's an seiner Stelle auch gemacht. Er ist ständig blank. Ich bin auch ständig blank. Wäre irgendwas an ihm dreißig Silberlinge wert, hätte ich sie sofort genommen.

Dad zog den Vorhang zurück, um nach draußen zu linsen, und da stand einer. Ich wollte raus und ihn mir krallen, aber Dad ließ mich nicht; er sagte, sie würden dann ein Foto machen, auf dem ich wie eine Irre aussähe, und ich würde es bereuen. Außerdem sei es würdelos, sagte er, und in unserer Position müsse man über den Dingen stehen und so was ignorieren. Und ich dann, *wessen* Position? Ich hab keine Position. Und er, Tja, ob du willst oder nicht, du hast eine gewisse Position, und ich, *Du* hast eine gewisse Position, ich nicht, und er, Doch, die hast du, und so ging das eine Weile weiter. Aber darauf rumzureiten änderte natürlich gar nichts, und ich weiß ja, dass er im Grunde Recht hat. Wär ich nicht in einer exponierten Position, hätten die Zeitungen gar kein Interesse. Je mehr ich so tue, als wär ich nicht in einer exponierten Position, desto mehr bin ich es eigentlich, falls ihr versteht, was ich meine. Wenn ich bloß lesend in meinem Zimmer rumsäße oder einen festen Freund hätte, wär das nicht von Interesse. Aber wenn ich mit Martin Sharp ins Bett steigen oder mich von einem Dach stürzen würde, das wär das Gegenteil von nicht von Interesse. Das wäre von Interesse.

Als ich vor ein paar Jahren in der Zeitung war, kurz nach der Sache mit Jen, hielten sie mich, glaube ich, eher für VERSTÖRT als für VERDORBEN. Und Ladendiebstahl ist ja auch was anderes als Mord, oder? Macht nicht jeder so eine Klauphase durch? Damit mein ich natürlich *richtigen* Ladendiebstahl, klauen á la Winona, also Taschen und Klamotten und alles, nicht Füller und Lutschbonbons. Das kommt unmittelbar nach Ponys und Boygroups, kurz vor Kiffen und Sex. Aber ich merkte, dass es diesmal anders war, und da begann ich mir ernsthaft Gedanken zu machen. Ja, ja, ich weiß. Aber besser spät als nie, oder? Ich überlegte mir also Folgendes: Wenn es schon überall in der Zeitung stand, wäre es besser für Mum und Dad, wenn sie dächten, ich hätte mit Martin geschlafen, als den wahren Grund zu erfahren, der uns zusammengebracht hatte. Der wahre Grund würde sie umbringen. Vielleicht im wahrsten Sinne des Wortes. Dann wäre ich womöglich das letzte überlebende Familienmitglied, und selbst ich schwankte noch, ob ich sollte oder nicht. Wenn die Zeitungen was falsch verstanden hatten, war das vielleicht gar nicht so schlecht. Natürlich würde es auf dem College oberpeinlich werden, wenn alle glauben, ich hätte mit dem schleimigsten Typen von ganz England gefickt, aber es wäre ja für eine gute Sache, d. h. das Leben meiner Eltern.

Das Dumme war nur, dass ich zwar angefangen hatte, darüber nachzudenken, aber nicht richtig zu Ende gedacht hatte. Ich hätte mir eine Menge Ärger sparen können, wenn ich mir zwei Minuten länger Zeit gelassen hätte, ehe ich den Mund aufmachte. Aber das machte ich nicht. Ich sagte bloß, Da-ad. Und er gleich, Oh, nein. Und ich guck ihn nur an, und er sagt, du erzählst mir am besten alles, und ich dann, och, da gibt's nicht viel zu erzählen. Ich war bloß auf einer Party, wo er auch war, und ich hab zu viel getrunken, und dann sind wir zu ihm und das war's. Und er dann, Das war's im Sinne von mehr war nicht? Und ich, Nein, im Sinne von Pünktchen Pünktchen Pünktchen, Einzelheiten brauchst du nicht zu wissen. Und er dann, Ach, du liebes bisschen, und dann setzte er sich hin.

Es ist ja so: Ich hätte gar nicht behaupten müssen, ich hätte mit ihm geschlafen, stimmt's? Ich hätte sagen können, wir hätten rumgeknutscht, oder er hätte mich angebaggert oder irgendwas in der Richtung, aber ich war nicht clever genug. Ich dachte bloß, okay, wenn's Selbstmord oder Sex sein muss, nimm besser Sex, aber das waren schließlich nicht die einzigen Möglichkeiten. Sex war bloß so was wie der Serviervorschlag, aber man muss ja nicht alles *genau so* machen, wie es auf der Packung steht, oder? Man kann die Garnierung weglassen, wenn man will, und genau das hätte ich machen sollen. (»Garnierung« – komisches Wort, oder? Ich glaub nicht, dass ich das vorher schon mal benutzt hab.) Hab ich aber nicht, tja. Und noch eine schwere Unterlassungssünde: Bevor ich Dad irgendwas erzählte, hätte ich dafür sorgen sollen, dass er sich erkundigt, was überhaupt in der Zeitung steht. Ich dachte bloß, Boulevardpresse, Sex … ehrlich gesagt, ich weiß selbst nicht, was ich gedacht hab. Wie üblich nicht allzu viel.

Dad rief also direkt sein Büro an und erzählte ihnen, was ich ihm erzählt hatte, und nachdem er fertig war, sagte er, er müsste weg und ich sollte weder ans Telefon gehen noch sonst wohin noch irgendwas tun. Ich guckte also ein Weilchen fern, dann ging ich ans Fenster, um zu sehen, ob der Typ noch da ist. Er war noch da, und er war nicht mehr allein.

Und dann kam Dad mit der Zeitung zurück – er war die Frühausgabe holen gegangen. Er sah etwa zehn Jahre älter aus. Er hielt mir die Zeitung vors Gesicht, damit ich die Schlagzeile lesen konnte: MARTIN SHARP UND MINDERJÄHRIGE MINISTERTOCHTER – SELBSTMORDPAKT.

Und so war die ganze Sexbeichte totale, blanke, gottverdammte Zeitverschwendung gewesen.

JJ

Das war das erste Mal, dass wir etwas über den Background von Jess erfuhren, und ich muss gestehen, meine erste Reaktion war, dass ich es echt zum Brüllen fand. Ich war im Laden bei mir an der Ecke, um Kippen zu kaufen, und Jess und Martin starrten mich von der Ladentheke an, und als ich die Schlagzeile sah, johlte ich los. Was mir in Anbetracht der Schlagzeile von ihrem Selbstmordpakt einige irritierte Blicke eintrug. Erziehungsminister! Heilige Scheiße! Man muss sich vorstellen, dieses Mädchen hat geredet, als wäre sie von einer ewig abgebrannten, drogensüchtigen Sozialhilfeempfängerin erzogen worden, die jünger war als sie selbst. Und führte sich auf, als wäre Bildung eine Art Prostitution, etwas, zu dem nur Verrückte oder Verzweifelte Zuflucht nehmen würden.

Aber als ich dann die Story las, war es nicht mehr so komisch. Von Jess' älterer Schwester Jennifer hatte ich nichts gewusst. Sie war vor einigen Jahren verschwunden, Jess war damals fünfzehn und sie achtzehn; sie hatte sich den Wagen ihrer Mutter geliehen, den man dann verlassen in der Nähe einer Stelle an der Küste wiedergefunden hatte, an der es oft Selbstmorde gab. Jennifer hatte erst drei Tage zuvor die Führerscheinprüfung gemacht, als hätte sie nur für diesen Zweck Auto fahren gelernt. Eine Leiche wurde nie gefunden. Ich weiß nicht, was das mit Jess gemacht hat – nichts Gutes, würde ich sagen. Und ihr alter Herr ... Du meine Güte. Eltern, die ausschließlich selbstmordgefährdete Töchter in die Welt setzen, wird die ganze Sache mit dem Kinderkriegen wohl irgendwann in einem ziemlich düsteren Licht erscheinen.

Und am Tag darauf wurde das Ganze dann noch sehr viel unlustiger. Die neue Schlagzeile lautete ES WAREN VIER!, und in dem dazugehörigen Artikel folgte eine Beschreibung von Freaks, die, wie ich irgendwann begriff, Maureen und mich darstellen sollten. Der Artikel schloss mit dem Aufruf, sich mit weiteren Informationen zu melden, und einer Telefonnummer. Es gab sogar eine Belohnung. Auf Maureen und mich war ein Kopfgeld ausgesetzt, Alter!

Die Informationen stammten eindeutig von Chas, diesem Arschgesicht; trotz der bizarren englischen Boulevardpresseprosa konnte man deutlich seinen winselnden Tonfall heraushören. Ein bisschen was musste man dem Kerl allerdings zugute halten. Für mich hatte der Abend aus vier Elendsgestalten bestanden, die in ihrem Vorhaben, das, um ehrlich zu sein, keine besonderen Schwierigkeiten bot, kläglich versagt hatten. Aber Chas hatte etwas anderes gesehen: Er hatte erkannt, dass darin eine Story steckte, etwas, das sich eventuell zu Geld machen ließ. Okay, das mit Jess' Vater wird er schon gewusst haben, aber dennoch, Hut ab. Er hatte immerhin eins und eins zusammenzählen müssen.

Ich will euch die ehrliche Wahrheit sagen: Irgendwie fand ich den Artikel auch geil. Es war befriedigend, wenn auch nicht ohne Ironie, etwas über mich selbst zu lesen, und wenn man so überlegt, ist es auch verständlich. Denn was mich so runtergezogen hatte, war ja unter anderem gewesen, dass ich es nicht schaffte, der Welt durch meine Musik einen Stempel aufzudrücken. Man könnte auch sagen, ich wollte mich umbringen, weil ich nicht berühmt war. Vielleicht ist das mir selbst gegenüber ungerecht, weil ich weiß, dass mehr daran war als das allein, aber es spielte sicher eine Rolle. Jedenfalls hatte mich die Einsicht, am Ende zu sein, auf die Titelseiten gebracht, und vielleicht sollte mir das eine Lehre sein.

Ich war also recht guter Dinge, saß in meiner Wohnung rum, trank Kaffee und rauchte und genoss den Umstand, dass ich nun in gewisser Weise berühmt und absolut anonym war, beides zur selben Zeit. Dann rasselte die Scheiß-Türklingel, dass ich fast aus dem Hemd sprang.

»Wer ist da?«

»Ist da JJ?« fragte die Stimme einer jungen Frau.

»Wer ist denn da?«

»Könnte ich vielleicht kurz mit Ihnen sprechen? Über neulich Nacht?«

»Woher haben Sie diese Adresse?«

»Wie ich hörte, waren Sie eine der Personen, die Silvester mit Jess Crichton und Martin Sharp zusammen waren? Als sie versuchten, sich umzubringen?«

»Da haben Sie falsch gehört, Ma'am.« Es war der erste Satz von einem von uns, der nicht mit einem Fragezeichen schloss. Der Punkt am Ende meines Satzes war befreiend, wie ein kräftiges Hatschi.

»Und *was* habe ich da falsch gehört?«

»Alles. Sie haben auf die falsche Klingel gedrückt.«

»Das glaube ich nicht.«

»Woher wollen Sie das wissen?«

»Weil Sie nicht abgestritten haben, JJ zu sein. Und Sie haben gefragt, woher ich diese Adresse habe.«

Guter Einwand. Echte Profis, diese Leute.

»Aber ich hab nicht gesagt, es sei *meine* Adresse, oder?«

Es entstand eine Pause, während sich diese Bemerkung in ihrer absoluten Dämlichkeit wie ein Furz im Korridor ausbreitete.

Sie sagte nichts. Ich stellte mir vor, wie sie draußen vor der Tür stand und über meine lächerlichen Ausflüchte mitleidig den Kopf schüttelte. Ich schwor mir, kein Wort mehr zu sagen, bis sie weg war.

»Hören Sie mal«, sagte sie. »Gab es einen Grund dafür, dass Sie es sich anders überlegten?«

»Was für einen Grund?«

»Ich weiß auch nicht. Irgendwas, das unsere Leser aufbaut. Keine Ahnung, vielleicht so was wie, dass sie einander Mut gemacht haben.«

»Dazu kann ich nichts sagen.«

»Sie vier haben auf London geblickt und gesehen, wie wunderschön die Welt ist. Etwas in dieser Richtung? Irgendetwas, das unsere Leser aufbauen könnte?«

War an unserer Suche nach Chas irgendwas Aufbauendes gewesen? Falls ja, war es mir entgangen.

»Hat Martin Sharp zum Beispiel etwas gesagt, das Ihnen Lebensmut gab? So was lesen die Leute gerne.«

Ich versuchte, mich zu erinnern, ob Martin uns irgendwelche Worte des Trostes gespendet hatte, die sie zitieren könnte. Er hatte Jess als Geistesgestörte bezeichnet, aber das war weniger eine lebensrettende als eine stimmungshebende Maßnahme. Und er hatte uns erzählt, dass er mal einen Gast in der Sendung hatte, dessen Ehepartner fünfundzwanzig Jahre im Koma gelegen hatte, aber auch das hatte uns nicht wesentlich weitergeholfen.

»Nein, nicht dass ich wüsste.«

»Ich lasse eine Karte mit meiner Telefonnummer hier, okay? Rufen Sie mich an, wenn Sie das Gefühl haben, über diese Sache reden zu können.«

Beinahe wäre ich ihr nachgelaufen – ich vermisste sie jetzt schon. Ich fand es schön, vorübergehend der Mittelpunkt ihres Lebens zu sein. Scheiße, mir gefiel es, vorübergehend Mittelpunkt meines eigenen Lebens zu sein, weil da in letzter Zeit nicht viel los gewesen war, und es würde auch nichts los sein, wenn sie wieder weg war.

MAUREEN

Ich ging also nach Haus, schaltete den Fernseher ein, machte Tee und rief im Heim an, und die beiden jungen Kerle brachten Matty zurück. Ich setzte ihn vor den Fernseher, und alles ging wieder von vorn los. Ich konnte mir kaum vorstellen, wie ich das weitere sechs Wochen durchhalten sollte. Ich weiß, wir hatten eine Absprache, aber ich hatte eigentlich nie damit gerechnet, einen von denen wiederzusehen. Sicher, wir haben unsere Telefonnummern und Anschriften und so weiter ausgetauscht. (Martin musste mir erst auseinander setzen, dass ich keine E-Mail-Adresse habe, wenn ich keinen Computer besitze. Ich war mir da nicht sicher gewesen. Ich hatte geglaubt, sie hätte vielleicht in einem dieser Briefe gestanden, die man gleich wegwirft.) Aber ich rechnete nicht damit, dass wir sie wirklich benutzen würden. Ich will es Ihnen offen und ehrlich sagen, auch wenn es selbstmitleidig klingt: Ich hatte geglaubt, die träfen sich vielleicht untereinander, würden mich aber außen vor lassen. Ich war zu alt und zu altmodisch für sie, mit meinen Schuhen und dem allem. Es war interessant gewesen, auf Partys zu gehen und diese vielen seltsamen Leute zu sehen, aber geändert hatte das gar nichts. Ich musste trotzdem zurück und Matty abholen und hatte immer noch kein anderes Leben als das, dessen ich bereits überdrüssig war. Sie mögen jetzt denken, warum ist sie dann nicht wütend? Aber natürlich bin ich wütend. Ich weiß nicht, warum ich überhaupt versuche, das zu verbergen. Ich nehme an, es hat auch mit der Kirche zu tun. Und vielleicht mit meinem Alter, denn man hat uns noch beigebracht, sich nicht zu beklagen, nicht wahr? Aber an manchen Tagen – an den meisten Tagen – könnte ich schreien und toben und Sachen kaputtschlagen und Leute umbringen. Oh ja, und wie wütend ich bin. Man kann nicht zu einem Leben wie diesem verdammt sein, ohne wütend zu werden.

Aber egal. Ein paar Tage später klingelte das Telefon, und so eine Frau mit kultivierter Stimme fragte:

»Spreche ich mit Maureen?«

»Am Apparat.«

»Hier ist die Metropolitan Police.«

»Oh, guten Tag«, sagte ich.

»Guten Tag. Uns wurde gemeldet, Ihr Sohn habe an Silvester im Einkaufszentrum für Unruhe gesorgt. Ladendiebstahl, Klebstoff schnüffeln, Überfälle und dergleichen.«

»Tut mir Leid, das kann nicht mein Sohn gewesen sein«, sagte ich wie eine Blöde. »Er ist behindert.«

»Und Sie sind sicher, dass er diese Behinderung nicht nur vortäuscht?«

Ich dachte tatsächlich eine halbe Sekunde darüber nach. Na, Sie wissen schon, wenn es doch die Polizei ist. Man will hundertprozentig sicher sein, auch hundertprozentig die Wahrheit zu sagen, nur für den Fall, dass da noch was nachkommt.

»Wenn er das täte, müsste er ein ausgesprochen guter Schauspieler sein.«

»Und Sie sind sich sicher, dass er kein ausgesprochen guter Schauspieler *ist*?«

»Oh, völlig. Verstehen Sie, er ist zu behindert, um zu schauspielern.«

»Aber was, wenn gerade das bloß Schauspielerei ist? Weil seine Beschreibung nämlich auf den, äh, Wie-heißt-er-noch passt. Den Tatverdächtigen.«

»Wie lautet denn dessen Beschreibung?« Ich weiß nicht, warum ich das fragte. Vermutlich, um behilflich zu sein.

»Dazu kommen wir noch, Madam. Können Sie seinen Aufenthaltsort an Silvester bezeugen? Waren Sie mit ihm zusammen?«

Da überlief es mich eiskalt. Das Datum war mir anfangs gar nicht aufgefallen. Sie hatten mich erwischt. Ich wusste nicht, ob ich lügen sollte oder nicht. Was, wenn ihn jemand aus dem Pflegeheim mitgenommen und als Tarnung oder so benutzt hatte? Zum Beispiel einer von diesen jungen Burschen? Die sahen zwar ganz anständig aus, aber man weiß ja nie. Angenommen, sie haben Ladendiebstahl begangen und etwas unter Mattys Decke versteckt? Angenommen, die sind alle trinken gegangen und haben Matty mitgenommen und sind dann in eine Schlägerei geraten und haben den Rollstuhl mit Wucht gegen einen ihrer Gegner gestoßen? Und die Polizei hat gesehen, wie er jemanden umfährt, und daher geglaubt, er würde mitmachen? Und nachher hätte er sich nur dumm gestellt, um keinen Ärger zu kriegen? Doch, man kann jemanden durchaus ernsthaft verletzen, wenn man mit dem Rollstuhl in ihn reinknallt. Man kann jemandem das Bein brechen. Und angenommen … Ehrlich gesagt, selbst auf dem Höhepunkt meiner kleinen Panikattacke konnte ich mir nicht so recht vorstellen, wie er das mit dem Klebstoffschnüffeln hinbekommen haben sollte. Aber trotzdem! All das schoss mir durch den Kopf. Das kam alles von meinem schlechten Gewissen, nehme ich an. Ich war nicht bei ihm gewesen, wie ich es hätte sein sollen, und der Grund dafür, dass ich nicht bei ihm war, war der, dass ich ihn für immer verlassen wollte.

»Nein, ich war nicht bei ihm. Er war in Pflege.«

»Aha, verstehe.«

»Ihm konnte gar nichts passieren.«

»Da bin ich sicher, Madam. Aber wir reden hier doch nicht darüber, ob *ihm* nichts passieren konnte, oder? Wir reden darüber, ob den Menschen im Einkaufszentrum Wood Green nichts zustoßen konnte.«

Wood Green! Er war bis raus nach Wood Green!

»Ja. Nein. Tut mir Leid.«

»Tut es Ihnen tatsächlich Leid? Tut Ihnen die verf... Sch... wirklich Leid?«

Ich traute meinen Ohren nicht. Schon, ich wusste, dass man bei der Polizei einen rauen Umgangston pflegt. Aber ich hatte geglaubt, das käme nur vor, wenn sie Stress hätten, so mit Terroristen, nicht bei Telefonaten mit Bürgern im Verlauf einer Routineermittlung. Außer natürlich, die Frau wäre tatsächlich im Stress. War es möglich, dass Matty, oder wer immer ihn gestoßen hat, tatsächlich jemanden getötet hatte? Ein Kind vielleicht?

»Maureen?«

»Ja, ich bin noch dran.«

»Maureen, ich bin nicht wirklich von der Polizei. Ich bin's, Jess.«

»Oh.« Ich spürte, wie ich über meine eigene Dummheit errötete.

»Du hast mir geglaubt, stimmt's, du dumme alte Nuss.«

»Ja, ich hab dir geglaubt.«

Sie hörte an meiner Stimme, dass sie mich in helle Aufregung versetzt hatte, daher ritt sie nicht länger darauf herum.

»Hast du die Zeitung gelesen?«

»Nein. Ich lese keine.«

»Wir stehen drin.«

»Wer steht drin?«

»Na wir. Gut, nur Martin und ich werden namentlich

genannt. Sie suchen nach dir und JJ, aber sie wissen nicht, wer ihr seid. Echt zum Schieflachen, was?«

»Was schreiben sie denn?«

»Sie schreiben, dass ich und Martin und zwei, du weißt schon, geheimnisvolle Unbekannte einen Selbstmordpakt hatten.«

»Das stimmt nicht.«

»Ach, wirklich? Außerdem steht da, dass ich die Tochter des Juniorministers für Bildung und Erziehung bin.«

»Warum schreiben die denn so was?«

»Weil es stimmt.«

»Oh.«

»Ich erzähl dir das bloß, damit du weißt, was in der Zeitung steht. Bist du überrascht?«

»Na ja, für die Tochter eines Politikers hast du eine ziemlich rüde Ausdrucksweise.«

»Und eine Reporterin war bei JJ und hat ihn gefragt, ob wir aus irgendeinem motivierenden Grund wieder heruntergekommen wären.«

»Was soll das heißen?«

»Wissen wir nicht. Jedenfalls haben wir eine Krisensitzung anberaumt.«

»Wer wir?«

»Wir vier. Großes Wiedersehen. Vielleicht da, wo wir zum Frühstücken waren.«

»Ich kann hier nicht weg.«

»Wieso?«

»Wegen Matty. Das ist einer der Gründe, warum ich da auf dem Dach war. Dass ich nie weggehen kann.«

»Wir könnten zu dir kommen.«

Ich wurde schon wieder rot. Ich wollte sie nicht hier haben.

»Nein, nein. Ich lass mir etwas einfallen. Wann wolltet ihr euch treffen?«

»Heute irgendwann später.«

»Oh, für heute werde ich nichts mehr organisieren können.«

»Dann kommen wir eben doch zu dir.«

»Lieber nicht. Ich habe nicht aufgeräumt.«

»Dann räum auf.«

»Ich hatte noch nie jemanden vom Fernsehen im Haus. Oder eine Politikertochter.«

»Ich werd keine besonderen Allüren an den Tag legen. Wir sehen uns um fünf.«

Das ließ mir noch drei Stunden Zeit, alles in Ordnung zu bringen, alles wegzuräumen. Es machte einen schon ein klein bisschen verrückt, ein Leben wie ich zu führen, denke ich. Man muss schon ein bisschen verrückt sein, um vom Hochhaus springen zu wollen. Man muss auch ein bisschen verrückt sein, um es sich anders zu überlegen. Man muss mehr als nur ein bisschen verrückt sein, um sich mit Matty, dem ständigen Zuhausebleiben und der Einsamkeit abzufinden. Aber ich glaube, ich bin nur ein bisschen verrückt. Wäre ich richtig verrückt, hätte ich mir wegen des Aufräumens keine Gedanken gemacht. Wäre ich so richtig durch und durch verrückt, hätte es mich nicht gekümmert, was sie vorfinden.

MARTIN

Ich schätze, mir kam schon der Gedanke, dass mein Abstecher aufs Topper's House von Interesse für unsere Freunde von der Boulevardpresse sein könnte. Menschenskind, ich hatte schon mal die Titelseite gehabt, nur weil ich betrunken auf der Straße hingefallen bin, daher wird mancher wohl den Standpunkt vertreten, dass es noch eine Idee interessanter ist, wenn ich versuche, mich von einem Hochhaus zu stürzen. Als Jess Chas erzählte, wo wir uns begegnet waren, hatte ich über legt, ob er wohl so clever sein würde, sein Wissen zu verkaufen, aber da ich Chas als außergewöhnlich uncleveren Menschen einschätzte, hatte ich diese Befürchtung als Paranoia abgetan. Wenn ich gewusst hätte, dass Jess allein schon Nachrichtenwert besaß, hätte ich mich innerlich wappnen können.

Als Erstes rief mich mein Agent an und las mir die Geschichte vor – zu Hause tue ich mir heute nur noch den *Telegraph* an.

»Ist da irgendwas Wahres dran?« fragte er.

»Ganz unter uns?«

»Wenn das Ihr Wunsch ist.«

»Ich wollte vom Hochhaus springen.«

»Menschenskind!«

Mein Agent ist jung, kultiviert und unerfahren. Als ich aus dem Gefängnis kam, musste ich feststellen, dass es bei der Agentur eine »Umstrukturierung« gegeben hatte und Theo, der immer den Kaffee für meinen bisherigen Agenten geholt hatte, das Einzige war, was noch zwischen mir und meinem beruflichen Aus stand. Theo war es, der mir meinen derzeitigen Job bei FeetUp TV!, dem schlechtesten Kabelsender der Welt, verschafft hatte. Er hatte Vergleichende Religionswissenschaft studiert und bereits Gedichte veröffentlicht. Ich habe den Verdacht, dass er in der Rosa Liga kickte, wenn ihr versteht, auch wenn das nichts zur Sache tut. Kompetenzmäßig rangiert er am Pickel-am-Arsch-Ende der Skala.

»Wir sind uns da oben zufällig begegnet. Sie und einige andere. Wir haben es uns anders überlegt. Und da bin ich und weile wieder unter den Lebenden.«

»Warum wollten Sie denn vom Hochhaus springen?«

»War bloß so eine Schnapsidee.«

»Ich bin sicher, Sie hatten einen triftigen Grund.«

»Hatte ich. Das war nicht ernst gemeint. Lesen Sie meine Akte. Machen Sie sich mit den jüngsten Ereignissen vertraut.«

»Ich dachte, wir wären aus dem Gröbsten raus.« Rührend, wie er immer auf der ersten Person Plural besteht. Ich kenne das schon: »Seit unserer Haftentlassung ...«, »Seit unserem kleinen Problem mit der Minderjährigen ...« Wenn es nach einem erfolgreichen Selbstmordversuch etwas zu bedauern gäbe, dann, Theo nicht mehr sagen zu hören: »Nachdem wir uns umgebracht haben ...« Oder: »Seit unserer Beerdigung ...«

»Falsch gedacht.«

Er schwieg, und man konnte sein Gehirn arbeiten hören.

»Tja. Menschenskind. Und nun?«

»Sie sind der Agent. Ich hätte gedacht, das würde Ihnen endlos viele kreative Möglichkeiten eröffnen.«

»Ich lasse mir etwas einfallen und rufe Sie dann wieder an. Ach übrigens, der Vater von Jess hat versucht, Sie zu erreichen. Er hat hier angerufen, aber ich habe ihm gesagt, wir würden keine privaten Telefonnummern herausgeben. War das in Ihrem Sinne?«

»Das war es. Aber geben Sie ihm trotzdem meine Handynummer. Ich schätze, ich kann ihm nicht aus dem Weg gehen.«

»Möchten Sie ihn zurückrufen? Er hat seine Nummer hinterlassen.«

»Gut, ich höre.«

Während ich mit Theo telefonierte, hatten mir sowohl meine Exfrau als auch meine Exfreundin auf den AB gesprochen. Ich hatte an keine von beiden gedacht, als Theo mir die Story vorlas; jetzt bekam ich weiche Knie. So langsam begriff ich eine entscheidende Wahrheit über den Selbstmord: Ob es klappt oder nicht, es ist beides gleich verletzend, und wenn nicht, macht es andere noch wütender, weil die Trauer fehlt, die den Zorn abmildern würde. Nach dem Tonfall der Nachrichten zu urteilen, musste ich mich auf einiges gefasst machen.

Ich rief zuerst Cindy zurück.

»Du beschissener egoistischer Idiot«, sagte sie.

»Du weißt doch bloß das, was in der Zeitung steht.«

»Du bist ja anscheinend der einzige Mensch auf der Welt, den die Zeitungen immer zu Recht beschuldigen. Wenn sie schreiben, du hättest mit einer Fünfzehnjährigen geschlafen, ist es garantiert so gewesen. Schreiben sie, du wärst betrunken auf der Straße gestürzt, ist es garantiert so gewesen. Bei dir müssen sie sich gar nichts ausdenken.«

Tatsächlich sehr scharf beobachtet. Es stimmte: Ich war nicht ein einziges Mal Opfer einer falschen Anschuldigung oder verzerrten Darstellung gewesen. Wenn man es recht überlegt, ist das mit die entwürdigendste Seite der letzten Jahre. In den Zeitungen hatte nur Scheiße über mich gestanden, und diese Scheiße hatte bis aufs letzte Wort gestimmt.

»Daher nehme ich an«, fuhr sie fort, »dass sie auch diesmal Recht haben. Du bist aufs Dach eines Hochhauses gestiegen, um dich runterzustürzen. Aber stattdessen bist du in Begleitung eines Mädchens wieder runtergekommen.«

»Du hast es erfasst.«

»Und was ist mit deinen Töchtern?«

»Wissen sie davon?«

»Noch nicht. Aber irgendwer in der Schule wird's ihnen schon erzählen. Ist doch immer so. Wie soll ich ihnen das begreiflich machen?«

»Vielleicht sollte ich selbst mit ihnen reden.«

Cindy bellte kurz. Dieses Bellen sollte vermutlich ein höhnisches Lachen sein.

»Erzähl ihnen, was du willst«, sagte ich. »Sag ihnen, Daddy war traurig, aber jetzt geht es ihm wieder gut.«

»Genial. Wenn wir zwei Zweijährige hätten, wäre das perfekt.«

»Also, ich weiß nicht, Cindy. Ich meine, da ich sie nicht sehen darf, ist das ja eigentlich nicht mein Problem, oder? Das ist eine Sache, mit der *du* fertig werden musst.«

»Du Drecksack.«

Und damit war das erste Telefonat beendet. Es war eigentlich überflüssig, sie daran zu erinnern, dass *sie* mich kaltgestellt hatte, indem sie mir untersagte, mich an der Erziehung meiner Töchter zu beteiligen, aber sei's drum. Immerhin wurde ich sie damit los.

Ich weiß nicht, was ich meinen Töchtern *noch* schuldig bin. Ich habe vor Jahren das Rauchen aufgegeben, weil ich wusste, dass ich ihnen das schuldig bin. Aber wenn man so viel Mist baut wie ich, erscheint einem das Rauchen als geringstes Übel, deswegen habe ich auch wieder angefangen. Ja, *das* ist mal ein Werdegang: Es fängt damit an, dass man das Rauchen aufgibt, weil man seinen Kindern so lange wie möglich erhalten bleiben will, und endet damit, dass man mit ihrer Mutter streitet, wie man ihnen seinen Selbstmordversuch schonend beibringt. Davon erzählen sie einem in Geburtsvorbereitungskursen nie etwas. Das kommt natürlich von der großen Distanz. Ich bin immer weiter in die Ferne gerückt, und die Mädchen sind kleiner und kleiner geworden, bis sie nur noch winzige Punkte waren und ich sie nicht mehr sehen konnte, im buchstäblichen wie im übertragenen Sinn. Man kann ihre Gesichter nicht mehr erkennen, wenn sie nur noch kleine Punkte sind, oder? Und so braucht es einen auch nicht mehr zu kümmern, ob sie glücklich oder traurig sind. Aus diesem Grund fällt es uns leicht, Ameisen zu töten. Nach einiger Zeit wird dann auch ein Selbstmord vorstellbar, was unmöglich wäre, wenn sie einem jeden Tag in die Augen schauen würden.

Penny weinte noch, als ich anrief.

»Das klingt immerhin etwas plausibler«, sagte sie nach einer Weile.

»Was?«

»Dass du die Party verlassen hast, um da raufzugehen. Und dass du dann diese Leute mitgebracht hast. Ich konnte mir nicht vorstellen, wie die da eigentlich reinpassten.«

»Du konntest dir bloß vorstellen, dass sie mir beim Sex mit einer anderen irgendwie Schützenhilfe geleistet haben.«

»Genau.« Sie stieß ein kleines reuiges Schnauben aus. Penny ist ganz in Ordnung. Sie ist alles andere als ein Luder. Sie ist süß, selbstironisch und liebevoll … Sie könnte irgendwem mal eine wunderbare Partnerin sein.

»Es tut mir Leid.«

»Das hab ich verschuldet, oder?«

»Ich schätze, mein Verschulden ist deutlich höher anzusetzen als deins. Das im Übrigen minimal ist. Entschuldige, ich meine, gleich null. Ich meine, du hast nichts verschuldet. Du hast dich mir gegenüber fantastisch verhalten.«

»Wie fühlst du dich heute?«

Die Frage hatte ich mir noch nicht gestellt. Ich war verkatert aufgewacht, als das Telefon klingelte, und seitdem war mein Leben in Schwung gekommen. Ich hatte den ganzen Morgen noch nicht daran gedacht, mich umzubringen.

»Okay. Ich hab fürs Erste nicht vor, da wieder raufzugehen, falls du das meinst.«

»Wirst du erst mit mir reden, bevor du so was tust?«

»Über die ganze Geschichte?«

»Ja. Über die ganze Geschichte.«

»Ich weiß nicht. Es scheint mir nicht so, als könnte man das durch Reden wieder hinbiegen.«

»Oh, ich weiß, dass ich es nicht hinbiegen kann. Ich will bloß nicht alles erst aus der Zeitung erfahren.«

»Du hast etwas Besseres verdient, Penny. Etwas Besseres als mich.«

»Das will ich gar nicht.«

»Aha. Meiner Selbsteinschätzung widersprichst du also nicht?«

»Nein, ich habe genug Selbstwertgefühl, um zu glauben, dass irgendwo ein Mann existiert, der Silvester lieber mit mir verbringt, als sich in den Tod zu stürzen.«

»Warum versuchst du dann nicht, ihn zu finden?«

»Wäre dir das völlig gleichgültig?«

»Tja. Mir um so was Gedanken zu machen ... Das ist im Moment irgendwie nicht meine erste Sorge.«

»Wow. Das war unverblümt.«

»Tatsächlich? Ich hätte gedacht, das wäre bloß offensichtlich.«

»Was soll ich also tun?«

»Ich glaube nicht, dass du da viel tun kannst.«

»Rufst du mich später an?«

»Ja, sicher.«

So viel konnte ich zumindest versprechen.

Jeder – offenkundig jeder mit Ausnahme von Chris Chrichton – weiß, wo ich wohne. Jedermann kennt meine private Telefonnummer, meine Handynummer, meine E-Mail-Adresse. Als ich aus dem Gefängnis kam, habe ich jedem meine Koordinaten gegeben, der auch nur das geringste Interesse zeigte: Ich brauchte Arbeit, und ich musste mich ins Gespräch bringen. Natürlich hatte ich von keinem Einzigen dieser Saftsäcke je wieder was gehört, aber jetzt waren sie alle zur Stelle, versammelt vor meiner Haustür. Wenn ich »alle« sage, meine ich damit drei oder vier ziemlich verwahrlost aussehende Schreiberlinge, vornehmlich jüngeren Jahrgangs, diese typischen übernächtigt aussehenden Jungs und Mädchen, die gewöhnlich für Lokalzeitungen über Schulfeten berichten und nun ihr Glück kaum fassen konnten.

Ich drängelte mich mitten durch sie durch, obwohl ich auch bequem um sie hätte herumgehen können – vier Leutchen, die bibbernd auf dem Bürgersteig stehen und Kaffee aus Styroporbechern schlürfen, sind nicht gerade ein Mediengroßaufgebot. Aber wir alle hatten bei der Drängelei unseren Spaß. Ich kam mir wichtig vor, und sie hatten das Gefühl, am Puls einer Story zu sein. Ich grinste übertrieben, sagte »Guten Morgen« zu niemand Speziellem und schlug einen von ihnen mit einer Aktentasche aus dem Weg.

»Stimmt es, dass Sie sich umbringen wollten?« fragte eine besonders unattraktive Frau in einem beigen Regenmantel.

Ich deutete auf mich selbst, um ihre Aufmerksamkeit auf meine hervorragende physische Verfassung zu lenken.

»Tja, wenn ja, habe ich mich offenkundig sehr blöd angestellt«, sagte ich.

»Kennen Sie Jess Crichton?«

»Wen?«

»Jess Crichton, die Tochter von diesem Dingsdaminister da. Bildung.«

»Ich bin seit Jahren ein guter Freund dieser Familie. Wir haben Silvester alle gemeinsam verbracht. Vielleicht ist dieses dumme Missverständnis dadurch in die Welt gesetzt worden. Es gab keinen Selbstmordpakt. Es war ein kleiner Umtrunk. Zwei Dinge, die man nicht miteinander verwechseln sollte.«

Langsam bekam ich Spaß an der Sache. Ich bedauerte es beinah, als ich den Peugeot erreichte, den ich für einen horrenden Preis gemietet hatte – als Ersatz für meinen verschenkten BMW. Nicht, dass ich überhaupt wusste, wo ich eigentlich hinwollte. Aber nach ein paar Minuten stand mein Tagesprogramm: Erst rief mich Chris Chrichton auf dem Handy an, um mich zu einem Gespräch einzuladen, und wenig später rief mich Jess vom selben Anschluss an, um mir mitzuteilen, dass wir uns alle bei Maureen treffen würden. Mir war alles recht. Ich hatte ohnehin nichts anderes zu tun.

Bevor ich an Jess' Tür klopfte, blieb ich noch ein paar Minuten im Auto sitzen und prüfte mein Gewissen. Den letzten Zusammenstoß mit einem wütenden Vater hatte ich kurz nach meinem übel beratenen und, wie sich später herausstellte, gesetzwidrigen sexuellen Kontakt mit Danielle (eins fünfundsiebzig, 70 DD, fünfzehn Jahre und zweihundertfünfzig Tage alt, und ich kann euch sagen, diese fehlenden hundertfünfzehn Tage machen einen gewaltigen Unterschied). Diese letzte Konfrontation hatte sich in meiner Wohnung abgespielt, meiner alten, großen Wohnung am Gibson Square – nicht etwa, weil ich Danielles Vater herzlich eingeladen hatte, versteht sich, sondern weil er mir draußen auflauerte, als ich mich eines Nachts nach Hause stehlen wollte. Das Treffen verlief relativ fruchtlos, nicht zuletzt, weil ich ihm gegenüber das Thema elterliche Aufsichtspflicht anschnitt und er mich daraufhin schlagen wollte. Ich finde immer noch, dass ich nicht ganz Unrecht hatte. Was hatte eine Fünfzehnjährige um ein Uhr an einem Dienstagmorgen Koks sniffend auf dem Männerklo des Melons-Nachtclubs zu suchen? Aber wenn ich meinen Standpunkt nicht ganz so vehement vertreten hätte, wäre er vielleicht nicht zur nächsten Polizeiwache marschiert und hätte mein Verhältnis mit seiner Tochter zur Anzeige gebracht.

Diesmal hatte ich vor zu verzichten. Mir war klar, dass elterliche Aufsichtspflicht im Crichton'schen Haushalt ohnehin schon ein heikles Thema war, wenn ein Mädchen im Teenageralter vermisst und möglicherweise tot und das andere selbstmordgefährdet und möglicherweise irrsinnig ist. Und überhaupt war mein Gewissen absolut rein. Der einzige physische Kontakt zwischen Jess und mir war der gewesen, bei dem ich auf ihrem Kopf saß, und das aus ganz und gar unsexuellen Absichten. Nicht nur asexuellen, sondern eigentlich sogar selbstlosen, wenn nicht heldenhaften Absichten.

Unglückseligerweise war Chris Chrichton nicht bereit, mich als Held zu begrüßen. Mir wurde weder ein Händedruck noch eine Tasse Kaffee angeboten; ich wurde in sein Wohnzimmer gescheucht und abgekanzelt, als wäre ich irgendein unseliger parlamentarischer Gutachter. Ich hatte wohl einen sträflichen Mangel an Urteilsvermögen an den

Tag gelegt – ich hätte Jess' Nachnamen und Telefonnummer rausfinden und ihn anrufen müssen. Und auf irgendeine Weise hatte ich auch »Mangel an gutem Geschmack« bewiesen – Mr Crichton schien den Eindruck zu haben, dass die Erwähnung seiner Tochter in der Boulevardpresse meine Schuld war, einfach weil ich die Sorte Mensch war, über den solche Käseblätter berichteten. Als ich versuchte, ihn auf gewisse Löcher in seiner Argumentationskette hinzuweisen, meinte er, dass ich von dem Ganzen wahrscheinlich noch profitieren würde. Ich stand gerade auf, um zu gehen, da erschien Jess.

»Ich hatte dir doch gesagt, du sollst oben bleiben.«

»Ja, weiß ich. Leider bin ich nicht mehr sieben. Hat dir schon mal jemand gesagt, dass du einen an der Waffel hast?«

Er hatte Angst vor ihr, das sah man gleich. Er hatte gerade noch genug Selbstachtung, um diese Angst hinter trockenem Zynismus zu verbergen.

»Ich bin Politiker. Das bekomme ich ständig zu hören.«

»Was geht's dich an, wo ich Silvester verbracht habe?«

»Anscheinend habt ihr es ja gemeinsam verbracht.«

»Ja, durch Zufall, du blöder alter Sack.«

»In diesem Ton redet sie nun mit mir«, sagte er und blickte mich traurig an, als könne mich meine langjährige Verbundenheit mit beiden irgendwie befähigen, mich für ihn einzusetzen.

»Ich wette, Sie bereuen den Entschluss, dass Sie keine private Schule gewählt haben, oder?«

»Wie bitte?«

»Ist ja bewundernswert, sie auf die nächstgelegene Gesamtschule zu schicken. Aber Sie wissen ja: Man kriegt, was man bezahlt. Und Sie haben sogar noch ein bisschen weniger bekommen.«

»Jess' Schule leistet trotz äußerst schwieriger Rahmenbedingungen hervorragende Arbeit«, sagte Crichton. »Einundfünfzig Prozent von Jess' Jahrgang haben die Sekundarstufe mit Drei oder einer besseren Note abgeschlossen, das sind elf Prozent mehr als im Vorjahr.«

»Toll. Das muss ja ein immenser Trost für Sie sein.« Wir betrachteten beide Jess, die uns den Mittelfinger zeigte.

»Tatsache ist, dass Sie *in loco parentis* waren«, sagte der stolze Vater. Ich hatte vergessen, dass Jess zu komplizierten Ausdrücken dasselbe Verhältnis hatte wie Rassisten zu Schwarzen: Sie hasste sie und wollte sie dorthin zurückschicken, woher sie gekommen waren. Sie musterte ihn mit angewidertem Blick.

»Zum einen ist sie schon achtzehn. Zweitens habe ich mich nur auf ihren Kopf gesetzt, um sie vom Runterspringen abzuhalten. Das mag nicht gerade väterlich gewesen sein, aber immerhin zu ihrem Besten. Tut mir Leid, dass ich Ihnen, als der Abend rum war, keinen vollständigen Bericht geschrieben habe.«

»Haben Sie mit ihr geschlafen?«

»Was geht dich das an, Dad?«

Nicht mit mir. Ich würde mich nicht auf ein Streitgespräch über Jess' Rechte auf sexuelle Selbstbestimmung einlassen.

»Definitiv nein.«

»Na«, sagte Jess. »So brauchst du es nun auch nicht zu sagen.«

»Wie?«

»Als wärst du erleichtert oder so. So siehst du aus!«

»Ich schätze unsere Freundschaft zu sehr, um sie dadurch zu verkomplizieren.«

»Ha, ha.«

»Wollen Sie die Beziehung mit Jess aufrechterhalten?«

»Würden Sie *Beziehung* näher erläutern?«

»Ich denke, zuerst sind Sie mir eine Erklärung schuldig.«

»Hören Sie, alter Freund. Ich bin hergekommen, weil

ich weiß, wie beunruhigt Sie sein müssen. Aber wenn Sie in diesem beschissenen Tonfall mit mir reden wollen, verpisse ich mich nach Hause.« Die Laune der Sprachrassistin hob sich etwas: Der Angelsachse wehrte sich gegen den römischen Eindringling. Außerdem hatte der Kraftausdruck ihn zum Schweigen gebracht.

»Tut mir Leid. Aber Sie kennen nun ja die familiären Hintergründe. Das macht es mir nicht leichter.«

»Ha! Als würde es mir die Dinge leichter machen«, sagte Jess.

»Es ist für uns alle schwer.« Crichton hatte offenkundig beschlossen, mir entgegenzukommen.

»Ja, das verstehe ich.«

»Was können wir also tun? Bitte. Wenn Sie irgendwelche Vorschläge haben …«

»Es ist so«, sagte ich, »dass ich selbst einige Schwierigkeiten habe.«

»Is nich wahr«, sagte Jess. »Wir hatten uns schon gefragt, was du da oben gesucht hast.«

»Das ist mir bewusst, Martin.« Wie der Rest von Blairs Robotern war er offensichtlich darauf abgerichtet, wann immer möglich Vornamen anzubringen, um damit Kumpelhaftigkeit zu demonstrieren. »Ich habe da so eine Ahnung bei Ihnen. Ich stelle mir vor, Sie haben in Ihrem Leben schon manche … manche *unkluge Entscheidung* getroffen …«

Jess schnaubte.

»Aber ich halte Sie nicht für einen üblen Kerl.«

»Besten Dank.«

»Wir sind eine Gang«, sagte Jess, »stimmt's, Martin?«

»Das sind wir, Jess«, sagte ich mit einem Tonfall, den ihr Vater hoffentlich als wenig enthusiastisch erkennen würde. »Wir sind auf ewig Freunde.«

»Was für eine Gang?« fragte Crichton.

»Wir werden aufeinander aufpassen. Stimmt's, Martin?«

»Das werden wir, Jess.« Wenn meine Worte noch lust-
loser werden sollten, würde ihnen die Kraft fehlen, meine
Kehle hoch und aus meinem Mund zu kommen. Ich sah sie
schon dorthin zurückrutschen, wo sie herkamen.

»Sie werden also *in loco parentis* sein?«

»Ich bin nicht sicher, dass es die Art von Gang ist«, sagte ich. »Die *Loco-Parentis-Gang* ... Klingt nicht so irre ge-
fährlich, oder? Was werden wir wohl anstellen? Uns mit denen von der *Paterfamilias* prügeln?«

»Du hältst deine blöde Klappe, und du hältst auch deine
blöde Klappe«, sagte Jess zu Crichton respektive mir.

»Ich meine damit«, sagte Crichton, »dass Sie in der
Nähe bleiben werden.«

»Er hat's versprochen«, sagte Jess.

»Und das soll mir ein Gefühl von Sicherheit geben?«

»Sie können sich fühlen, wie Sie wollen«, sagte ich.
»Aber ich werde niemandem irgendwas garantieren.«

»Soviel ich weiß, haben Sie selber Kinder?«

»Quasi«, sagte Jess.

»Ich muss Ihnen wohl nicht erklären, wie viel Sorgen ich
mir um Jess gemacht habe und dass ich mich bedeutend besser fühlen würde, wenn ich wüsste, dass ein vernünftiger Er-
wachsener auf sie Acht gibt.«

Jess kicherte wenig hilfreich.

»Ich wusste, dass Sie nicht ... Sie sind nicht direkt ...
Die Boulevardpresse würde ...«

»Es macht ihm Sorgen, dass du mit Fünfzehnjährigen
schläfst«, sagte Jess.

»Ich reiße mich nicht um den Job«, sagte ich. »Ich will
ihn nicht, und wenn Sie ihn mir trotzdem geben, ist das Ihre
Sache.«

»Ich möchte nur von Ihnen hören, dass Sie, wenn Sie
mitbekommen, dass Jess in ernsthafte Schwierigkeiten gerät,
entweder etwas dagegen tun oder mich informieren werden.«

»Das würde er ja gern«, sagte Jess. »Aber er ist total blank.«

»Was hat denn Geld damit zu tun?«

»Weil, wenn er ein Auge auf mich haben soll und ich zum Beispiel in einen Club oder so gehe, und sie ihn nicht reinlassen, weil er blank ist ... Tja.«

»Tja was?«

»Ich könnte da reingehen und mir eine Überdosis spritzen. Ich wäre tot, nur weil du zu geizig warst, Kohle rauszurücken.«

Plötzlich begriff ich Jess' Standpunkt: Ein monatliches Salär von zweihundertfünfzig Pfund von Englands unbedeutendstem Kabelsender schärft nicht nur den Verstand, sondern regt auch das Einfühlungsvermögen und die Fantasie an. Jess zusammengesackt in einer Toilette, und das wegen lächerlicher zwanzig Eier ... Ein schreckliches Bild, wenn man es sich lebhaft genug vorstellte.

»Wie viel wollen Sie?« Crichton stieß einen Seufzer aus, als wäre alles – das Gespräch, das wir führten, der Silvesterabend, mein Gefängnisaufenthalt – eigens sorgfältig inszeniert worden, um auf diesen Moment hinzusteuern.

»Ich will überhaupt nichts«, sagte ich.

»Doch, willst du«, sagte Jess. »Doch, will er.«

»Was kostet es heutzutage, in einen Club zu kommen?« fragte Crichton.

»Da ist man schnell hundert Eier los«, sagte Jess.

Hundert Pfund? Wir erniedrigten uns hier für den Preis eines Abendessens für zwei Personen?

»Ich bezweifle nicht, dass man da mühelos hundert Pfund ›loswird‹. Aber er muss ja gar nichts ›loswerden‹, oder? Er braucht ja nur das Eintrittsgeld, falls du eine Überdosis Drogen nimmst. Ich gehe doch davon aus, dass er nicht an der Bar Halt macht, während du auf der Toilette mit dem Tod ringst.«

»Du willst also sagen, dass dir mein Leben keine hundert Ocken wert ist. Ist ja echt reizend nach dem, was mit Jen passiert ist. Ich hätte nicht gedacht, dass du noch mehr Töchter erübrigen kannst.«

»Das ist nicht fair, Jess.«

Die Haustür knallte irgendwo zwischen »nicht« und »fair«, und Crichton und ich standen allein da und starrten uns an.

»Ich glaube, ich habe mich nicht sehr geschickt verhalten, was?« sagte er.

Ich zuckte die Achseln. »Sie wollte mit Drohungen Geld rausschlagen. Entweder, Sie geben ihr jedes Mal, wenn sie fragt, so viel, wie sie will, oder sie rennt raus. Ich verstehe schon, dass das ein bisschen … Sie wissen schon. Irritierend sein kann. Wenn man die Familiengeschichte bedenkt.«

»Ich gebe ihr so viel sie will, so oft sie will«, sagte er. »Bitte gehen Sie sie suchen.«

Ich verließ das Haus um zweihundertfünfzig Pfund reicher, Jess erwartete mich am Ende der Zufahrt.

»Ich wette, du hast doppelt so viel bekommen, wie wir zuerst wollten«, sagte sie. »Jen zu erwähnen zieht immer.«

JESS

Ihr werdet's nicht glauben – ich glaube es wohl im Moment selbst nicht –, aber in meinem Denken hatte das, was mit Jen passiert ist, nicht das Geringste mit Silvester zu tun. Aus den Gesprächen mit den anderen und dem, was in der Zeitung stand, wusste ich allerdings, dass niemand sonst es so sah. Für die war der Fall klar. Ooooh, verstehe, deine Schwester ist verschwunden, also willst du vom Dach springen. Aber daran liegt es gar nicht. Sicher muss sie so was wie eine Zutat gewesen sein, aber sie war nicht das ganze Gericht. Angenommen, ich wäre Spaghetti Bolognese, dann wäre Jen die Tomaten.

145

Vielleicht auch die Zwiebeln. Oder auch nur der Knoblauch. Aber sie ist nicht das Fleisch oder die Nudeln.

Jeder reagiert auf so was anders, oder? Manche Menschen gründen eine Selbsthilfegruppe oder so; das weiß ich, weil Mum und Dad pausenlos versuchen, mich in die eine oder andere beschissene Gruppe reinzubringen, in erster Linie, weil sie von jemandem gegründet wurde, der dann am Ende einen Orden oder sonst was von der Queen bekommen hat. Und andere hängen sich eher vor den Fernseher, um für die nächsten zwanzig Jahre reinzuglotzen. Was mich betrifft, ich fing einfach an, Schwierigkeiten zu bekommen. Oder vielmehr, ich machte Schwierigkeitenbekommen zu meiner Hauptbeschäftigung, während es vorher bloß ein Hobby gewesen war: Die eine oder andere Schwierigkeit hatte ich auch gekriegt, ehe Jen verschwand. Da will ich ehrlich sein.

Ehe ich weitererzähle, werde ich die Fragen beantworten, die immer alle stellen, damit ihr nicht dasitzt und spekuliert, statt euch auf das zu konzentrieren, was ich sage. Nein, ich weiß nicht, wo sie ist. Ja, ich glaube, dass sie noch lebt. Warum ich glaube, dass sie noch lebt? Weil die ganze Nummer mit dem Auto auf dem Parkplatz für mich irgendwie getürkt aussah. Was für ein Gefühl das ist, eine vermisste Schwester zu haben? Das kann ich euch sagen. Ihr wisst doch, wie es ist, wenn man etwas Wertvolles verliert, eine Brieftasche oder ein Schmuckstück, und sich auf nichts anderes mehr konzentrieren kann? Tja, so ein Gefühl ist das, ununterbrochen, an jedem einzelnen Tag.

Es gibt noch etwas anderes, das die Leute fragen: Was glaubst du, wo sie ist? Nicht zu verwechseln mit, ob ich weiß, wo sie ist. Zuerst kapierte ich nicht, dass es zwei verschiedene Fragen waren. Und als ich es dann verstanden hatte, fand ich die Frage, Weißt du, wo sie ist?, bescheuert. Also irgendwie – wenn ich das wüsste, würde ich ja hinfahren und mich da umsehen. Aber mittlerweile verstehe ich es als eher poetische

Frage. Denn eigentlich fragen sie damit, was sie für ein Mensch war. Ob ich glaube, dass sie in Afrika ist, um Menschen zu helfen? Oder glaube ich, dass sie auf einem einzigen, endlosen Rave ist oder auf einer schottischen Insel Gedichte schreibt oder durch den australischen Busch wandert? Bitte, ich sag euch, was ich glaube: Ich glaube, dass sie ein Baby hat, in Amerika vielleicht, irgendwo, wo es sonnig ist, sagen wir, in Texas oder Kalifornien, und dass sie mit einem Mann zusammenlebt, der hart arbeitet, mit den Händen, und für sie da ist und sie liebt. Das sag ich also den Leuten, bloß weiß ich natürlich nicht, ob ich ihnen dann von Jen oder von mir erzähle.

Oh, und noch eins – besonders, wenn ihr das in der Zukunft lest, wenn jeder uns und wie es für uns ausgegangen ist vergessen hat: Nicht, dass ihr rumsitzt und hofft, dass sie irgendwann plötzlich auftaucht, um mich zu retten. Sie kommt nicht zurück, klar? Und wir finden auch nicht raus, dass sie tot ist. Nichts passiert, also vergesst es. Was nicht heißen soll, vergesst sie, weil sie noch wichtig ist. Aber vergesst diese Art Schluss. So eine Geschichte ist das nicht.

Maureen wohnt auf halbem Weg zwischen Topper's House und Kentish Town, in einem dieser Sträßchen, wo lauter alte Damen und Lehrer wohnen. Ich weiß zwar nicht sicher, dass es Lehrer sind, aber da stehen verdammt viele Fahrräder rum – Fahrräder und Wertstofftonnen. Ist doch scheiße, Recycling, oder? Hab ich zu Martin gesagt, und er meinte bloß, na wenn du's sagst. Er klang ein bisschen müde. Ich hab ihn noch gefragt, ob er wissen wollte, warum es scheiße ist, aber das wollte er nicht. Genau wie er nicht hatte wissen wollen, warum Frankreich scheiße ist. Ich nehme an, er war nicht in gesprächiger Stimmung.

Ich war mit Martin allein im Auto, weil JJ partout nicht mitfahren wollte, obwohl seine Wohnung sozusagen auf dem

Weg lag. JJ hätte vielleicht mitgeholfen, die Konversation etwas flüssiger zu gestalten. Ich wollte reden, weil ich nervös war, und das verleitete mich wahrscheinlich dazu, Schwachsinn zu reden. Vielleicht ist Schwachsinn auch der falsche Ausdruck, es ist ja schließlich nicht schwachsinnig zu sagen, dass Frankreich scheiße ist. Höchstens ein bisschen unvermittelt oder wie man das nennen soll. Vielleicht hätte JJ sozusagen die Rampe zu meinen Sätzen gebildet, damit die Leute besser an ihnen runterskaten können.

Ich war nervös, weil ich wusste, dass wir Matty kennen lernen sollten, und ich kann irgendwie nicht so gut mit Behinderten. Ist nichts Persönliches, und ich glaub auch nicht, dass ich behindertenfeindlich bin, denn ich weiß schon, dass sie ein Recht auf Ausbildung und Fahrausweise für den Bus und so haben; ich ekle mich nur ein bisschen vor denen. Weil man immer so tun muss, als wären sie genau wie du und ich, wenn sie es gar nicht sind, oder? Ich meine jetzt nicht »behindert« wie bei Leuten, die, sagen wir mal, nur ein Bein haben. Die sind in Ordnung. Ich meine die, die sie nicht alle haben und schreien und Grimassen schneiden. Wie kann man behaupten, die wären wie du und ich? Okay, ich schreie und schneide Grimassen, aber wenn, dann weiß ich es. Meistens wenigstens. Aber bei denen muss man mit allem rechnen, oder? Die sind echt nicht auszuhalten.

Matty ist allerdings eher still, muss ich fairerweise sagen. Er ist irgendwie *so* behindert, dass es schon wieder okay ist, wenn ihr mich versteht. Er sitzt bloß da. Aus meiner Perspektive ist das wahrscheinlich besser, obwohl ich einsehe, dass es aus seiner Perspektive wahrscheinlich nicht so toll ist. Bloß weiß man ja nicht mal, ob er eine Perspektive hat. Und wenn nicht, dann zählt ja wohl meine. Er ist ziemlich groß und sitzt im Rollstuhl, und er hat lauter Kissen und was weiß ich im Nacken stecken, damit sein Kopf nicht so schief runterhängt. Er guckt einen weder an noch sonst was, das ist nicht allzu erschreckend. Nach einer Weile vergisst man, dass er da ist, also kam ich besser damit zurecht, als ich gedacht hatte. Trotzdem, verdammte Scheiße. Arme alte Maureen. Ich sag's euch, mich hättet ihr nicht überreden können, wieder vom Dach zu steigen. Nichts zu machen.

JJ war schon da, als wir ankamen, und als wir eintraten, war es das reinste Familientreffen, außer dass keiner sich ähnlich sah und niemand so tat, als wäre man froh, sich wiederzusehen. Maureen machte uns eine Tasse Tee, und Martin und JJ stellten ihr ein paar höfliche Fragen über Matty. Ich sah mich einfach ein bisschen um, weil ich nicht zuhören wollte. Sie hatte wirklich aufgeräumt, so, wie sie es gesagt hatte. In der Wohnung gab es so gut wie keine Möbel bis auf die Glotze und die Sitzgelegenheiten. So, als wären sie eben erst eingezogen. Eigentlich machte es den Eindruck, als hätte sie Sachen rausgeschafft und Sachen abgehängt, weil man noch die Stellen an der Wand sehen konnte. Aber dann meinte Martin, Was meinst du, Jess?, also musste ich aufhören, mich umzusehen, und anfangen, mich einzuklinken. Wir hatten Pläne zu machen.

JJ

Ich wollte nicht mit Martin und Jess zu Maureens Wohnung fahren, weil ich Zeit zum Nachdenken brauchte. Ich hatte in der Vergangenheit ein paar Interviews mit Musikjournalisten gemacht, aber das waren Fans der Band gewesen, liebe Leute, die ihr Glück kaum fassen konnten, wenn man ihnen eine Demo-CD schenkte und sich von ihnen einen ausgeben ließ. Aber diese Leute, Leute wie diese inspirierende Lady, die an meine Tür geklopft hatte … Mann, mit denen kannte ich mich nicht aus. Ich wusste nur, dass sie innerhalb von vierundzwanzig Stunden irgendwie meine Adresse rausgekriegt hatten, und wenn sie das fertig bringen konnten, was brachten sie dann nicht fertig? Es war, als hätten sie Namen und Adressen jedes einzelnen Menschen, der in Großbritannien lebte, nur für den Fall, dass einer davon eines Tages was irgendwie Bemerkenswertes machte. Jedenfalls hatte ich danach totale Paranoia. Wenn sie wollte, konnte sie in fünf Minuten alles über die Band rauskriegen. Dann würde sie sich Eddie vorknöpfen, dann Lizzy, und dann würde sie dahinter kommen, dass ich gar keine tödliche Krankheit hatte – oder falls doch, diese Tatsache für mich behalten hatte. Außerdem würde sie dahinter kommen, dass die tödliche Krankheit, die ich nicht hatte, auch gar nicht existierte.

Mit anderen Worten, ich war aufgeschreckt genug, um zu glauben, dass ich in Schwierigkeiten steckte. Ich fuhr mit dem Bus zu Maureen und beschloss unterwegs, dass ich reinen Tisch machen würde, ihnen alles erzählen würde, und wenn es ihnen nicht gefiel, konnten sie mich am Arsch lecken. Aber ich wollte nicht, dass sie in der Zeitung was darüber lasen.

Wir brauchten eine Weile, um uns an das Atmen des armen Matty zu gewöhnen, das ziemlich laut war und klang, als sei es furchtbar anstrengend. Ich schätze, wir dachten alle dasselbe: Wir dachten alle, ob wir anstelle der armen Maureen damit klargekommen wären; wir alle versuchten, uns vorzustellen, ob uns an ihrer Stelle irgendwas dazu gebracht hätte, von diesem Dach zu steigen.

»Jess«, sagte Martin. »Du wolltest, dass wir uns treffen. Warum kommst du nicht mal zur Tagesordnung?«

»Okay«, sagte sie. »Wir haben uns heute hier versammelt ...«

Martin lachte.

»Verdammt noch mal«, sagte sie. »Ich hab erst einen halben Satz gesagt. Was soll denn daran lustig sein?«

Martin schüttelte den Kopf.

»Nein, bitte. Wenn ich so verdammt lustig bin, will ich auch wissen, warum.«

»Vielleicht, weil man so was eher in der Kirche sagt.«

Es gab eine lange Pause.

»Ja. Das wusste ich. Das war das Feeling, was ich wollte.«

»Warum?« fragte Martin.

»Maureen, du gehst doch zur Kirche, oder?« sagte Jess.

»Ja, früher«, sagte Maureen.

»Na bitte. Ich wollte erreichen, dass Maureen sich wohl fühlt.«

»Sehr rücksichtsvoll von dir.«

»Warum musst du alles mies machen, was ich tue?«

»Uff«, sagte Martin. »Ich rieche förmlich den Weihrauch.«

»Na schön, dann fang du doch an, du beschissener …«

»Das reicht«, sagte Maureen. »Nicht in meinem Haus. Nicht vor meinem Sohn.«

Martin und ich sahen uns an, verzogen beide das Gesicht, hielten den Atem an und drückten die Daumen, aber es half nichts. Jess würde das Offensichtliche trotzdem ansprechen.

»Vor Ihrem Sohn? Aber der ist doch …«

»Ich hab kein CCR«, sagte ich. Es war das Einzige, was mir einfiel. Ich meine, es musste natürlich gesagt werden, aber ich hatte mir ein bisschen mehr Vorlaufzeit geben wollen.

Es herrschte Schweigen. Ich wartete, dass alle auf mich losgingen.

»Oh JJ!« sagte Jess. »Das ist ja fantastisch!«

Ich brauchte eine Minute, um mir darüber klar zu werden, dass man in Jess' wunderlicher Welt nicht nur über die Weihnachtsfeiertage ein Heilmittel gegen CCR gefunden, sondern es mir auch irgendwann zwischen Silvester und Neujahr in meine Wohnung am Angel zugestellt hatte.

»Ich glaube, das war nicht ganz das, was JJ sagen wollte«, sagte Martin.

»Nein«, sagte ich. »Ich meinte, dass ich es nie hatte.«

»Nein? Diese Drecksäcke!«

»Wer?«

»Diese verwichsten Ärzte!« Seit wir bei Maureen sind, ist »verwichst« Jess' erste Wahl als Schimpfwort. »Die solltest du verklagen. Angenommen, du wärst gesprungen? Und die hätten sich geirrt?«

Meine Fresse. Musste es wirklich *so* schwer werden?

»Ich glaube, das ist auch nicht ganz das, was JJ sagen wollte«, sagte Martin.

»Nein«, sagte ich. »Ich will versuchen, mich so klar wie möglich auszudrücken: So was wie CCR gibt's gar nicht, und selbst wenn's das gäbe, würde ich nicht dran sterben. Das hab ich mir ausgedacht, weil … ach, was weiß ich. Teils, weil ich euer Mitgefühl wollte, und teils, weil ich dachte, das, was wirklich los ist, würdet ihr nicht verstehen. Tut mir Leid.«

»Du Schwachkopf«, sagte Jess.

»Das ist schrecklich«, sagte Maureen.

»Du Arschloch«, sagte Jess.

Martin lächelte. Leuten zu erzählen, man sei unheilbar krank, obwohl es gar nicht stimmt, und eine Fünfzehnjährige zu verführen, das hält sich wahrscheinlich die Waage, und deshalb genoss er meine Verlegenheit. Zudem konnte er vielleicht sogar ein bisschen moralische Überlegenheit demonstrieren, denn nachdem er Schande über sich gebracht hatte, hatte er das einzig Ehrenhafte getan: Er war aufs Dach des Topper's House gestiegen und hatte die Beine runterbaumeln lassen. Okay, er war nicht gesprungen, aber, na ja, er hatte demonstriert, dass er die Dinge ernst nahm. Ich dagegen hatte zuerst vorgehabt, mich umzubringen, und mich nachher erst blamiert. Ich war seit Silvester zum noch größeren Arschloch geworden, und das war irgendwie deprimierend.

»Warum hast du es dann gesagt?« fragte Jess.

»Ja«, sagte Martin. »Was wolltest du damit erreichen?«

»Es war bloß … Ich weiß nicht. Bei euch allen schien es so eindeutig zu sein. Martin und die, ihr wisst schon, und Maureen und …« Ich wies mit dem Kopf zu Matty.

»Bei mir war das gar nicht eindeutig«, sagte Jess. »Ich hab irgendwelchen Scheiß über Chas und Erklärungen abgesondert.«

»Ja, aber … Das soll keine Beleidigung sein, aber du warst ja nicht ganz dicht. Kam nicht so drauf an, was du gesagt hast.«

»Ja, was *hattest* du denn dann?« fragte Maureen.

»Ich weiß nicht. Depressionen, würdet ihr vielleicht sagen.«

»Oh, Depressionen verstehen wir. Wir sind alle depressiv.«

»Ja, ich weiß. Aber meine erschienen mir so … oh, Fuck, so scheiß-verschwommen. Tut mir Leid, Maureen.«

Also, wie kommen Leute bloß ohne Schimpfworte aus? Wie ist so was möglich? Was machen sie in den ganzen Redepausen, in die einfach ein »Fuck« oder »Scheiß« reingehört? Ich sage euch, wer die bewundernswertesten Menschen überhaupt sind: Nachrichtensprecher. Ich würde an deren Stelle so was wie »Fuck, die Dreckschweine haben das Scheißflugzeug voll in die Twin Towers geflogen« sagen. Da kann man doch nicht anders als menschliches Wesen, oder? Vielleicht sind die gar nicht so bewundernswert. Vielleicht sind sie Roboterzombies.

»Gib uns eine Chance«, sagte Martin. »Wir sind verständnisvolle Menschen.«

»Okay. Also, die Kurzversion ist, ich wollte nie was anderes, als in einer Rock-'n'-Roll-Band zu spielen.«

»Rock 'n' Roll? So wie Bill Haley and the Comets?« sagte Martin.

»Nein, Mann, so was meine ich nicht. Das ist nicht … Wie, ach, ich weiß nicht. Die Stones. Oder …«

»Das ist kein Rock 'n' Roll«, sagte Jess. »Oder etwa? Das ist Rock.«

»Okay, okay, ich wollte nie was anderes, als in einer Rockband zu spielen. Wie die Stones oder, oder …«

»Alte-Leute-Musik«, sagte Jess. Sie wollte nicht unhöflich sein. Sie präzisierte das Gesagte nur.

»Meinetwegen. Jemine. Und ein paar Wochen vor Weihnachten hat sich meine Band schließlich endgültig aufgelöst. Und kurz nach dem Split hab ich meine Freundin verloren. Sie war Engländerin. Ihretwegen war ich hier.«

Es folgte Schweigen.

»Das ist alles?« fragte Jess.

»Das ist alles.«

»Das ist ja armselig. Jetzt versteh ich, wie du auf den Quatsch mit der Krankheit gekommen bist. Du würdest lieber sterben, als nicht in einer Band zu spielen, die wie die Stones klingt? Bei mir wär's ja umgekehrt. Ich würd lieber sterben, als in einer zu spielen. Finden sie die in Amerika immer noch gut? Hier jedenfalls keiner.«

»Das ist doch Mick Jagger, oder, die Rolling Stones?« fragte Maureen. »Die waren ziemlich gut, oder? Die haben es weit gebracht.«

»Mick Jagger sitzt jedenfalls nicht hier rum und isst muffige Plätzchen wie JJ, oder?«

»Ich habe sie erst kurz vor Weihnachten angebrochen«, sagte Maureen. »Vielleicht habe ich den Deckel von der Keksdose nicht wieder ordentlich zugemacht.«

Mich beschlich der Gedanke, dass wir meine Probleme aus den Augen verloren.

»Stones oder nicht Stones … das ist doch irgendwie unwichtig. Damit wollte ich es ja nur veranschaulichen. Ich meinte einfach … Songs, Gitarren, Energie.«

»Er ist ungefähr achtzig«, sagte Jess. »Er *hat* keine Energie.«

»Ich hab sie '90 gesehen«, sagte Martin. »An dem Abend, als England bei der WM im Elfmeterschießen gegen Deutschland verloren hat. Ein Kerl von Guinness hat uns alle eingeladen, und alle haben den ganzen Abend lang Radio gehört. Jedenfalls hatte er damals viel Energie.«

»Da war er auch erst siebzig«, sagte Jess.

»Fuck, könnt ihr jetzt mal eure beschissene Klappe halten? Sorry, Maureen.« (Ab hier könnt ihr euch das »Fuck«, »Scheiß« und »Sorry, Maureen« einfach jedes Mal mitdenken, wenn ich rede, okay?) »Ich versuche hier mein ganzes Leben vor euch auszubreiten.«

»Es hindert dich ja keiner dran«, sagte Jess »Aber du musst es ein bisschen interessanter machen. Deshalb lassen wir uns so leicht ablenken und reden über Kekse.«

»Okay, schon gut. Seht mal, für mich gibt's nichts anderes. Ich habe nichts erreicht. Ich hab die High School nicht abgeschlossen. Ich hatte nichts als die Band, die es jetzt nicht mehr gibt, und ich hab keinen Cent damit verdient, und jetzt werd ich mein Leben lang Hamburger braten.«

»Oh«, sagte Jess.

»Und ich mach mir Sorgen, dass es mich umbringt.«

»An ehrlicher Arbeit ist noch niemand gestorben«, sagte Maureen.

»Gegen ehrliche Arbeit hab ich nichts, wisst ihr? Aber wenn wir getourt sind oder im Studio waren … Das war ich, das hat mich ausgemacht, und ich fühl mich einfach leer und frustriert und … und … Seht mal, wenn du weißt, dass du gut bist, dann denkst du, das muss reichen, dass dich das weiter bringt, und wenn nicht, dann … Was soll man dann damit anfangen? Wohin damit, hm? Ich hab dafür kein Ventil, und es war … es war … Mann, damit hab ich mich schon abgequält, als noch alles gut lief, denn selbst als alles gut lief, wenn ich da nicht jede einzelne Minute auf der Bühne stand oder im Studio war, hatte ich manchmal das Gefühl, das müsste ich unbedingt, weil ich sonst platzen würde, wisst ihr? Und jetzt weiß ich nicht mehr, wohin damit. Wir hatten so einen Song …« Keine Ahnung, warum ich jetzt davon angefangen habe. »Wir hatten da so einen Song, so ein bisschen Motown-angehaucht, ›I Got Your Back‹ hieß der Titel, den Eddie und ich zusammen geschrieben haben, richtig beide zusammen, was wir sonst nie gemacht haben, und es war echt, na ja, ein Tribut an unsere Freundschaft, und wie lange wir uns schon kennen, bla bla. Also, das Stück war auf unserem ersten Album und etwa zweieinhalb Minuten lang, darum ist es keinem aufgefallen, ich meine, die Leute, die unser Album kauften, haben es einfach überhört. Aber als wir dann anfingen, es live zu spielen, wurde es länger, und Eddie brachte so ein wunderschönes Solo rein. Es war kein Rock-Gitarrensolo, mehr wie so was von, ich weiß nicht, Curtis Mayfield oder Ernie Isley. Und wenn wir in Chicago spielten und mit ein paar Freunden auf der Bühne jammten, kam manchmal noch ein Saxofonsolo dazu oder ein Klaviersolo oder auch ein Pedal-Steel-Solo, und nach ein, zwei Jahren war daraus so ein zehn-, zwölfminütiger Showstopper geworden. Wir spielten es am Anfang des Sets oder am Schluss oder brachten es irgendwann zwischendurch, und für mich klang es nach einer Weile genau wie das absolute beschissene reine Glück, wisst ihr – sorry, Maureen. Reine Freude. Es war wie Surfen oder, oder, ach, was weiß ich, eben ein total geiles Gefühl. Auf diesen Akkorden konnte man surfen wie auf Wellen. Das Feeling hatte ich vielleicht einhundert Mal im Jahr, und es gibt nicht viele Leute, die so was auch nur einmal im Leben mitbekommen. Und das ist es, was ich aufgeben musste, Mann, die Möglichkeit, das immer wieder zu erzeugen, wann immer ich Lust hatte, das gehörte zu meinem ganz normalen Arbeitsalltag, und … Wisst ihr, jetzt, wo ich drüber nachdenke, wird mir auch klar, warum ich mir diesen Scheiß – sorry, Maureen – über meine tödliche Krankheit ausgedacht hab.

Denn genau so fühlt es sich an. Als würde ich an einer Krankheit sterben, die alles Blut in den Adern austrocknen lässt und den ganzen Elan und, und alles, was einem das Gefühl gibt, am Leben zu sein … und …«

»Und?« fragte Martin. »Du hast bloß eine Kleinigkeit vergessen: warum du dich umbringen willst.«

»Eben deshalb«, sagte ich. »Wegen der Krankheit, die das Blut in den Adern austrocknen lässt.«

»Die Krankheit wartet auf jeden«, sagte Martin. »Man nennt sie ›älter werden‹. So hab ich mich schon gefühlt, ehe ich ins Gefängnis musste. Schon bevor ich mit dem Mädchen geschlafen habe. Wahrscheinlich war das überhaupt der Grund, warum ich mit ihr geschlafen habe, wenn ich jetzt drüber nachdenke.«

»Nein, ich weiß, was du meinst«, sagte Jess.

»Echt?«

»Ja klar. Du bist in den Arsch gefickt.« Sie machte eine entschuldigende Handbewegung in Richtung Maureen, wie eine Tennisspielerin nach einem glücklichen Netzroller. »Du dachtest, du würdest irgendwann was darstellen, aber jetzt ist ziemlich klar, dass du gar nichts darstellst. Du hast nicht so viel Talent, wie du dachtest, und einen Plan B hast du nicht, und du kannst nichts und hast nichts gelernt, und jetzt warten vierzig oder fünfzig Jahre mit gar nichts auf dich. Wahrscheinlich sogar weniger als nichts. Das ist ganz schön ätzend. Das ist schlimmer als das Gehirndings, denn an dem, was du wirklich hast, wirst du viel langsamer sterben. Du hast die Wahl zwischen einem langsamen, qualvollen und einem schnellen, gnädigen Tod.«

Sie zuckte mit den Schultern.

Sie hatte Recht. Sie wusste, was ich meine.

Es wäre gerade noch mal gut gegangen, hätte Jess nicht auf die Toilette gemusst. Aber man kann Menschen nicht davon abhalten, auf die Toilette zu gehen, oder? Ich war zu blauäugig. Ich kam gar nicht auf die Idee, sie könnte herumschnüffeln, wo sie nichts zu suchen hatte.

Sie blieb eine Weile weg, und als sie zurückkam, grinste sie über das ganze dumme Gesicht und hatte ein paar von den Postern dabei.

In einer Hand hatte sie das Poster von dem Mädchen, in der anderen das Poster von dem Schwarzen, diesem Fußballer.

»Und wem gehören die?« fragte sie.

Ich stand auf und schnauzte sie an: »Leg die zurück. Sie gehören dir nicht.«

»Das hätte ich nie von dir gedacht«, sagte sie. »Nur dass ich das richtig verstehe – du bist eine Lesbe mit einer kleinen Schwäche für Schwarze mit dicken Oberschenkeln. Wie ausgefallen. Ungeahnte Abgründe.«

Das war typisch für Jess, fand ich. Sie hat eine schmutzige Fantasie, was so viel heißt wie überhaupt keine Fantasie.

»Weißt du überhaupt, wer diese Typen sind?« sagte sie.

Die Poster gehören Matty, nicht mir. Er weiß nicht, dass sie für ihn sind, aber es sind seine; ich hab sie für ihn ausgesucht. Ich wusste, dass das Mädchen Buffy heißt, weil es auf dem Poster stand, aber ich wusste eigentlich nicht, wer Buffy war. Ich dachte nur, es wäre schön für Matty, eine attraktive junge Frau im Haus zu haben, weil er jetzt in diesem Alter ist. Und ich wusste, dass der Schwarze für Arsenal spielte, aber ich hatte nur seinen Vornamen mitbekommen. Ich hab mich von John aus der Kirche beraten lassen, der jede Woche nach Highbury fährt, und er sagte, Paddy sei bei allen beliebt, darum bat ich ihn, mir ein Bild für meinen Jungen mitzubringen, wenn er das nächste Mal zu einem Spiel ging. John ist ein netter Kerl, und er brachte mir ein riesengroßes Bild von Paddy mit, der sich über ein Tor freut, und er wollte kein Geld dafür annehmen, aber nachher brachte mich das in eine peinliche Situation. Aus irgendeinem Grund hielt er es für ausgemacht, dass mein Junge ein kleiner Junge wäre, zehn oder zwölf, und er versprach mir, ihn mal zu einem Spiel mitzunehmen. Und sonntags morgens, wenn Arsenal samstags verloren hatte, fragte er manchmal, wie Matty damit klarkäme, und manchmal, wenn sie ein wichtiges Spiel gewonnen hatten, sagte er: Ich wette, Ihr Junge freut sich, und so weiter. Und dann, eines Morgens, liefen wir ihm über den Weg, als ich Matty gerade vom Einkaufen nach Hause schob. Ich hätte zwar auch gar nichts sagen können, aber manchmal muss man vor sich selbst und allen anderen zugeben: *Das ist Matty. Das ist mein Junge.* Das tat ich, und danach hat John Arsenal nie wieder erwähnt. Eigentlich vermisse ich sonntags morgens nichts. Es gibt so viele gute Gründe, den Glauben zu verlieren.

Ich habe die Poster genauso ausgesucht wie all die anderen Dinge, in denen Matty wahrscheinlich gestöbert hätte, die Kassetten und Bücher und Fußballschuhe, die Computerspiele und Videos. Die Taschenkalender und trendigen Adressbücher. (Adressbücher! Großer Gott! Kann man es sich noch drastischer vor Augen führen? Ich konnte eine Kassette für ihn einlegen und hoffen, dass er zuhörte, aber wie sollte ich ein Adressbuch voll bekommen? Ich hab ja selbst nicht mal eins.) Die flippigen Stifte, der Fotoapparat und der Walkman. Jede Menge Uhren. Da drin befindet sich ein komplettes ungelebtes Teenagerleben.

Das alles hat schon vor Jahren begonnen, als ich beschloss, sein Schlafzimmer zu verschönern. Er war acht, aber er schlief immer noch in einem Babyzimmer – Clowns auf den Vorhängen, Hoppelhäschen auf der Bordüre entlang der Wand, die ganzen Sachen, die ich ausgesucht hatte, als ich ihn erwartete und nicht wusste, was er war. Und das alles blätterte schon ab und sah schrecklich aus, aber ich hatte nichts daran gemacht, weil ich dann daran hätte denken müssen, wozu es bei ihm *nicht* kam, an die vielerlei Hinsichten, in denen er *nicht* größer wurde. Wodurch sollte ich die Hoppelhäschen ersetzen? Er war acht, also waren vielleicht Eisenbahnen und Weltraumraketen, möglicherweise sogar Fußballer etwas für ihn – aber natürlich wusste er weder beim einen noch beim anderen, was es war, was es bedeutete, was man damit anfing. Aber andererseits wusste er auch nicht, was Häschen oder Clowns waren. Was sollte ich also machen? Es war doch alles Augenwischerei, oder? Das einzig Ehrliche wäre gewesen, die Wände weiß zu streichen und ein paar neutrale Vorhänge zu kaufen. Auf die Weise würde ich ihm und mir und jedem anderen, der hereinkäme, sagen, dass ich wusste, dass er nur vor sich hin vegetierte und nicht mehr mitbekam als ein Kohlkopf, und es nicht zu verbergen versuchte. Aber andererseits – wo hört es auf? Heißt das, ich kann ihm nie ein T-Shirt mit einem aufgedruckten Wort oder einem Bild drauf kaufen, weil er nie lesen lernen wird und Bilder ihm nichts sagen? Und wer weiß, ob er selbst mit Farben oder Mustern etwas anfangen kann? Und es versteht sich von selbst, dass es lächerlich ist, mit ihm zu reden, ihn anzulächeln und auf den Kopf zu küssen. Alles, was ich tue, ist Augenwischerei, warum dann nicht Nägel mit Köpfen machen? Am Ende entschied ich mich für Züge auf den Vorhängen und den Mann aus *Star Wars* auf dem Lampenschirm. Und kurze Zeit später begann ich, ab und zu Comics zu kaufen, nur um mir anzusehen, was ein Junge seines Alters wohl lesen und worüber er sich Gedanken machen würde. Und wir sahen uns samstags das Vormittagsprogramm zusammen an, daraus erfuhr ich ein bisschen mehr über Popsänger, die ihm hätten gefallen können, manchmal auch über Fernsehsendungen, die er wohl sehen würde. Ich sagte ja schon, zum Schlimmsten gehörte, sich nie weiterzuentwickeln; und sich vorzumachen, man entwickle sich doch weiter, ändert nichts daran. Aber es hilft. Ohne das, was bleibt da noch? Und über diese Dinge nachzudenken half mir jedenfalls, in irgendeiner seltsamen Weise, Matty zu sehen. Ich nehme an, so ähnlich gehen sie vor, wenn sie sich eine neue Figur für *Eastenders* ausdenken: Sie müssen sich sagen, tja, was gefällt dieser Person? Was hört er, wer sind seine Freunde, zu welcher Fußballmannschaft hält er? Genau das habe ich gemacht – mir einen Sohn ausgedacht. Er ist Arsenal-Fan, er angelt gerne, auch wenn er noch keine eigene Angel hat. Er mag Popmusik, aber nicht solche Popmusik, bei der Leute halb nackt singen und lauter schmutzige Wörter benutzen. Bei sehr seltenen Gelegenheiten fragen mich Menschen, was er sich zum Geburtstag oder zu Weihnachten wünscht, und ich sage es ihnen, und sie sind nicht so dumm, überrascht zu tun. Die meisten entfernten Verwandten haben ihn nie kennen gelernt und nie den Wunsch dazu geäußert. Alles, was sie über ihn wissen, ist, dass er nicht ganz richtig ist oder irgendwas mit ihm nicht stimmt. Sie wollen nicht mehr wissen, also sagen sie nie, ach, er kann angeln? Oder, im Fall meines Onkels Michael, ach, er kann unter Wasser schwimmen und auf die Uhr sehen, während er da unten ist? Sie sind nur dankbar, wenn man ihnen sagt, was sie tun sollen.

Irgendwann hatte Matty die ganze Wohnung mit Beschlag belegt. Ihr wisst, wie das bei Kindern geht. Krempel überall.

»Es kommt nicht darauf an, ob ich weiß, wer das ist oder nicht ist«, sagte ich. »Die Poster gehören Matty.«

»Oh, er ist ein großer Fan von …«

»Tu einfach, was man dir sagt, und leg sie zurück«, sagte Martin. »Leg sie zurück oder verschwinde. Was für ein Ekel willst du eigentlich noch sein?«

Eines Tages, dachte ich, werde ich lernen, das selbst zu sagen.

Mattys Poster wurden an diesem Tag nicht wieder erwähnt. Wir waren natürlich alle neugierig, aber Jess hatte dafür gesorgt, dass JJ und ich diese Neugier nicht zeigen konnten: Jess hatte es so eingerichtet, dass man entweder gegen oder für sie war, und in dieser Angelegenheit waren wir, wie in so vielen anderen, gegen sie – was bedeutete, dass wir zu diesem Thema Stillschweigen bewahrten. Aber weil es uns zuwider war, zum Schweigen gebracht zu sein, äußerten wir uns aggressiv und laut zu jedem anderen Thema, auf das wir gerade kamen.

»Du kannst deinen Vater nicht ausstehen, was?« fragte ich sie.

»Nein, natürlich nicht. Er ist ein Schwachkopf.«

»Aber du lebst bei ihm?«

»Und?«

»Wie hältst du das aus, Mann?« fragte JJ sie.

»Kann's mir nicht leisten auszuziehen. Außerdem haben sie eine Putzfrau und Kabel und DSL und so was alles.«

»Ah, könnte man noch mal so jung, idealistisch und prinzipientreu sein«, sagte ich. »Gegen Globalisierung hast du was, aber nichts gegen Putzfrauen, wie?«

»Ja, von euch zwei Flaschen lasse ich mir gerade Vorträge halten. Außerdem ist da noch diese andere Sache, die mit Jen.«

Ah ja. Die Sache mit Jen. JJ und ich waren für den Moment ernüchtert. In einem bestimmten Licht betrachtet, stellte sich obiges Gespräch folgendermaßen dar: Ein wegen Sex mit Minderjährigen verurteilter Exsträfling und einer, der sich eine tödliche Krankheit ausgedacht hatte, um sich Zeit, Mühe und Gesichtsverlust zu ersparen, hatten sich eben über einen trauernden Teenager mokiert, weil dieser zu Haus bei seinen ebenfalls trauernden Eltern sein wollte. Ich nahm mir vor, das, wenn ich später Zeit hätte, noch etwas zu drehen und zu wenden.

»Ja, es hat uns sehr Leid getan, das von deiner Schwester zu hören«, sagte Maureen.

»Na, ist ja schon ein Weilchen her, oder?«

»Es hat uns trotzdem Leid getan«, sagte JJ müde. Sich im moralischen Höhenflug zu befinden, bedeutete für Jess einfach, alle anderen anpissen zu können, bis man sie wieder runterholte.

»Hab mich mittlerweile dran gewöhnt.«

»Ach wirklich?« fragte ich.

»Sozusagen.«

»Muss aber seltsam sein, sich an so was zu gewöhnen.«

»Bisschen.«

»Denkst du da nicht die ganze Zeit dran?« fragte JJ sie.

»Können wir nicht mal über das reden, weswegen wir eigentlich hier sind?«

»Und das wäre?«

»Darüber, was wir machen werden. Über die Zeitungen und das Ganze.«

»Müssen wir denn da irgendwas machen?«

»Ich denke doch«, sagte JJ.

»Ach, wisst ihr, die werden uns bald vergessen haben«, sagte ich. »Das liegt doch nur daran, dass um den Jahreswechsel herum nicht der kleinste Scheißdreck passiert, sorry, Maureen.«

»Und was ist, wenn wir nicht wollen, dass sie uns vergessen?« sagte Jess.

»Warum zum Teufel sollten wir das wollen?« fragte ich.

»Wir könnten ein paar Pfund damit verdienen. Und wir hätten was zu tun.«

»*Was* hätten wir denn zu tun?«

»Weiß ich auch nicht. Bloß … ich kriege das Gefühl, dass wir anders sind. Dass die Leute uns mögen und sich für uns interessieren.«

»Du bist verrückt.«

»Ja, eben. Darum werden sie sich für mich interessieren. Ich könnte es noch ein bisschen forcieren, wenn ihr möchtet.«

»Du gefällst uns so, wie du bist.«

Jess lächelte süß, überrascht von dem ungefragten Kompliment.

»Danke, Martin – du auch. Und du … sie werden wissen wollen, wie du dir mit diesem Mädchen das Leben versaut hast. Und JJ, sie werden was über die Pizzas und so wissen wollen. Und Maureen könnte allen erzählen, wie beschissen es ist, mit Matty zu leben. Versteht ihr, wir wären wie Superhelden, X-Men oder so. Wir haben alle irgendwelche geheimen Superkräfte.«

»Au ja«, sagte JJ. »Leg los. Ich hab die Superkraft, Pizzas auszuliefern. Und Maureens Superkraft ist ihr behinderter Sohn.«

»Na schön, Superkräfte ist vielleicht das falsche Wort. Aber ihr wisst schon. So ein *Dingsda*.«

»Ah ja. ›Dingsda‹. *Le mot juste*, wie immer.«

Jess machte ein finsteres Gesicht, war jedoch zu besessen von ihrem Thema, um mir die Beleidigung entgegenzuschleudern, die meine Äußerung einer fremdsprachigen Redewendung gebot und verdiente.

»Und wir könnten sagen, wir hätten uns noch nicht entschieden, ob wir uns wirklich umbringen wollen – das würde denen gefallen.«

»Und wenn wir echt die Fernsehrechte an Valentine's Night verkauft haben … Vielleicht könnten sie dann so eine Art Big Brother draus machen. Sie könnten dann für den stimmen, den sie vom Dach springen sehen wollen«, sagte JJ.

Jess machte ein zweifelndes Gesicht. »Na, ich weiß nicht«, sagte sie. »Aber du kennst dich mit Zeitungen und so was aus, Martin. Wir könnten doch dran verdienen, oder?«

»Bist du schon mal auf die Idee gekommen, dass ich genug Ärger mit den Zeitungen hatte?«

»Oh, du kannst auch nur an dich denken!« sagte Jess. »Und was ist, wenn wir damit ein paar Pfund verdienen können?«

»Aber was ist die Story?« sagte JJ. »Es gibt doch gar keine Story. Wir sind da oben raufgegangen, wir sind wieder runtergegangen, Schluss. Das machen die Leute doch andauernd.«

»Darüber hab ich schon nachgedacht. Wie wär's, wenn wir was gesehen hätten?« sagte Jess.

»Was denn? Was sollen wir gesehen haben?«

»Okay. Wie wär's, wenn wir einen Engel gesehen hätten?«

»Einen Engel«, sagte JJ ausdruckslos.

»Ja.«

»Ich habe keinen Engel gesehen«, sagte Maureen. »Wann hast du einen Engel gesehen?«

»Niemand hat einen Engel gesehen«, erklärte ich. »Jess schlägt vor, dass wir zu unserem finanziellen Vorteil eine spirituelle Erfahrung vortäuschen.«

»Das ist schrecklich«, sagte Maureen und wenn nur, weil es so eindeutig von ihr erwartet wurde.

»Es ist nicht direkt *vortäuschen*, oder?« sagte Jess.

»Nein? Wann hast du denn tatsächlich einen Engel gesehen?«

»Wie nennt man das in Gedichten?«

»Wie bitte?«

»In Gedichten, weißt du. Und im Englischunterricht. Manchmal sagt man doch, irgendwas ist wie irgendwas, und manchmal sagt man, irgendwas ist irgendwas. Du weißt schon, meine Liebe ist wie eine verfickte Rose oder was weiß ich.«

»Vergleiche und Metaphern.«

»Ja. Genau. Shakespeare hat die erfunden, nicht? Darum war er ein Genie.«

»Nein.«

»Wer war's denn dann?«

»Ist doch egal.«

»Warum war Shakespeare denn dann ein Genie? Was hat er gemacht?«

»Ein andermal.«

»Okay, na meinetwegen. Also, was ist es, wenn man sagt, irgendwas ist irgendwas, also ›du bist ein Arsch‹, wenn du ja eigentlich kein Arsch bist, im anatomischen Sinn selbstverständlich?«

Maureen sah aus, als sei sie den Tränen nahe.

»Oh, um Gottes willen, Jess«, sagte ich.

»Sorry, sorry. Ich wusste nicht, dass die Schmutzige-Wörter-Regel auch gilt, wenn es nur aus Diskussionsgründen über Grammatik oder so ist.«

»Sie gilt.«

»Schön. Sorry, Maureen. Okay, ›Du bist ein Schwein‹, wenn man kein Schwein ist.«

»Metapher.«

»Ganz genau. Wir haben nicht buchstäblich einen Engel gesehen. Aber irgendwie metaphorisch.«

»Wir haben irgendwie metaphorisch einen Engel gesehen«, wiederholte JJ.

Er hatte diese ausdruckslose Ungläubigkeit jetzt perfekt gemeistert.

»Ja. Ja. Ich meine, irgendwas hat uns umdenken lassen. Irgendwas hat unser Leben gerettet. Warum nicht ein Engel?«

»Weil keiner da war.«

»Okay, gesehen haben wir keinen. Aber man könnte sagen, alles Mögliche wäre ein Engel. Jedes Mädchen wenigstens. Ich oder sogar Maureen.«

»Jedes Mädchen könnte ein Engel sein«, sagte JJ.

»Ja. Wegen der Engel. Mädchen.«

»Hast du schon mal vom Erzengel Gabriel gehört, zum Beispiel?«

»Nö.«

»Tja, er – *er* – war ein Engel.«

»Ach ja?«

Aus irgendeinem Grund verlor ich plötzlich die Geduld.

»Was soll dieser Unsinn? Hast du dir selbst mal *zugehört*, Jess?«

»Was hab ich jetzt wieder gesagt?«

»Wir haben keinen Engel gesehen, weder buchstäblich noch metaphorisch. Und zufälligerweise ist etwas metaphorisch zu sehen, was immer damit gemeint sein soll, nicht gleichbedeutend mit etwas zu sehen. Mit den Augen. Was, wie ich es verstehe, das ist, was du uns zu sagen vorschlägst. Das ist keine Beschönigung. Das ist reiner Beschiss, sorry, Maureen. Ehrlich gesagt, ich würde das für mich behalten. Ich würde niemandem von dem Engel erzählen. Noch nicht mal der überregionalen Presse.«

»Aber angenommen, wir kommen ins Fernsehen und kriegen die Chance, unsere Botschaft rüberzubringen?«

Wir alle starrten sie an.

»Was zum Teufel *ist* unsere Botschaft?«

»Na ja. Das können wir uns irgendwie aussuchen, oder?«

Wie sollte man mit einem derartigen Denkapparat vernünftig diskutieren? Uns dreien gelang es einfach nicht, also begnügten wir uns mit Spöttereien und Sarkasmus, und der Nachmittag endete in einer unausgesprochenen Übereinkunft: Da drei Viertel von uns das kurz aufflackernde Medieninteresse an ihrer Person nicht unbedingt genossen hatten, würden wir den vorübergehenden Nachrichtenwert unseres Geisteszustands wieder abebben lassen. Und dann rief mich ein paar Stunden, nachdem ich nach Hause gekommen war, Theo an und fragte mich, warum ich ihm nie gesagt hätte, dass ich einen Engel gesehen hatte.

Sie waren nicht begeistert. Martin war am schlimmsten: Er ging die verfickten Wände hoch. Er rief mich zu Hause an und brüllte erst mal zehn Minuten lang auf mich ein. Aber ich wusste, dass er sich wieder beruhigen würde, denn Dad war zuerst am Telefon, und Martin hat ihm kein Wort gesagt. Wenn er Dad irgendwas gesagt hätte, wäre die Story in sich zusammengefallen. Wir vier mussten einfach bei einer Geschichte bleiben, und solange wir das machten, konnten wir sagen, wir hätten gesehen, was immer wir wollten. Es ist doch so, die Idee war einfach zu gut, um sie wegzuwerfen, oder? Und sie wussten das, darum glaubte ich, dass sie sich noch damit anfreunden würden – und das taten sie ja auch irgendwie. Und für mich war es der erste große Test für uns als Gang. Sie alle mussten eine klare Entscheidung treffen: Waren sie auf meiner Seite oder nicht? Und um ehrlich zu sein: Hätten sie sich entschieden, dass sie es nicht sind, bezweifle ich, ob ich noch was mit ihnen hätte zu tun haben wollen. Es hätte ziemlich viel über ihre menschlichen Qualitäten gesagt, und zwar nichts Gutes.

Ich geb zu, es war ein bisschen hinterlistig von mir. Zuerst mal hatte ich JJ nach dem Namen der Frau gefragt, die an dem Morgen zu ihm gekommen war, und er hatte mir ihren Namen gesagt, und für welche Zeitung sie arbeitete noch gratis dazu. Er dachte, ich würde bloß Konversation machen, aber ich dachte, es könnte sich irgendwann mal als nützlich erweisen. Und als ich nach Haus kam, rief ich bei der Zeitung an. Ich sagte, ich würde nur mit ihr persönlich sprechen, und als ich ihnen meinen Namen sagte, gaben sie mir ihre Handynummer.

Sie hieß Linda und war wirklich sehr freundlich. Ich dachte, sie würde das alles ein bisschen schräg finden, aber sie war eigentlich sehr interessiert und ermutigend. Wenn sie als

Journalistin einen Fehler hatte, dann den, dass sie eher zu ermutigend war. Zu leichtgläubig und vertrauensselig. Man erwartet von einer guten Journalistin doch immer so was wie: Woher soll ich wissen, dass du mir die Wahrheit sagst, aber ich hätte ihr alles erzählen können, und sie hätte es mitgeschrieben. Sie war ein ganz kleines bisschen unprofessionell, unter uns gesagt.

Sie also bloß: Wie hat dieser Engel ausgesehen, Jess? Sie sagte sehr oft Jess, um zu demonstrieren, dass wir Freundinnen waren.

Das hatte ich mir schon überlegt. Das Dämlichste wäre gewesen zu sagen, dass er – ich hatte entschieden, dass es ein Er sein sollte, wegen Gabriel – wie einer der Kirchenengel ausgesehen hätte, mit Flügeln und so. Das hätte die falschen Signale ausgesendet, fand ich.

Nicht, wie man es erwartet hätte, sagte ich. Und Linda: Was, keine Flügel und kein Heiligenschein, Jess? Und sie lachte – so in der Art: Wie blöd muss man sein, um zu sagen, man hätte einen Engel mit Flügeln und Heiligenschein gesehen! Da wusste ich, dass ich mich richtig entschieden hatte. Ich lachte auch und ich: Nein, er sah ganz modern aus, und sie: Echt?

(Das mach ich immer, wenn ich über was rede, was ein anderer gesagt hat. Ich immer so, also ich sag so, und sie dann so, in der Art. Aber wenn ein Gespräch länger dauert, fängt das an zu nerven, oder? Ich so, sie so. Darum mache ich's ab jetzt wie im Theaterstück, okay? Ich bin nicht so gut in Anführungszeichen und was weiß ich, aber ich erinnere mich an die Theaterstücke, die wir in der Schule gelesen haben.)

ICH: Ja. Er war modern angezogen. Er sah aus, als könnte er auch in einer Band oder so sein.

LINDA: Einer Band? Was für einer Band?

ICH: Ich weiß nicht. Radiohead oder so.

LINDA: Wieso Radiohead?

(Man konnte nichts sagen, ohne dass von ihr eine Frage kam. Ich hatte Radiohead gesagt, weil sie nicht großartig nach was aussahen. Einfach Typen eben.)

ICH: Ich weiß nicht. Oder Blur. Oder … wie heißt der Typ? In dem Film? Nicht der, der nicht mit Jennifer Lopez verheiratet ist, sondern der andere, die haben doch den Oscar gewonnen, weil er so gut in Mathe war, obwohl er bloß putzte … Der Blonde. Matt.

LINDA: Der Engel sah aus wie Matt Damon?

ICH: Ja, irgendwie schon. So ein bisschen.

LINDA: Aha. Ein hübscher Engel, der wie Matt Damon aussah.

ICH: Nicht so ganz Matt Damon. Aber, ja.

LINDA: Und wann ist dieser Engel erschienen?

ICH: Wann?

LINDA: Ja, wann. Ich meine, wie kurz … wie kurz vor dem Sprung standest du?

ICH: Total kurz davor, Mensch. Er kam in letzter Minute.

LINDA: Wow – ihr habt also auf dem Sims gestanden? Ihr alle?

ICH: Ja. Wir hatten uns entschieden, dass wir zusammen springen wollten. In Gesellschaft sozusagen. Wir standen also da und sagten uns auf Wiedersehen und so. Dann wollten wir gerade eins … zwei … drei … springen sagen, da hörten wir die Stimme hinter uns.

LINDA: Ihr müsst euch ja zu Tode erschrocken haben.

ICH: Ja.

LINDA: Ihr drehtet euch also alle um …

ICH: Ja. Wir drehten uns um, und er sagte …

LINDA: Sorry. Was hatte er an?

ICH: Eben so ne Art … so was Ähnliches wie einen weiten Anzug. Einen weiten, weißen Anzug. Eigentlich ziemlich stylish. Sah aus, als hätte er eine Stange Geld gekostet.

LINDA: Ein Designer-Anzug?

ICH: Ja.

LINDA: Krawatte?

ICH: Keine Krawatte.

LINDA: Ein salopper Engel.

ICH: Na ja. Lässig-elegant jedenfalls.

LINDA: Und wusstest du gleich, dass er kein Mensch war?

ICH: Oh ja.

LINDA: Woher?

ICH: Er war total … verwackelt. Als wär er nicht richtig eingestellt. Und man konnte durch ihn durch sehen. Man konnte nicht seine Leber sehen oder so. Aber man konnte die Häuser auf der anderen Straßenseite sehen. Oh ja – und außerdem schwebte er über dem Dach.

SIE: Wie hoch?

ICH: Hoch, Mensch. Im ersten Moment dachte ich echt, der Typ ist fünf Meter groß. Aber als ich runter auf seine Füße guckte, waren sie einen Meter über dem Boden.

SIE: Er war also etwa vier Meter groß?

ICH: Na dann zwei Meter über dem Boden.

SIE: Dann war er drei Meter groß?

ICH: Drei Meter. Was weiß ich.

SIE: Seine Füße waren also über deinem Kopf?

ICH (*Ich werd langsam sickig, weil sie sich ewig mit den Metern aufhält, geb mir aber Mühe, mir nichts anmerken zu lassen*): Erst mal ja. Aber dann schien er zu merken, dass er es irgendwie übertrieben hatte, und er, na ja. Kam ein Stück weiter runter. Auf mich machte es den Eindruck, als wär er schon länger nicht mehr geschwebt. War ein bisschen eingerostet.

(Ich dachte mir das alles in Echtzeit aus, ich meine, dass es ausgedacht ist, wisst ihr ja schon. Und angesichts dessen, dass ich sie angerufen hatte, ohne mir irgendwas davon zurechtzulegen, machte ich meine Sache ganz gut, fand ich. Ihr schien es jedenfalls zu gefallen.)

SIE: Erstaunlich.

ICH: Ja, das war es wirklich.

SIE: Und was hat er gesagt?

ICH: Er sagte, na ja, springt nicht. Aber er sagte es sehr friedlich. Gelassen. Er hatte so eine, also irgendwie innere Weisheit. Man konnte merken, dass er ein Bote Gottes war.

SIE: Hat er das gesagt?

ICH: Nicht so direkt. Aber man konnte es sich denken.

SIE: Wegen der inneren Weisheit.

ICH: Ja. Er hatte so eine Ausstrahlung, als wär er Gott persönlich begegnet. War echt irre.

SIE: Und sonst hat er nichts gesagt?

ICH: Na ja, er meinte so was wie, eure Zeit ist noch nicht gekommen. Geht wieder runter und bringt den Leuten diese Botschaft des Trosts und des Glücks. Und sagt ihnen, dass Krieg dumm ist. Was auch meiner persönlichen Überzeugung entspricht.

(Der letzte Teil, das mit meiner persönlichen Überzeugung, gehörte nicht zu der Komödie. Ich gebe euch nur eine Zusatzinformation, damit ihr euch ein besseres Bild von mir als Person machen könnt.)

SIE: Und habt ihr vor, diese Botschaft weiterzugeben?

ICH: Ja. Klar. Das ist einer der Gründe, warum wir dieses Interview machen wollen. Und wenn ein paar von Ihren Lesern internationale Politgrößen oder Generäle oder Terroristen oder sonst was sind, dann sollten sie wissen, dass Gott im Moment gar nicht gefällt, wie die Dinge laufen. Er ist ziemlich angefressen.

SIE: Ich bin sicher, das wird für unsere Leser ein Denkanstoß sein. Und ihr habt das alle gesehen?

ICH: Oh ja. Er war nicht zu übersehen.

SIE: Martin Sharp hat ihn gesehen?

ICH: Ja, na klar. Er hat ihn ... er hat ihn mehr gesehen als wir anderen. (Ich wusste nicht genau, was das bedeutete,

aber ich merkte, wie wichtig es für sie war, dass Martin betei-
ligt war.)

SIE: Und nun?

ICH: Tja. Wir müssen uns überlegen, was wir machen
werden.

SIE: Natürlich. Werdet ihr noch mit anderen Zeitungen
reden?

ICH: Oh ja, mit Sicherheit.

Da war ich stolz drauf. Am Schluss hatte ich sie auf
fünftausend hochgehandelt. Allerdings musste ich ihr versprechen, dass sie auch mit den anderen reden konnte.

JJ

Zuerst schien es nicht so, als ob es schwierig werden würde.
Okay, keiner von uns war begeistert, dass Jess uns in die Sache mit dem Engel reingezogen hatte, aber sie war es auch
nicht wert, sich zu zerstreiten. Wir würden die Zähne zusam-
menbeißen, sagen, wir hätten einen Engel gesehen, das Geld
nehmen und vergessen, dass die Sache je stattgefunden hatte.
Aber am nächsten Tag sitzt man dann vor einer Journalistin,
und man bestätigt, ohne mit der Wimper zu zucken, dass der
verfickte Engel wie Matt Damon ausgesehen hat, und dann
erscheint einem Loyalität wie die stupideste aller Tugenden.
Man konnte ja nicht einfach einen Text abspulen, wenn man
angeblich einen Engel gesehen hatte. Da kann man nicht
einfach sagen: »Bla bla Engel bla bla.« Einen Engel zu sehen
ist klarerweise eine große Sache, also muss man sich auch einer großen Sache entsprechend verhalten, mit Aufregung und
ehrfürchtig aufgesperrtem Mund, und ein ehrfürchtig aufge-
sperrter Mund und zusammengebissene Zähne sind schwer
vereinbar. Maureen war vielleicht die Einzige, die überzeugend hätte sein können, weil sie an so was glaubte, irgendwie

173

jedenfalls. Aber gerade weil sie daran glaubte, war sie diejenige, die am meisten Schwierigkeiten mit dem Lügen hatte. »Maureen«, sagte Jess langsam und geduldig, als wäre Maureen einfach schwer von Begriff und nicht um ihr Seelenheil besorgt, »es geht um *fünftausend Pfund*.«

Die Zeitung organisierte, dass jemand vom Pflegeheim kam und bei Matty blieb, und wir trafen uns mit Linda in dem Café, wo wir am Neujahrstag gefrühstückt hatten. Wir ließen uns fotografieren – hauptsächlich Gruppenfotos, aber dann holten sie einen oder zwei von uns raus, und wir mussten mit staunend runterhängendem Unterkiefer in den Himmel zeigen. Die benutzten sie dann aber doch nicht, wahrscheinlich, weil ein oder zwei von uns ein bisschen dick auftrugen. Und nach dem Fotoshooting stellte Linda uns Fragen.

Eigentlich war sie hinter Martin her – er war der Hauptgewinn. Wenn sie Martin Sharp zu der Aussage bewegen konnte, ein Engel hätte ihn davon abgebracht, sich umzubringen – d. h., wenn sie Martin Sharp dazu bringen konnte, »ES IST OFFIZIELL – ICH BIN EIN IRRER« zu bekennen –, dann hatte sie eine Aufmacherstory. Martin wusste es ebenfalls, daher war sein Auftritt schon heroisch zu nennen, zumindest so heroisch, wie man sein kann, wenn man ein schmieriger Talkshowmoderator ist, der nie etwas wirklich Heroisches tut. Als er Linda erzählte, er hätte einen Engel gesehen, erinnerte Martin mich an Sydney Carton, den Typ aus der *Geschichte von zwei Städten*, der sich köpfen ließ, um seinem Kumpel das Leben zu retten: Martin machte das Gesicht eines Mannes, der im Begriff ist, sich für die gute Sache den Kopf abhacken zu lassen. Dieser Sydney hatte allerdings eine innere Größe, also sah er wahrscheinlich edel aus, während Martin einfach nur sauer aussah.

Anfangs besorgte Jess das Reden, bis Linda sie überhatte und die Fragen direkt an Martin richtete.

»Und als diese Erscheinung plötzlich über Ihnen schwebte … Sie schwebte? Ist das richtig?«

»Ja, schwebte«, bestätigte Jess. »Ich hab ja schon gesagt, er schwebte erst zu hoch, weil er aus der Übung war, aber dann fand er die richtige Höhe.«

Martin wand sich, als machte die Tatsache, dass der Engel partout keinen Fuß auf den Boden setzen wollte, die Sache irgendwie noch peinlicher für ihn.

»Und als der Engel über Ihnen schwebte, Martin, was dachten Sie da?«

»Was ich dachte?« wiederholte Martin.

»Wir haben nicht viel gedacht, oder?« sagte Jess. »Wir waren zu überrascht.«

»So ist es«, sagte Martin.

»Sie müssen doch etwas gedacht haben«, sagte Linda. »Und wenn nur, ›Gott verdammt, ob ich ihn wohl zu *Guten Morgen mit Penny und Martin* einladen kann?‹« Sie kicherte ermunternd.

»Na ja«, sagte Martin. »Ich moderiere die Sendung schon seit längerem nicht mehr, wenn Sie sich erinnern. Es wäre also Zeitverschwendung gewesen, ihn zu fragen.«

»Aber Sie haben jetzt Ihre Sendung auf Kabel.«

»Ja.«

»Vielleicht wäre er da ja aufgetreten.« Sie kicherte wieder ermutigend.

»Wir buchen sonst hauptsächlich Leute aus dem Showbusiness. Stand-up-Comedians, Soapstars … Gelegentlich mal Sportler.«

»Wollen Sie damit sagen, Sie hätten ihn nicht haben wollen?« Nachdem sie angefangen hatte, in diese Richtung zu fragen, schien sie nicht lockerlassen zu wollen.

»Ich weiß nicht.«

»Sie wissen es nicht?« sagte sie schnaubend. »Ich meine, Sie sind nicht gerade Dave Letterman mit Ihrer Show, oder?

Es ist ja nicht so, dass die Leute Ihnen die Füße küssen, um bei Ihnen aufzutreten.«

»Wir kommen auch ohne aus.«

Ich konnte mir nicht helfen, ich fand, dass sie irgendwie am Thema vorbeifragte. Ein Engel – möglicherweise ein Abgesandter des Allerhöchsten – hatte sich zu einem Hochhaus bemüht, um uns alle davon abzuhalten, uns umzubringen, und sie wollte wissen, warum man ihn nicht für eine Talkshow gebucht hatte. Ich weiß nicht. Man hätte denken können, dass so eine Frage eher ans Ende des Interviews gehört hätte.

»Tja, er wäre sowieso der erste Gast bei Ihnen gewesen, der einigermaßen bekannt ist.«

»Ach ja, Sie haben schon von ihm gehört? Diesem bewussten Engel, der wie Matt Damon aussieht?«

»Ich hab von *Engeln* gehört.«

»Tja, ich bin sicher, Sie haben schon von *Schauspielerinnen* gehört«, sagte Martin. »Davon hatten wir auch einige.«

»Wohin soll das eigentlich führen?« fragte ich. »Wollen Sie wirklich einen Artikel darüber schreiben, warum der Engel Matt nicht Gast in Martins Talkshow war?«

»Nennen Sie ihn so?« sagte sie. »Der Engel Matt?«

»Normalerweise nennen wir ihn einfach ›den Engel‹«, sagte Jess, »aber …«

»Hättest du etwas dagegen, wenn Martin mal ein paar Fragen beantworten würde?«

»Sie haben ihn schon endlos viel gefragt«, sagte Jess. »Maureen hat noch gar nichts gesagt. Und JJ auch nicht besonders viel.«

»Martin ist der Einzige, von dem die Leute schon mal gehört haben«, sagte Linda. »Martin, nennen Sie ihn so?«

»Nur ›den Engel‹«, sagte Martin. In der Nacht, als er sich umbringen wollte, hatte er fröhlicher ausgesehen.

»Darf ich nur eins klarstellen?« sagte Linda. »Sie haben ihn doch gesehen, Martin, oder?«

Martin rutschte auf seinem Stuhl herum. Man merkte, dass er wie ein Pfadfinder seine Gehirnwindungen absuchte, ob er keinen Fluchtweg übersehen hatte.

»Oh ja«, sagte Martin, »gesehen habe ich ihn. Er war ... Er war Ehrfurcht einflößend.«

Und damit tappte er endlich in den Käfig, den Linda ihm aufgehalten hatte. Jetzt stand es der ganzen Öffentlichkeit frei, ihn mit Stöckchen zu ärgern oder ihn zu hänseln, und er musste da hocken und es über sich ergehen lassen wie ein Exponat in einer Freakshow.

Aber andererseits waren wir ja jetzt alle Freaks. Wenn Freunde und Familie und Exlover am nächsten Morgen ihre Zeitungen aufschlugen, konnten sie nur einen von zwei möglichen Schlüssen daraus ziehen: 1) dass wir alle endgültig einen Sprung in der Schüssel hätten oder 2) dass wir schamlose Betrüger wären. Okay, streng genommen gab es noch eine dritte Möglichkeit – dass wir die Wahrheit sagten. Wir hatten einen Engel gesehen, der wie Matt Damon aussah und uns aus Gründen, die ihm selbst am besten bekannt waren, gesagt hatte, wir sollten von diesem Dach runtersteigen. Wobei ich dazu sagen muss, dass ich niemanden kenne, der das geglaubt hätte. Außer vielleicht meine Großtante Ida, die in Alabama lebt und jeden Sonntagmorgen in ihrer Kirche Schlangen anfasst, aber die ist ja auch verrückt.

Und ich weiß nicht, Mann, aber ich hatte den Eindruck, dass es von da zurück ein verdammt langer Weg war. Hätte man eine Karte zeichnen müssen und würde man annehmen, dass Hypotheken und Beziehungen und Jobs und so was alles in, sagen wir, New Orleans lägen, dann hatten wir uns, indem wir diesen Schwachsinn verzapften, irgendwo nördlich von Alaska positioniert. Wer wird einem Typen, der Engel sieht, einen Job anbieten? Und wer wird einen Kerl einstellen, der behauptet, er würde Engel sehen, nur weil ein paar Mäuse für ihn dabei rausspringen? Nein, als seriöse Menschen waren

wir am Ende. Wir hatten unsere Seriosität für zwölfhundert-
fünfzig von diesen englischen Pfund verkauft, und soweit ich
sehen konnte, würden wir mit diesem Geld für den Rest unseres Lebens auskommen müssen, sofern wir nicht noch
Gott, Elvis oder Prinzessin Di begegneten. Und das nächste
Mal würden wir sie wirklich sehen und fotografieren müssen.

Vor etwas mehr als zwei Jahren war der Manager von
R. E. M. bei uns gewesen und hatte gefragt, ob wir interessiert
wären, uns von seiner Firma vertreten zu lassen, und wir hatten gesagt, wir wären mit allem so zufrieden, wie es war.
R. E. M.! Vor sechsundzwanzig Monaten! Wir saßen in diesem schicken Büro rum, und dieser Typ, der versuchte, *uns* zu
überreden, wisst ihr? Und jetzt saß ich mit Leuten wie Maureen und Jess hier rum und beteiligte mich an dem armseligen
Versuch, aus jemandem ein paar Mäuse rauszuquetschen, der
geradezu versessen darauf war, es uns zu geben, solange wir
nur bereit waren, uns total lächerlich zu machen. Eins hatte
ich in den letzten paar Jahren gelernt: Es gibt nichts, was du
nicht versauen kannst, wenn du dir nur genug Mühe gibst.

Mein einziger Trost war, dass ich hier weder Freunde
noch Familie hatte; niemand wusste, wer ich war, außer vielleicht den paar Fans der Band, und ich stellte mir lieber vor,
dass sie nicht zu den Leuten gehören, die Lindas Zeitung lesen. Und ein paar von den Typen beim Pizzaservice mochten
eventuell die Zeitung irgendwo rumliegen sehen, aber die
würden sofort die Kohle und die Verzweiflung riechen, und
die Demütigung würden sie weniger wichtig nehmen.

Blieb also nur Lizzie, und wenn sie ein Bild von mir in
die Finger bekäme, auf dem ich geisteskrank aussah, dann
sollte es eben so sein. Wisst ihr, warum sie mich abserviert
hat? Sie hat mich absorviert, weil ich doch kein Rockstar
wurde. Fuck, ist so was zu glauben? Nein, ist es nicht, weil es
einfach nicht zu glauben und damit unglaublich ist. »Ar-
schigkeit, dein Name ist Weib.« Das war mein Gedanke,

wisst ihr, dass es nicht schaden konnte, wenn sie sah, wie fertig sie mich gemacht hatte. Ich hätte ihr sogar, wenn ich mich zeitweilig hätte unsichtbar machen können, nach dem Bankraub und dem Besuch der Frauenduschen im Fitnessstudio, dem Üblichen also, eine Zeitung vor die Nase gehalten und zugesehen, wie sie sie liest.

Wie ihr seht, hatte ich damals von nichts eine Ahnung. Ich dachte, ich hätte Ahnung, aber die hatte ich nicht.

MAUREEN

Ich war sicher, dass ich nach dem Interview mit Linda nie wieder die Kirche betreten würde. Ich hatte am Vortag ein bisschen darüber nachgedacht; es fehlte mir schrecklich, und ich fragte mich, ob es Gott wirklich etwas ausmachen würde, wenn ich ganz hinten saß und nicht zur Beichte ging – und mich vor der Kommunion unauffällig verdrückte. Aber nachdem ich Linda erzählt hatte, ich hätte einen Engel gesehen, wusste ich, dass ich mich fern halten musste, dass ich nie wieder dorthin gehen konnte, bis zu meinem Tod. Ich wusste nicht genau, welche Sünde ich begangen hatte, aber ich war sicher, dass Sünden wie Engel erfinden Todsünden waren.

Ich dachte immer noch, ich würde mich umbringen, wenn die sechs Wochen vorbei waren; was hätte mich umstimmen können? Ich hatte mehr zu tun denn je, bei den ganzen Zeitungsinterviews und den Treffen, und ich vermute, das lenkte mich ein bisschen ab. Aber die ganze Rennerei erschien mir wie Erledigungen auf den letzten Drücker, als hätte ich noch einiges zu tun, ehe ich in Urlaub fuhr. So war ich damals: jemand, der sich umbringen würde, sobald er die Zeit dazu fand.

Ich wollte eigentlich sagen, dass ich an diesem Tag das

erste Aufglimmen von Licht gesehen hatte, am Tag des Interviews mit Linda, aber in Wirklichkeit war es nicht so. Es war mehr so, als hätte ich mich entschieden, was ich mir im Fernsehen ansehen würde; ich begann gerade, mich darauf zu freuen, und dann fiel mir auf, dass noch etwas anderes lief, das interessanter sein könnte. Ich weiß nicht, wie es Ihnen geht, aber ich brauche gar nicht so viel Auswahl. Am Ende hüpft man zwischen dem einen und dem anderen Programm hin und her und sieht keins von beiden richtig. Ich weiß nicht, wie Leute mit Kabelfernsehen das verkraften.

Was passierte, war, dass ich nach dem Interview mit JJ ins Gespräch kam. Er wollte zurück zu seiner Wohnung, und ich wollte zur Bushaltestelle, und so kam es, dass wir dann zusammen gingen. Ich wusste gar nicht, ob er es eigentlich wollte, weil wir kaum miteinander geredet hatten, seit ich Silvester diesen Mann geohrfeigt hatte, aber es war eine dieser dummen Situationen, ich ging nämlich etwa fünf Schritte hinter ihm, darum wartete er auf mich.

»Das war ganz schön anstrengend, was?« fragte er, was mich überraschte, denn ich hatte gedacht, ich sei die Einzige gewesen, der es schwer gefallen war.

»Ich hasse Lügen«, sagte ich.

Er sah mich an und lachte, da fiel mir seine Lüge wieder ein.

»War nicht böse gemeint«, sagte ich. »Ich habe auch gelogen. Ich habe über den Engel gelogen. Und Matty habe ich auch angelogen. Dass ich Silvester auf eine Party ginge. Und die Leute in der Pflegeeinrichtung.«

»Das wird Gott Ihnen vergeben, denke ich.« Wir gingen noch ein kleines Stück nebeneinanderher, und dann sagte er, ohne dass mir der Grund ersichtlich war: »Was wäre nötig, um Ihren Entschluss zu ändern?«

»Welchen?«

»Diesen … Sie wissen schon. Allem ein Ende machen.«

Ich wusste nicht, was ich sagen sollte.

»Wenn Sie so was wie einen Deal mit Gott machen könnten. Angenommen, er säße da am Tisch, der große Boss, Ihnen gegenüber. Und er sagt, ›Na, Maureen, wir mögen Sie, aber wir sähen es gerne, wenn Sie bleiben, wo Sie sind, auf der Erde. Was können wir tun, um Sie dazu zu bewegen? Was können wir Ihnen anbieten?‹«

»Gott fragt mich das persönlich?«

»Ja.«

»Wenn er mich persönlich darum bitten würde, müsste er mir gar nichts anbieten.«

»Tatsächlich?«

»Wenn Gott in seiner unendlichen Weisheit wollte, dass ich auf der Erde bleibe, wie könnte ich da irgendetwas fordern?«

JJ lachte. »Okay. Nicht Gott.«

»Wer dann?«

»Ein irgendwie … ich weiß nicht. So was wie ein kosmischer … Präsident oder Premierminister. Tony Blair. Jemand, der Dinge in Bewegung setzen kann. Man muss nicht tun, was Tony Blair von einem will, ohne eine Gegenleistung zu verlangen.«

»Kann er Matty gesund machen?«

»Nein. Er kann nur Dinge *arrangieren*.«

»Ich würde gern Ferien machen.«

»Gott. Das wird ja ein billiger Abend mit Ihnen. Sie würden sich entschließen, den Rest Ihres Lebens durchzuhalten, nur für eine Woche in Florida?«

»Ich würde gern mal ins Ausland. Das war ich noch nie.«

»Sie waren noch nie im Ausland?«

Er sagte das, als müsse ich mich dafür schämen, und einen Moment lang schämte ich mich.

»Wann haben Sie das letzte Mal Ferien gemacht?«

»Kurz bevor Matty geboren wurde.«

»Und er ist wie alt?«

»Er ist neunzehn.«

»Okay, also, ich bin Ihr Manager und ich werde beim großen Boss einen Urlaub pro Jahr rausholen. Vielleicht zwei.«

»Das kannst du nicht!« Ich war wirklich schockiert. Jetzt sehe ich, dass ich das alles viel zu ernst nahm, aber für mich fühlte es sich so real an, und ein Urlaub pro Jahr erschien mir übertrieben.

»Vertrauen Sie mir«, sagte JJ. »Ich kenne den Markt. Cosmic Tony wird nicht mit der Wimper zucken. Na los, was noch?«

»Oh, ich kann unmöglich noch mehr fordern.«

»Sagen wir, er gibt Ihnen zwei Wochen Urlaub im Jahr. Fünfzig Wochen darauf zu warten kann ziemlich lang werden, wissen Sie? Und ein weiteres Treffen mit Cosmic Tony wird es für Sie nicht geben. Sie haben nur einen Schuss. Sie müssen alles, was Sie wollen, auf einen Schlag fordern.«

»Einen Job.«

»Sie wollen einen Job?«

»Ja, natürlich.«

»Was für einen Job?«

»Irgendeinen. Vielleicht in einem Geschäft arbeiten. Alles, solange ich nur aus dem Haus komme.«

Ich hatte gearbeitet, ehe Matty geboren wurde. Ich hatte einen Job bei einem Großhandel für Büromaterial in Tufnell Park gehabt. Es hatte mir gefallen, mir hatten die ganzen unterschiedlichen Stifte und Papiergrößen und Umschläge gefallen. Und mein Boss. Seitdem hatte ich nicht gearbeitet.

»Okay. Na, kommen Sie schon.«

»Vielleicht so ein bisschen gesellschaftliches Leben. Die Kirche veranstaltet manchmal Quizabende. So wie die Quizabende in Pubs, nur ohne den Pub. Da würde ich gern mal zu einem hingehen.«

»Ja, ein Quiz können wir Ihnen bewilligen.«

Ich versuchte zu lächeln, weil ich wusste, dass JJ einen kleinen Scherz machte, aber das Gespräch fiel mir schwer. Mir fiel einfach nicht viel ein, und das ärgerte mich. Und es machte mir seltsamerweise irgendwie Angst. Es war so wie im eigenen Haus eine Tür zu entdecken, die man noch nie gesehen hat. Würde man wirklich wissen wollen, was dahinter ist? Einige Leute würden das wohl, sicher, aber ich nicht. Ich wollte nicht weiter über mich reden.

»Was ist mit dir?« sagte ich zu JJ. »Was würdest du zu Cosmic Tony sagen?«

»Ha. Ich bin nicht sicher, Mann.« Er nennt jeden »Mann«, auch wenn man keiner ist. Man gewöhnt sich daran. »Vielleicht, ich weiß nicht. Die letzten fünfzehn Jahre noch mal von vorne durchleben oder so. Die High School abschließen. Die Musik vergessen. Zu einem Menschen werden, der sich mit dem zufrieden gibt, was er ist, nicht nur mit dem, was er sein will, verstehen Sie?«

»Aber das kann Cosmic Tony nicht arrangieren.«

»Nein. Genau.«

»Also bist du eigentlich schlimmer dran als ich. Für mich kann Cosmic Tony etwas tun, aber nicht für dich.«

»Nein, nein, Scheiße, äh, sorry, Maureen. Das wollte ich damit nicht sagen. Sie haben ein ... Sie haben ein wirklich schweres Leben, und nichts davon ist Ihre Schuld, wogegen alles, was mir passiert ist, meiner eigenen Blödheit zuzuschreiben ist, und ... das lässt sich gar nicht vergleichen. Wirklich. Es tut mir Leid, dass ich es überhaupt erwähnt habe.«

Aber mir tat es nicht Leid. Über Cosmic Tony nachzudenken war mir viel lieber, als über Gott nachzudenken.

Die Schlagzeile in Lindas Zeitung – Seite eins, mit dem Bild von mir, auf dem ich draußen vor einem Nachtclub auf der Nase liege – lautete: FOR HARPS – SEE SHARP. Die Story unterstrich nicht, wie Linda versprochen hatte, die Schönheit und das Geheimnisvolle unserer Erfahrung auf dem Dach; sie konzentrierte sich vielmehr auf einen anderen Aufhänger, namentlich den plötzlichen, dankbaren und amüsanten Irrsinn eines ehemaligen Fernsehstars. Der Journalist in mir hatte den schweren Verdacht, dass sie ganz richtig lag.

»Was soll das bedeuten?«, fragte mich Jess, als sie an diesem Morgen anrief.

»Das ist eine alte Bierwerbung«, sagte ich. ›HARP – STAYS SHARP‹«, sagte ich.

»Was hat das Ganze denn mit Bier zu tun?«

»Nichts, natürlich. Aber das Lager hieß Harp. Und ich heiße Sharp, verstehst du.«

»Okay. Und was hat das mit dem Engel zu tun?«

»Na, Harp – Harfe. Engel spielen doch angeblich Harfe.«

»Ach wirklich? Hätten wir sagen sollen, dass er Harfe spielte? Um es überzeugender zu machen?«

Ich sagte ihr, dass wir die Leute schwerlich von der Authentizität des Engels überzeugt hätten, wenn wir dem Bild, das wir von Matt Damon gezeichnet hatten, eine Harfe hinzugefügt hätten.

»Und wieso geht es darin bloß um dich? Wir werden ja kaum erwähnt, verfickte Scheiße.«

Ich bekam viele Anrufe an diesem Morgen – von Theo, der sagte, die Story habe sehr viel Interesse erregt, und meinte, dass ich ihm endlich etwas gegeben hätte, womit er arbeiten könne, solange es mir nicht unangenehm wäre, in der Öffentlichkeit über ein so privates spirituelles Erlebnis zu sprechen; von Penny, die wollte, dass wir uns träfen und redeten; und von meinen Töchtern.

Ich hatte seit zwei Wochen nicht mit ihnen sprechen dürfen, aber Cindys mütterliche Instinkte mussten ihr offensichtlich gesagt haben, dass der Tag, an dem sich Daddy in der Zeitung über seine Begegnungen mit Abgesandten des lieben Gottes ausließ, ein guter Zeitpunkt wäre, um den Kontakt wieder herzustellen.

»Hast du einen Engel gesehen, Daddy?«

»Nein.«

»Das hat Mami aber gesagt.«

»Es stimmt aber nicht.«

»Und warum hat es Mami dann gesagt?«

»Das musst du sie fragen.«

»Mami, warum hast du gesagt, Daddy hätte einen Engel gesehen?«

Ich wartete geduldig ab, während eine kleine Besprechung abseits des Hörers stattfand.

»Sie sagt, sie hätte das nicht gesagt. Sie sagt, die Zeitung sagt das.«

»Ich hab geflunkert, Spätzchen. Um ein bisschen Geld zu verdienen.«

»Oh.«

»Damit ich dir ein schönes Geburtstagsgeschenk kaufen kann.«

»Oh. Warum bekommst du Geld dafür, dass du sagst, du hättest einen Engel gesehen?«

»Das erzähle ich dir ein andermal.«

»Oh.«

Dann unterhielt ich mich mit Cindy, aber nicht sehr lange. Während unserer kurzen Unterhaltung gelang es mir, zwei verschiedene Arten weiblicher Haustiere zu erwähnen.

Außerdem rief mein Boss von FeetUp an. Er rief an, um mir zu sagen, dass ich gefeuert sei.

»Sie machen Witze.«

»Ich wünschte, es wäre so, Sharpy. Aber Sie lassen mir keine Alternative.«

»Und warum genau?«

»Haben Sie heute Morgen die Zeitungen gesehen?«

»Ist das ein Problem für Sie?«

»Sie kommen da schon ein bisschen bekloppt rüber, ehrlich gesagt.«

»Und was ist mit der Publicity für den Sender?«

»Ausschließlich negativ, nach meinem Dafürhalten.«

»Sie glauben, für FeetUp gibt es so was wie negative Publicity?«

»Wie meinen Sie das?«

»Niemand hat je von uns gehört. Von Ihnen.«

Es entstand ein langes, langes Schweigen, während dessen man hörte, wie sich die eingerosteten Zahnrädchen in Declans armem, altem Gehirn in Bewegung setzten.

»Ah. Verstehe. Sehr clever gedacht. Das hatte ich noch gar nicht in Betracht gezogen.«

»Ich werde nicht betteln, Dec. Aber ein bisschen pervers fände ich es schon. Sie heuern mich an, wenn sonst keiner auf der Welt mich noch grüßt. Dann feuern Sie mich, wenn ich heiß bin. Wie viele von Ihren Moderatoren stehen denn heute in der Zeitung?«

»Nein, nein, da sagen Sie was. Ich verstehe, worauf Sie hinauswollen. Was Sie sagen, ist also, dass ich das richtig verstehe, dass es für einen … *aufstrebenden* Kabelsender gar keine schlechte Publicity gibt.«

»So elegant hätte ich es natürlich nie ausdrücken können. Aber, ja, Sie haben es im Großen und Ganzen erfasst.«

»Okay, Sharpy, Sie haben mich umgestimmt. Wen haben wir heute Nachmittag in der Sendung?«

»Heute Nachmittag?«

»Ja. Heute ist Donnerstag.«

»Aha.«

»Hatten Sie das vergessen?«

»Ja, irgendwie ja, tatsächlich.«

»Wir haben also niemanden?«

»Ich nehme an, ich könnte JJ, Maureen und Jess dazu bringen, zu uns zu kommen.«

»Wer ist das?«

»Na, die anderen drei.«

»Welche anderen drei?«

»Haben Sie die Story gelesen?«

»Ich habe nur die gelesen, in der Sie den Engel gesehen haben.«

»Sie waren auch mit da oben.«

»Wo oben?«

»Na, die ganze Engel-Sache kam doch nur, Declan, weil ich mich umbringen wollte. Und auf dem Hochhausdach bin ich dann drei Leuten über den Weg gelaufen, die dasselbe im Sinn hatten. Und dann … Na, um's kurz zu machen, der Engel hat uns gesagt, wir sollen wieder runtergehen.«

»Leck mich am Arsch!«

»Genau.«

»Und Sie meinen, Sie können die anderen drei kriegen?«

»Da bin ich fast sicher.«

»Gütiger Himmel. Was meinen Sie, was die kosten?«

»Na ja, dreihundert Pfund für die drei zusammen? Plus Spesen. Eine von ihnen ist … also, sie ist allein erziehende Mutter, und jemand muss sich um ihr Kind kümmern.«

»Na, dann los. Scheiß drauf. Scheiß auf die Spesen!«

»So gefallen Sie mir, Dec.«

»Ich finde die Idee gut. Gefällt mir. Der alte Declan hat's immer noch drauf, was?«

»Allzu wahr. Sie haben immer den richtigen Riecher. Sie waren das Trüffelschwein des Frühstücksfernsehens.«

»Ihr müsst euch einfach sagen«, sagte ich den anderen, »dass sowieso niemand zusehen wird.«

»Das ist wohl einer Ihrer alten Showbiz-Tricks, was?« sagte JJ wissend.

»Nein«, sagte ich. »Es wird buchstäblich niemand zusehen. Ich habe noch nie jemanden getroffen, der meine Sendung sieht.«

Das Welthauptquartier von FeetUpTV! – bei den Mitarbeitern, wie könnte es anders sein, als TittenRausTV! bekannt – befindet sich in einer Art Verschlag in Hoxton. Der Verschlag enthält einen kleinen Empfangsbereich, zwei Umkleideräume und ein Studio, in dem alle vier auf unserem eigenen Mist gewachsenen Programme aufgezeichnet werden. Jeden Morgen verkauft eine Frau namens Candy-Ann Kosmetik; ich teile mir den Donnerstagnachmittag mir einem gewissen DJ GoodNews, der mit den Toten spricht, normalerweise im Namen der Empfangsdame, des Fensterputzers oder des Minicab-Fahrers, der bestellt ist, um ihn heimzufahren, oder sonstwem, der gerade zufällig in der Nähe ist: »Sagt dir der Buchstabe ›A‹ irgendwas, Asif?« und so weiter. Die anderen Nachmittage werden mit Aufzeichnungen alter Hunderennen aus Amerika bestritten – die Idee dahinter war ursprünglich mal, Zuschauerwetten darauf anzunehmen, aber daraus wurde nie etwas, und nach meiner Ansicht verlieren Hunderennen, besonders alte Hunderennen, beträchtlich an Anziehungskraft, wenn man nicht darauf wetten kann. An den Abenden sitzen zwei Frauen zusammen und reden miteinander, hauptsächlich über ihre Unterwäsche, während die Zuschauer ihnen unanständige SMS schicken, die sie ignorieren. Und das ist es mehr oder weniger. Declan leitet den Sender für einen mysteriösen asiatischen Geschäftsmann, und wir, die für den Sender arbeiten, können nur vermuten, dass wir in irgendeiner Weise, die zu idiotisch beziehungsweise raffiniert ist, um sie durchschauen zu können, in den

Handel mit harten Drogen oder Kinderpornographie verstrickt sind. Eine unserer Theorien ist, dass die Hunde bei den Rennen verschlüsselte Botschaften an die Drogenschieber senden: Wenn zum Beispiel der Hund auf der Außenbahn gewinnt, ist das eine Nachricht an den Kontaktmann in Thailand, dass er gleich am nächsten Morgen ein paar Kilo Heroin und vier Dreizehnjährige rüberschicken soll. So oder so ähnlich jedenfalls.

Meine Gäste in *Sharp Words* sind zumeist alte Freunde, die etwas tun wollen, um mir zu helfen, oder ehemalige Prominente, deren Situation ähnlich ist wie meine – das Wasser steht ihnen bis zum Hals und steigt ständig. In manchen Wochen kriege ich Promis von gestern, dann sind alle ganz aus dem Häuschen, aber in den meisten Fällen sind es Promis von vorgestern. Candy-Ann, DJ GoodNews und die zwei spärlich bekleideten Ladys sind nicht nur einmal, sondern häufiger in meiner Sendung aufgetreten, um den Zuschauern die Möglichkeit zu geben, sie besser kennen zu lernen. (*Sharp Words* dauert zwei Stunden, die, obwohl wohl Karen, unsere Anzeigenabteilung und Empfangsdame in Personalunion, ihr Bestes gibt, nur selten durch Nachrichten von unseren Sponsoren unterbrochen werden. Es ist also in höchstem Maße unwahrscheinlich, dass bei einem hypothetischen Zuschauer der Eindruck aufkommen könnte, wir hätten in unserer Unterhaltung gerade mal nur die Oberfläche gestreift.) Daran gemessen stellte es geradezu einen Coup dar, Leute vom Kaliber von Jess und Maureen in die Sendung zu locken: Nur selten sind meine Gäste im selben Jahrzehnt in der Sendung, in dem sie auch in der Zeitung stehen.

Ich hielt mir auf meine Interviewtechnik einiges zugute. Ich meine, ich tue es noch, aber in einer Zeit, in der es so schien, als könnte ich nichts anderes richtig machen, klammerte ich mich an meine Kompetenz im Studio, wie ich mich an eine Baumwurzel am Abhang geklammert hätte. Zu meiner Zeit habe ich betrunkenen, weinerlichen Schauspielern um acht Uhr morgens und betrunkenen, aggressiven Fußballern um acht Uhr abends auf den Zahn gefühlt. Ich habe verlogene Politiker dazu gebracht, ansatzweise etwas wie die Wahrheit zu sagen, ich musste mit Müttern umgehen, die in ihrer Trauer unangenehm weitschweifig wurden, und niemals habe ich Schlamperei zugelassen. Mein Sofa war mein Klassenraum, und ich duldete keinerlei Unarten. Selbst in diesen verzweifelten FeetUpTV!-Monaten, die ich damit zubrachte, mit Nullen und Möchtegern-Sternchen zu reden, Menschen, die nichts zu sagen hatten, und nicht die Fähigkeit besaßen, es auszudrücken, war der Gedanke tröstlich, dass es noch irgendeinen Bereich in meinem Leben gab, in dem ich Kompetenz beweisen konnte. Darum erlitt ich, als Jess und JJ meine Sendung als Witz abtaten und sich dementsprechend verhielten, einen kurzzeitigen Humorausfall. Ich wünschte natürlich, es wäre nicht so gewesen; ich wünschte, ich hätte die Größe gehabt, etwas weniger aufgeblasen, etwas gelassener zu reagieren. Stimmt schon, ich ermunterte sie, über das unvergessliche Erlebnis zu sprechen, das sie gar nicht gehabt hatten, worüber ich zudem noch Bescheid wusste. Und diese imaginäre unvergessliche Erfahrung war zugegebenermaßen absurd. Doch trotz dieser Hindernisse hatte ich irgendwie mehr Professionalität erwartet.

Ich möchte mich nicht allzu wichtig machen; ein Fernseh-Interview zu führen ist nicht gerade gottverdammte Raumfahrttechnik. Man plaudert vorher kurz mit den Gästen, einigt sich auf einen ungefähren Ablauf des Gesprächs, erinnert sie an ihre urkomischen Anekdoten, in diesem Fall die bekannten Fakten über die Fiktion, die wir diskutieren wollten, wie sie Jess in ihrem ersten Interview aufgetischt hatte – namentlich, dass der Engel wie Matt Damon aussah, über dem Dach schwebte und einen weißen, weit geschnittenen Anzug trug. Verhaut euch bei diesen Aussagen nicht, sagte ich noch zu ihnen, sonst sitzen wir in der Patsche. Und was passiert? Beinahe sofort? Ich frage JJ, was der Engel anhatte, und er sagt mir, der Engel hätte ein Promo-T-Shirt zum Sandra-Bullock-Film *Während du schliefst* getragen – ein Film, den Jess, wie der Zufall es wollte, im Fernsehen gesehen hatte, daher war sie in der Lage, uns weitschweifig den gesamten Inhalt wiederzugeben.

»Wenn wir beim eigentlichen Thema bleiben könnten«, sagte ich. »Viele Menschen haben *Während du schliefst* gesehen. Aber nur wenige haben einen Engel gesehen.«

»Ach, scheiß drauf. Es guckt sowieso keiner zu. Haben Sie gesagt.«

»Das war nur einer meiner alten Profitricks.«

»Dann kriegen wir jetzt Schwierigkeiten. Weil ich ›scheiß‹ gesagt hab. Da werden Sie ganz schön viele Beschwerden kriegen.«

»Ich denke mal, unsere Zuschauer sind aufgeklärt genug, um zu wissen, dass extreme Erfahrungen manchmal eine extreme Ausdrucksweise mit sich bringen.«

»Gut. Fuckfuckfuckscheißefuck.« Sie winkte erst Maureen entschuldigend zu, und dann in die Kamera, für die empörte britische Bevölkerung. »Obwohl es nicht gerade eine extreme Erfahrung ist, sich doofe Sandra-Bullock-Filme anzusehen.«

»Wir sprachen über den Engel, nicht über Sandra Bullock.«

»Welchen Engel?«

Und so weiter, und so weiter, bis Declan mit der Kosmetikfrau reinmarschiert kam, uns aus dem Studio scheuchte und auf die Straße beziehungsweise, in meinem Fall, in die Arbeitslosigkeit beförderte.

Jemand sollte mal einen Song oder so was schreiben, der heißt, »They fuck you up, your Mum and Dad.« So etwa: »They fuck you up, your mum and dad. They make you feel fucking bad.« Denn das machen sie. Besonders Dad. Deswegen ist er auch der, auf den es sich reimt. Es würde ihm nicht gefallen, mich das sagen zu hören, aber wenn es Jen und mich nicht gäbe, hätte nie jemand von ihm gehört. Es ist ja nicht so, als wär er wirklich der oberste Boss für Erziehung und Bildung – das ist nämlich der eigentliche Minister. Er ist mehr so was wie der Ressortleiter, und davon gibt es zahllose, die nennt man Juniorminister, was irgendwie zum Lachen ist, weil er so gar nichts Juniormäßiges an sich hat. Als Politiker ist er also eher eine Niete. Es würde einem ja nichts ausmachen, dass er ein Loser ist, weil er sich wegen des Irakkriegs oder was weiß ich den Mund verbrannt hat, aber das hat er nicht; er sagt, was man ihm vorgibt, und das bringt ihn trotzdem nicht weiter.

Zwischen den meisten Leuten besteht irgendein Band, und das kann kurz oder lang sein. Aber du weißt nie, wie lang. Das hast du nicht zu entscheiden. Maureens Band fesselt sie an Matty, und das ist etwa zehn Zentimeter lang und stranguliert sie. Martins Band verbindet ihn mit seinen Töchtern, und wie ein dummer Hund weiß er nicht, dass es da ist. Er rennt los – in irgendeinen Nachtclub, auf der Jagd nach einem Mädchen, ein Hochhaus rauf –, und plötzlich spannt sich die Leine und schnürt ihm die Luft ab, und er tut ganz überrascht, und am nächsten Tag macht er dann genau dasselbe wieder. Ich glaube, JJ ist mit diesem Eddie verbunden, von dem er dauernd redet, der, mit dem er in der Band war.

Und ich begreife langsam, dass mein Band mich mit Jen verbindet, und nicht mit Mum und Dad – nicht mit zu Hause, womit man eigentlich verbunden sein sollte. Ich bin sicher, Jen fühlte sich mit ihnen verbunden. Sie fühlte sich geborgen, einfach weil sie ein Kind war und Eltern hatte, und darum ging sie weiter und weiter und weiter und schließlich über den Rand einer Klippe oder in die Wüste oder mit ihrem Mechaniker ab nach Texas. Sie glaubte, das Band würde sie wieder zurückreißen, aber es gab kein Band. Sie lernte das auf die harte Tour. Ich bin nun also an Jen gebunden, aber Jen ist nicht so was Stabiles wie ein Haus. Sie schwebt und weht hierhin und dorthin, niemand weiß, wo sie ist; eigentlich ist mit ihr verdammt wenig anzufangen, oder?

Na, jedenfalls schulde ich Mum und Dad nichts. Mum versteht das. Sie hat schon vor Ewigkeiten aufgegeben, irgendwas zu erwarten. Sie ist immer noch total aufgelöst wegen Jen, sie hasst Dad, und mich hat sie abgeschrieben; von der Seite also alles geregelt. Aber Dad glaubt tatsächlich, er könnte irgendwelche Ansprüche stellen, was ein echter Witz ist. Ein Beispiel: Er zeigte mir ewig diese Artikel, die man über ihn schrieb und in denen er aufgefordert wurde, zurückzutreten, weil seine Tochter sich so unmöglich aufführte, als ob mich das was anginge. Und ich dann immer, na und? Dann tritt doch zurück. Oder lass es bleiben. Mir doch egal. Er sollte mit einem Karriereberater reden, nicht mit seiner Tochter.

Außerdem waren wir nicht lange in den Zeitungen. Wir kassierten noch einmal richtig ab, bei einer neuen Talkshow auf Channel 5. Diesmal wollten wir uns richtig Mühe geben und ganz ernst bleiben, aber die Frau, die uns interviewte, ging mir echt auf die Titten, deswegen sagte ich ihr, dass wir alles nur inszeniert hätten, um ein paar Mäuse zu machen, und sie beschimpfte uns, und die ganzen bescheuerten, hirntoten alten Schachteln im Publikum buhten uns aus. Und das war's dann, niemand wollte mehr mit uns sprechen. Jetzt mussten wir uns selbst die Zeit vertreiben. Das war nicht allzu schwer. Ich hatte reichlich Ideen.

Ein Beispiel: Es war meine Idee, uns regelmäßig zum Kaffee zu treffen – entweder bei Maureen oder irgendwo in Islington, wenn wir jemanden finden konnten, der auf Matty aufpasste. Es machte uns nichts aus, etwas von dem Geld in seine Babysitter oder wie sie heißen zu investieren; wir taten so, als täten wir das, damit Maureen mal eine Atempause hatte, aber in Wirklichkeit wollten wir nicht ständig zu ihr gehen. Ohne jemandem zu nahe treten zu wollen, Matty war eine echte Spaßbremse.

Martin passte mein Vorschlag natürlich nicht. Erst wollte er wissen, was »regelmäßig« heißen sollte, weil er sich nicht festlegen wollte. Ich dann so, klaro, wenn man keine Kinder, keine Frau, keine Freundin und keinen Job hat, weiß man natürlich kaum, woher man die Zeit nehmen soll, und er darauf, es ginge ihm weniger um die Zeit als um die Entschlussfreiheit, deswegen musste ich ihn dran erinnern, dass es sein eigener Entschluss gewesen war, Mitglied der Gang zu werden. Und er dann, Na und?, und ich, Tja, warum stimmst du dann zu? Da sagt er, darum. Das fand er lustig, weil das mehr oder weniger das war, was ich Silvester da auf dem Dach gesagt hatte. Und ich dann, Tja, du bist viel älter als ich, und mein jugendlicher Verstand ist noch nicht vollständig ausgebildet, und er darauf, Das kannst du laut sagen.

Dann konnten wir uns nicht darauf einigen, wo wir uns treffen sollten. Ich wollte zu Starbucks, weil ich Frappuccinos und so was mag, aber JJ sagte, er stehe nicht auf internationale Kettenläden, und Martin hatte in irgendeinem Poserblättchen was über eine ultraschicke Coffee-Bar zwischen der Essex Road und Upper Street gelesen, wo sie ihre eigenen Kaffeebohnen anbauten, während man wartet, oder so was. Also trafen wir uns dort, um ihn bei Laune zu halten.

Jedenfalls hatte dieser Schuppen gerade erst seinen Namen und seine Vibes geändert. Das Ultraschicke hatte nicht funktioniert, deswegen waren sie jetzt nicht mehr ultraschick.

Zuerst hatte der Laden Tres Marias geheißen, nach einem Stausee in Brasilien, aber der Typ, der den Laden betrieb, hatte gedacht, das würde die Leute nur verwirren, denn was konnte eine Maria schon mit Kaffee zu tun haben, geschweige denn gleich drei? Und er hatte nicht mal *eine* Maria. Darum hieß der Laden nun Captain Coffee, und jedem war gleich klar, was dort angeboten wurde. Das schien aber auch nicht viel gebracht zu haben. Der Laden war zwar nicht mehr schick, aber immer noch leer. Wir gingen rein, und der Typ, der den Laden schmiss, hatte so eine alte Armeeuniform an, salutierte vor uns und sagte, Captain Coffee zu Ihren Diensten.

Ich fand ihn witzig, aber Martin gleich wieder, Großer Gott! und wollte wieder gehen, aber Captain Coffee ließ uns nicht raus, so verzweifelt war der. Er meinte, als neue Gäste bekämen wir den Kaffee diesmal umsonst und dazu noch ein Stück Kuchen, wenn wir wollten. Also blieben wir, aber das nächste Problem war, dass der Schuppen winzig klein war. Es gab ungefähr drei Tische, und jeder dieser Tische war etwa zehn Zentimeter von der Ladentheke entfernt, was bedeutete, dass Captain Coffee, der an der Theke lehnte, alles mithören konnte, was wir sagten. Und da wir waren, wer wir waren, und erlebt hatten, was wir erlebt hatten, wollten wir über persönliche Dinge reden, und wir waren befangen, wenn er dort stand.

Martin meinte, Trinken wir aus und gehen, und stand auf. Aber Captain Coffee sagte, Was stört euch denn? Also sagte ich, Das Problem ist, dass wir was Vertrauliches zu besprechen haben, und er sagte, dafür habe er vollstes Verständnis, und er würde rausgehen, bis wir fertig seien. Und ich sagte, Aber genau genommen ist alles, was wir sagen, vertraulich, aus Gründen, die ich nicht erläutern kann. Und er sagte, das wäre kein Problem, er würde trotzdem draußen warten, es sei denn, es käme neue Kundschaft. Und so hielt er es dann auch, und deswegen traf sich unser Kaffeekränzchen später doch bei Starbucks. Man konnte sich schlecht auf das eigene Elend konzentrieren, wenn dieser Penner in Armeeuniform draußen am Fenster lehnte und aufpasste, dass wir ihm nicht seine Biskuits beziehungsweise Biscotties, wie er sie nannte, klauten. Die Leute regen sich immer auf, Läden wie Starbucks wären so unpersönlich und so, aber was, wenn man genau das sucht? Ich wäre aufgeschmissen, wenn Leute wie JJ sich durchsetzen würden und es nichts Unpersönliches mehr auf der Welt gäbe. Es beruhigt mich zu wissen, dass es große Läden ohne Fenster gibt, in denen sich keiner um keinen kümmert. Man braucht schon Selbstvertrauen, um in kleine Läden mit Stammkundschaft zu gehen, kleine Buchhandlungen und Plattenläden, kleine Restaurants und Cafés. Am wohlsten fühle ich mich im Virgin Megastore, bei Borders, bei Starbucks und im Pizza Express, wo dich keiner beachtet und keiner weiß, wer du bist. Mum und Dad regen sich immer auf, wie stillos diese Läden wären, und ich dann immer: Erzählt mal was Neues. Genau darum geht's ja.

Das mit dem Literaturkreis war JJs Idee. Er meinte, in Amerika machten das viele Leute, Bücher lesen und dann drüber reden. Martin sagte, bei uns käme das jetzt auch in Mode, aber ich hatte noch nie davon gehört, daher kann es also nicht irrsinnig angesagt sein, sonst hätte ich ja in *Dazed and Confused* was darüber gelesen. Sinn der Übung war es, über IRGENDWAS ANDERES zu reden, anstatt sich darüber zu zanken, wer ein Arschloch war und wer eine Flasche, womit die Nachmittage bei Starbucks normalerweise endeten. Wir beschlossen, nur Bücher von Leuten zu lesen, die Selbstmord begangen hatten. Die waren gewissermaßen von unserem Schlag, daher dachten wir, wir sollten mal herausfinden, was bei denen im Kopf so abgelaufen war. Martin meinte, wir würden mehr von Leuten lernen, die sich nicht umgebracht hätten, wir sollten mal nachlesen, was so toll daran sei, am

Leben zu bleiben, nicht, was so toll daran sei, sich umzubringen. Aber wie sich herausstellte, gab es ungefähr eine Milliar-
de Schriftsteller, die sich nicht umgebracht hatten, und nur
drei oder vier, die es getan haben, daher gingen wir den leich-
teren Weg und entschieden uns für den kleineren Stapel. Wir
stimmten ab, einen Teil des Geldes von unseren Medienauf-
tritten für Bücher auszugeben.

Jedenfalls stellte sich dann raus, dass das gar nicht der
leichtere Weg war. Heilige Scheiße! Ihr müsst echt mal versuchen, Sachen von Leuten zu lesen, die sich umgebracht haben! Wir fingen mit Virginia Woolf an, und ich hab bloß
zwei Seiten von diesem Leuchtturm-Buch gelesen, aber das
reichte mir, um zu wissen, warum die sich umgebracht hatte:
Sie musste sich umbringen, weil sie sich nicht verständlich
machen konnte. Man muss nur einen einzigen Satz lesen, um
das zu erkennen. Ich identifiziere mich sogar ein bisschen mit
ihr, weil ich das Problem selbst kenne, aber ihr Fehler war, damit an die Öffentlichkeit zu gehen. Ich meine, so gesehen ein
Glück, weil sie damit ein Andenken hinterlassen hat, wodurch Leute wie wir aus ihren Problemen lernen können und
so, aber Pech für sie. Und sie hatte aber auch Pech, wenn man
es recht bedenkt, denn anno dazumal konnte praktisch jeder
ein Buch veröffentlichen, weil es nicht so viel Konkurrenz
gab. Man konnte einfach in einen Verlag reinmarschieren und
erklären, He, ich will das hier veröffentlichen, und die sagten,
Klar, gib her. Heute würden sie sagen, Nö, Schatz, zieh Leine,
das versteht doch keiner. Versuch's mal mit Pilates oder Salsa.

JJ war der Einzige, der es toll fand, daher ging ich auf ihn
los, und er dann auf mich, weil es mir nicht gefiel. Er kam mir
mit, Liegt es daran, dass dein Daddy Bücher liest? Führst du
dich deswegen auf, als hättest du sie nicht alle? Was einfach
zu beantworten war, weil Daddy keine Bücher liest, Pech gehabt, und das sagte ich ihm auch. Und dann meinte ich,
Kommt das daher, weil du nicht zur Schule gegangen bist?

Meinst du deswegen, alle Bücher wären toll, auch wenn sie scheiße sind? Man darf bloß nichts gegen Bücher sagen, weil es Bücher sind, und Bücher sind so was wie Gott? Das hat ihm überhaupt nicht gepasst, also hatte ich da einen wunden Punkt bei ihm getroffen. Er sagte, er sähe jetzt schon, was aus unserem Literaturkreis werden würde, nämlich dass ich ihnen alles mies machen würde, und wie er nur so blöd hätte sein können, was anderes zu erwarten. Und ich dann, Ich werd überhaupt nichts mies machen. Wenn ein Buch scheiße ist, würd ich das auch sagen. Darauf er, Klar, aber du wirst alle beschissen finden, oder? Weil du – sorry, Maureen – beschissenerweise gegen alles bist. Darauf sagte ich, Klar, und du wirst behaupten, alle wären toll, weil du so ein Arschgesicht bist. Und er wieder, Die sind auch alle toll, und zählt diese ganzen Leute auf, über die wir in der Gruppe reden sollten – Sylvia Plath, Primo Levi, Hemingway. Also frag ich, Worum geht's dann in der Lesegruppe, wenn du schon vorher weißt, dass die alle toll sind? Wo ist da der Spaß? Und er sagte, Wir sind hier nicht bei *England sucht den Superstar*, Mann. Da wird nicht über den Besten abgestimmt. Die sind alle gut, und das erkennen wir an und diskutieren dann über ihre Ideen. Ich darauf, Schön, wenn die hier ein Maßstab ist, erkenne ich nicht an, dass die alle toll sind. Ja, jetzt glaub ich sogar genau das Gegenteil. Darüber regte JJ sich dann tierisch auf, und es wurde etwas unangenehm, deswegen schaltete sich Martin ein, und wir beschlossen, erst mal nicht mehr über Bücher zu sprechen, in anderen Worten: nie wieder. Dann beschlossen wir, uns stattdessen mit Musikerselbstmorden zu beschäftigen. Stellt euch mal vor, Maureen hatte noch nie was von Kurt Cobain gehört.

Ich denke durchaus nach. Ich weiß, keiner glaubt das, aber ich tue es. Bloß ist meine Art nachzudenken anders als die von allen anderen. Bevor ich nachdenken kann, muss ich wütend und vielleicht ein bisschen gewalttätig werden, was für die anderen nervend ist, das kann ich verstehen, aber deren Pech. In der Nacht jedenfalls hab ich im Bett darüber nachgedacht, was JJ gesagt hat – ich würde Bücher hassen, weil Dad viele Bücher liest. Es ist so, wie ich gesagt hab, dass er das gar nicht tut, jedenfalls nicht wirklich, auch wenn er es wegen seines Jobs immer behauptet.

Aber Jen hat viel gelesen. Sie liebte Bücher, aber mir machten sie Angst. Sie machten mir Angst, als Jen noch da war, und jetzt sogar noch mehr. Was stand da drin? Was haben sie ihr gesagt, wenn sie unglücklich war und auf sie gehört hat und auf niemanden sonst – nicht auf ihre Freundinnen, ihre Schwester, auf keinen? Ich stand auf und ging in ihr Zimmer, das noch genauso ist wie an dem Tag, als sie verschwand. (In Filmen machen die Leute das auch immer so, und dann denkt man sich, Mensch, da könnte man ein schönes Gästezimmer draus machen, oder eine Abstellkammer, in der man das ganze Gerümpel verschwinden lassen könnte. Aber versuch mal, da reinzugehen und was zu verrücken.) Da standen sie alle: *The Secret History*, *Catch-22*, *Wer die Nachtigall stört*, *Der Fänger im Roggen*, *No Logo*, *Die Glasglocke* (was, Zufall oder auch nicht, eins der Bücher war, die JJ mit uns lesen wollte), *Schuld und Sühne*, *1984*, *Spurlos verschwinden leicht gemacht* ... Das Letzte war nur ein Scherz.

Ich glaub nicht, dass ich je eine begeisterte Leserin geworden wäre, aber ich würde sicher mehr lesen, wenn sie es mir nicht durch ihr Verschwinden verleidet hätte. Es war nicht das erste Mal, dass ich in ihrem Zimmer war, und es würde auch nicht das letzte Mal sein, das wusste ich. Die Bücher standen alle da und guckten mich an, und am meisten hasste ich daran, dass keines von ihnen mir helfen könnte zu verstehen. Ich mein damit nicht, dass ich irgendeinen Satz finde, den sie unterstrichen hat und der mir verraten würde, wo sie ist, obwohl ich vor einer Weile danach gesucht habe. Ich hab alle durchgeblättert für den Fall, sie hätte vielleicht irgendwo ein Ausrufezeichen neben das Wort »Wales« gemacht oder einen Kringel um »Texas«. Ich meine bloß, dass ich, wenn ich alles läse, was ihr gefallen hat, und alles, das sie in diesen letzten Monaten interessiert hat, vielleicht eine Vorstellung davon bekommen würde, was sie beschäftigte. Ich weiß nicht mal, ob diese Bücher ernst sind oder traurig oder unheimlich. Man sollte meinen, ich würde dahinterkommen wollen, na ja, wo ich sie doch so liebte, oder? Aber das will ich nicht. Ich kann nicht. Ich kann es nicht, weil ich zu faul bin, zu dumm, und ich kann nicht mal den Versuch unternehmen, denn irgendwas hält mich zurück. Da stehen sie und gucken mich an, Tag für Tag, und ich weiß, eines Tages pack ich sie auf einen großen Haufen und verbrenne sie.

Also, wie gesagt, ich bin nicht versessen aufs Lesen.

JJ

Die Verantwortung für unser Kulturprogramm ruhte allein auf meinen Schultern, denn keiner der anderen hatte von irgendwas eine Ahnung. Maureen holte sich zwar alle paar Wochen Bücher aus der Bücherei, aber sie las keine Sachen, über die wir hätten reden können, wenn ihr versteht, was ich meine, es sei denn, wir hätten darüber diskutieren wollen, ob die Krankenschwester den bösen reichen oder den guten armen Kerl heiraten sollte. Und Martin war kein großer Freund von Literatur. Er sagte, dass er im Gefängnis viel gelesen hätte, aber in erster Linie Biografien von Leuten, die gegen mächtige Gegner zu kämpfen hatten, Nelson Mandela und solche Typen. Ich tippe mal, dass Nelson Mandela in Martin Sharp wohl kaum einen Seelenverwandten gesehen hätte. Bei genauerem Hinsehen würde man feststellen, dass sie aus unterschiedlichen Gründen im Gefängnis gelandet waren. Und glaubt mir, was Jess von Büchern hielt, wollt ihr erst gar nicht wissen. Ihr würdet das beleidigend finden.

Allerdings hatte sie irgendwie Recht, was mich anbelangt. Wie auch nicht? Ich hab mein ganzes Leben mit Leuten zugebracht, die nicht lesen – meine Familie, meine Schwester, die meisten aus der Band, vor allem die Rhythmusgruppe –, und da wird man nach einiger Zeit zurückhaltend. Wie oft lässt man sich als Schwulen beschimpfen, bevor einem der Kragen platzt? Nicht, dass es mir was ausmacht, als schwul bezeichnet zu werden blablabla, einige meiner besten Freund sind blablabla, aber für mich ist man schwul, wenn man auf Typen steht, und nicht, wenn man auf Don DeLillo steht – der ein Typ ist, zugegeben, aber mir gefallen seine Bücher, nicht sein Arsch. Warum regen sich die Leute so auf, wenn's ums Lesen geht? Gut, ich war auf Tour mitunter recht einsilbig, aber wenn ich stundenlang Gameboy gespielt hätte, hätte keiner was gesagt. In meinen Kreisen ist abgefuckte Space Monsters wegzupusten gesellschaftlich akzeptabel, im Gegensatz zu *Amerikanisches Idyll*.

Eddie war der Schlimmste. Es war fast so, als wären wir verheiratet und ich würde meine Nase in ein Buch stecken, um ihm zu verstehen zu geben, dass ich jede Nacht Migräne hätte. Und wie in einer Ehe wurde es schlimmer, je länger wir zusammen waren. Von heute aus gesehen wurde *alles* umso schlimmer, je länger wir zusammen waren. Wir wussten, dass wir es nicht durchhalten würden, nicht als Band und vielleicht auch nicht als Freunde, daher reagierten wir beide mit Panik. Und wenn ich las, steigerte sich die Panik bei Eddie noch, denn ich glaube, er hatte die schwachsinnige Vorstellung, das Lesen würde mir bei der Suche nach einer neuen Karriere weiterhelfen. Na sicher, genau so läuft es im Leben. »He, Sie lesen Updike? Sie müssen ja cool drauf sein. Wir bieten Ihnen einen 100.000-Dollar-Job in unserer Werbeagentur an.« Die ganzen Jahre hatten wir über das geredet, was uns verband, doch in den letzten paar Monaten fiel uns auf, wie verschieden wir waren, und es brach uns beiden das Herz.

Das alles ist der arschlange Versuch zu erklären, warum ich bei Jess ausgerastet bin. Ich war einer Truppe militanter Analphabeten glücklich entkommen und würde mich garantiert keiner neuen anschließen. Wenn man unglücklich ist, liegt wohl in allem auf der Welt – Lesen, Essen, Schlafen – irgendwas, das einen noch unglücklicher macht.

Aus irgendeinem Grund hatte ich erwartet, bei Musik wäre es einfacher, nicht besonders intelligent, wenn man bedenkt, dass ich selbst Musiker bin. In Bücher habe ich lediglich *viel* investiert, in Musik dagegen mein ganzes Leben. Ich dachte, mit Nick Drake könnte ich nichts falsch machen, schon gar nicht in einem Raum voller Menschen, die den Blues hatten. Falls ihr seine Sachen nie gehört habt … Mann, es klingt, als hätte er die Traurigkeit der ganzen Welt kondensiert, die vielen Blessuren und die hirnrissigen Träume, die du dir abgeschminkt hast, und die Essenz dann in eine winzig kleine Flasche abgefüllt und sie verkorkt. Und wenn er anfängt zu spielen und zu singen, zieht er den Korken raus, und du kannst es riechen. Es nagelt dich in deinen Sitz fest, als wär es das volle Gitarrenbrett, aber das ist es nicht – es ist ruhig und leise, und aus Angst, es zu verscheuchen, wagt man nicht zu atmen. Wir hörten ihn uns bei Maureen an, weil wir bei Starbucks schlecht unsere eigene Musik laufen lassen konnten. Außerdem hörte man bei Maureen das Geräusch von Mattys Atem, was wie ein eigenes irres Instrument klang. Ich sitz also da und denk mir, Alter, das wird das Leben dieser Leute *nachhaltig* verändern.

Am Ende des ersten Songs steckte sich Jess den Finger in den Hals und schnitt Grimassen.

»Ist das vielleicht ein *Weichei*«, sagte sie. »Ich weiß auch nicht, wie ein *Dichter* oder so was.« Das war als Beleidigung gemeint: Ich verbrachte meine Tage mit jemandem, der Dichter für Kreaturen hielt, die möglicherweise im Dickdarm beheimatet waren.

»Mich stört es nicht«, sagte Martin. »Wenn er in einer Weinbar spielen würde, würde ich nicht unbedingt rausgehen.«

»Ich schon«, sagte Jess.

Ich fragte mich, ob ich es schaffen würde, sie beide gleichzeitig k. o. zu schlagen, aber ich verwarf die Idee, denn das wäre zu schnell gegangen und nicht schmerzhaft genug gewesen. Ich wollte noch auf sie einprügeln, wenn sie schon am Boden lägen, und das bedeutete, dass ich einen nach dem anderen fertig machen musste. Das ist musikalische Raserei – so ähnlich wie Autoraserei, bloß gerechter. Als Autoraser weiß ein kleiner Teil in dir, dass du ein Arschloch bist, aber bei musikalischer Raserei vollstreckst du nur den Willen Gottes, und Gott will diese Leute tot sehen.

Und dann passierte was wirklich Verrücktes, falls man eine heftige Reaktion auf *Five Leaves Left* verrückt nennen kann.

»Habt ihr denn keine Ohren?« fragte Maureen plötzlich. »Hört ihr denn nicht, wie unglücklich er ist und wie wunderbar seine Stücke sind?«

Wir sahen sie an, und dann sah Jess mich an.

»Ha, ha«, sagte Jess. »Du magst was, was Maureen mag.« Sie trällerte den letzten Teil wie ein höhnisches kleines Kind – ätschi-bätsch.

»Stell dich nicht dümmer, als du bist, Jess«, sagte Maureen. »Denn du bist schon dumm genug.« Sie kochte. Sie war ebenfalls von musikalischer Raserei gepackt. »Hör einfach mal einen Augenblick hin und lass dein Gesabbel.«

Jess sah, dass sie es ernst meinte, und hielt die Klappe. Wir hörten uns den Rest des Albums in Ruhe an, und wenn man Maureen genau ansah, konnte man ihre Augen ein klein wenig glänzen sehen.

»Seit wann ist er tot?«

»Seit 1974. Da war er sechsundzwanzig.«

»Sechsundzwanzig.« Sie schwieg einen Moment nachdenklich, und ich hoffte inständig, dass sie mit ihm und seiner Familie Mitleid hätte. Es bestand aber auch die Möglichkeit, dass sie ihn beneidete, weil er sich weitere unnötige
Jahre erspart hatte. Man möchte ja, dass Menschen auf etwas
ansprechen, aber manchmal kann es auch zu viel des Guten
sein, wisst ihr.

»Keiner will so was hören, oder?« fragte sie.

Keiner sagte etwas, denn wir waren nicht sicher, worauf
sie hinauswollte. »Genauso geht es mir, jeden Tag, und keiner
will davon was wissen. Sie wollen wissen, dass es mir so geht,
wie es einem bei Tom Jones geht. Oder bei diesem australischen Mädchen, das bei *Neighbours* mitgespielt hat. Aber mir
geht es so wie ihm hier, und so was würden sie im Radio nie
spielen, denn Menschen, die so traurig sind, passen nicht ins
Programm.«

Wir hatten Maureen noch nie so reden hören, wir hatten
nicht mal gewusst, dass sie das drauf hatte, und selbst Jess
dachte nicht daran, sie zu unterbrechen.

»Es ist komisch, die Leute denken, dass ich wegen
Matty außen vor bin. Aber Matty ist gar nicht so schlimm.
Viel Arbeit, aber … Wie ich mich wegen Matty fühle, *das*
macht mich zur Außenseiterin. Man gewichtet alles falsch.
Man muss permanent raten, ob man Dinge schwer oder
leicht nehmen soll, vor allem die in einem drin, und dann ver-
schätzt man sich und stößt die Leute vor den Kopf. Ich hab
das satt.«

Und damit war Maureen plötzlich mein Mädchen, weil
sie es kapiert hatte, und weil sie auch diesen musikalischen
Ingrimm empfand, und ich wollte ihr das Richtige sagen.

»Du brauchst mal Urlaub.«

Ich sagte das aus reinem Mitgefühl, aber dann fiel mir

Cosmic Tony ein und dass Cosmic Tony jetzt das nötige Kleingeld hatte.

»He – wie wär's? Warum nicht?« sagte ich. »Warum fahren wir nicht alle mit Maureen in Urlaub?«

»Na klar doch«, sagte Jess. »Wer sind wir denn? Ehrenamtliche für irgendein Altersheim oder was?«

»Maureen ist nicht alt«, sagte ich. »Wie alt bist du, Maureen?«

»Ich bin einundfünfzig«, sagte sie.

»Okay, dann kein Altersheim. Ein Langweilerheim.«

»Und was macht dich zum faszinierendsten Menschen der Welt?« fragte Martin.

»Ich seh zum Beispiel nicht so aus wie sie. Außerdem dachte ich, du wärst auf meiner Seite?«

Und vor lauter Gelächter und Gehässigkeit beinahe unbemerkt, hatte Maureen angefangen zu weinen.

»Es tut mir Leid, Maureen«, sagte Martin. »Ich wollte nicht ungalant sein. Ich konnte mir nur nicht vorstellen, wie wir vier irgendwo auf Liegestühlen am Pool liegen.«

»Nein, nein«, sagte Maureen. »Ich bin nicht beleidigt. Nicht sehr jedenfalls. Und ich weiß, dass niemand mit mir Urlaub machen will; nicht so schlimm. Ich war nur so gerührt, weil JJ es vorgeschlagen hat. Es ist sehr lange her … Noch nie hat … Ich bin noch nie … Es war nur so lieb von ihm, das ist alles.«

»Ach, verfluchte Hölle«, sagte Martin leise. »Ach, verfluchte Hölle« kann, wie ihr wisst, vielerlei bedeuten, aber hier gab es keinen Interpretationsspielraum; wir verstanden es alle. In diesem Kontext meinte Martin mit »Ach, verfluchte Hölle«, dass er, wenn ich eine Obszönität mit einer anderen erklären darf, die Arschkarte gezogen hatte. Denn was für ein Arschloch hätte man sein müssen, um zu Maureen zu sagen: »Na ja, gut, die Absicht zählt. Ich hoffe, das reicht dir.«

Fünf Tage später saßen wir im Flugzeug nach Teneriffa.

Es war ihre Entscheidung, nicht meine. Ich fand, ich hatte eigentlich nicht das Recht zu entscheiden, auch wenn ein Viertel des Geldes von mir kam. Ich hatte die Reise ja überhaupt erst vorgeschlagen, JJ gegenüber, als wir über Cosmic Tony sprachen, daher fand ich, dass es nicht recht wäre, mich an der Abstimmung zu beteiligen. Stimmenthaltung nennt man das wohl.

Nicht, dass es darüber große Diskussionen gegeben hätte. Alle waren dafür. Der einzige strittige Punkt war, ob man jetzt oder erst im Sommer fahren sollte, wegen des Wetters, aber mehrheitlich herrschte das Gefühl vor, dass es alles in allem besser wäre, jetzt zu verreisen, vor dem Valentinstag. Zuerst dachten sie, wir könnten uns die Karibik leisten, Barbados oder irgendwo da, aber dann wies Martin darauf hin, dass das Geld, über das wir verfügten, nicht mal für Mattys Aufenthalt im Pflegeheim reichen würde.

»Dann fahren wir doch ohne Maureen«, sagte Jess, und ich war einen Moment gekränkt, bis sich rausstellte, dass sie nur Spaß gemacht hatte.

Ich weiß gar nicht, wann ich das letzte Mal vor Freude weinen musste. Ich sage das nicht, damit die Leute Mitleid mit mir empfinden, es war einfach nur ein ungewohntes Gefühl. Als JJ sagte, er habe eine Idee, und sie uns erklärte, hatte ich nicht einen Moment zu hoffen gewagt, es könnte wirklich etwas daraus werden.

Es war schon komisch, aber bis zu diesem Zeitpunkt waren wir nie wirklich nett zueinander gewesen. Man sollte meinen, das hätte dazugehört, wenn man bedenkt, wie wir uns kennen gelernt haben. Man würde meinen, dies wäre die Geschichte von vier Menschen, die sich kennen lernten, weil sie unglücklich waren, und einander helfen wollten. Aber so war es bis zu diesem Punkt nie gewesen, kein bisschen, ganz und gar nicht, es sei denn, man will dazu zählen, wie ich und Martin auf Jess draufsaßen. Und das war weniger nett als die harte Tour, wenn auch zu ihrem Besten. Bis dahin war es die Geschichte von vier Menschen gewesen, die sich kennen lernten, weil sie unglücklich waren, und sich dann gegenseitig beschimpften. Zumindest bei drei von ihnen.

Ich musste immer wieder leise aufschluchzen, was allen peinlich war, mich selbst eingeschlossen.

»Verf… noch mal«, sagte Jess. »Bloß eine Woche auf den popeligen Kanaren. Da war ich schon mal. Strände und Discos und so, sonst nix.«

Ich hätte Jess gern gesagt, dass ich nicht mal einen englischen Strand zu Gesicht bekommen hatte, seit Matty aus der Schule war; früher waren sie jedes Jahr nach Brighton gefahren, und ein- oder zweimal hatte ich sie begleitet. Aber ich sagte nichts. Ich kann zwar Dinge nicht immer richtig gewichten, aber wie schwer diese Geschichte wog, das wusste ich, deswegen behielt ich sie für mich. Dass es nicht gerade rosig um einen bestellt ist, wenn man den Leuten die harmlosesten Sachen über sich nicht sagen kann, nur weil sie dann denken müssen, man würde an ihr Mitgefühl appellieren. Ich denke, deswegen fühlte man sich am Schluss den anderen so fern: Was immer man ihnen erzählen konnte, es würde bloß dazu führen, dass es unangenehm für sie war.

Am liebsten würde ich jede Kleinigkeit der Reise beschreiben, weil für mich alles so aufregend war, doch das wäre vermutlich auch ein Fehler. Wenn Sie ein ganz normaler Mensch sind, wissen Sie längst, wie ein Flughafen aussieht, welche Geräusche und welche Gerüche es dort gibt. Würde ich Ihnen das erzählen, wäre das nur eine andere Art, Ihnen mitzuteilen, dass ich seit zehn Jahren nicht mehr an der See gewesen bin. Ich hatte einen ein Jahr gültigen Reisepass auf dem Postamt besorgt, aber selbst das verursachte zu viel Aufregung, denn ich sah ein oder zwei bekannte Gesichter aus der Kirche in der Warteschlange, und die wissen, dass ich keine große Urlauberin bin. Unter den Leuten, die ich sah, war auch Brigid, die Frau, die mich nicht zu der Silvesterparty eingeladen hat, zu der ich nicht gegangen bin. Eines Tages, dachte ich mir, gehe ich hin und erzähle ihr, auf welchem Weg sie mir zu meiner ersten Auslandsreise verholfen hat. Doch bevor ich das versuchen könnte, müsste ich wirklich erst einmal lernen, wie schwer die Dinge wirklich wiegen.

Sie wissen höchstwahrscheinlich, dass man zu dritt nebeneinander sitzt. Sie ließen mich am Fenster sitzen, weil sie alle schon mal geflogen waren. Martin saß in der Mitte, und JJ saß ein paar Minuten lang neben ihm am Gang. Dann musste Jess mit ihm die Plätze tauschen, weil sie mit der Frau neben sich um die Mini-Tütchen mit Nüssen gezankt hatte, die man bekommt, und ein bisschen ausfallend wurde. Wie Sie wahrscheinlich auch wissen, gibt es beim Start ein schreckliches Getöse, und manchmal wackelt das Flugzeug in der Luft. Also, ich hatte natürlich nichts davon gewusst, und mir wurde ganz flau im Magen, und Martin musste meine Hand halten.

Wahrscheinlich wissen Sie auch, dass man, wenn man aus dem Flugzeugfenster blickt und die Welt zusammenschrumpfen sieht, unwillkürlich an sein ganzes Leben denken muss, an alle Menschen, die man je gekannt hat. Und Sie werden wissen, dass man beim Gedanken an all diese Dinge Gott, der sie geschenkt hat, aufrichtig dankbar ist, und böse, weil er Ihnen nicht hilft, sie besser zu verstehen, bis Sie zuletzt ganz durcheinander sind und den Rat eines Geistlichen nötig hätten. Ich nahm mir vor, auf dem Rückflug nicht am Fenster zu sitzen. Ich verstehe beim besten Willen nicht, wie diese Jetset-Leute, die ein bis zwei Mal im Jahr fliegen müssen, das verkraften.

Ohne Matty in diesem Flugzeug zu sitzen kam mir vor, als fehlte mir ein Bein. So seltsam war es für mich. Aber ich genoss auch das Gefühl der Leichtigkeit, deswegen war es wohl doch nicht so, als fehlte mir ein Bein, denn ich glaube nicht, dass Menschen, denen ein Bein abgenommen werden musste, sich über das Gefühl der Leichtigkeit so richtig freuen können. Außerdem wollte ich sagen, dass ich ohne Matty mehr Bewegungsfreiheit hatte, mit nur einem Bein dagegen wäre man weitaus unbeweglicher, nicht wahr? Daher könnte man vielleicht eher sagen, dass ohne Matty in diesem Flugzeug zu sitzen so war, als fehlte einem ein drittes Bein, denn ich vermute, ein drittes Bein würde belasten und immer so im Weg sein, dass man sich befreit fühlen würde, wenn es amputiert würde. Am meisten vermisste ich ihn, als das Flugzeug so rüttelte; ich glaubte, ich müsse sterben, ohne mich von ihm verabschiedet zu haben. Da geriet ich in Panik.

Am ersten Abend zerstritten wir uns nicht. Alle waren zufrieden, sogar Jess. Das Hotel war nett und sauber, und jeder hatte sein eigenes Bad mit Toilette, was ich nicht erwartet hatte. Und wenn ich die Fensterläden öffnete, flutete das Licht ins Zimmer wie ein Sturzbach durch einen gebrochenen Damm und hätte mich beinahe umgeworfen. Für einen Augenblick wurden mir die Knie weich, und ich musste mich an die Wand lehnen. Auch das Meer war da, aber nicht so wild und ungestüm wie das Licht; es lag nur still und blau da und rauschte ganz leise. Manche Menschen können das sehen, wann immer sie Lust dazu haben, dachte ich, doch dann musste ich diesen Gedanken beiseite schieben, weil er mir bei dem im Weg war, woran ich denken wollte. Jetzt war die Zeit, zu danken, und nicht, meines Nächsten Weib oder Meerblick zu begehren.

Wir aßen in einem Hafenrestaurant nicht weit vom Hotel. Ich hatte ein leckeres Stück Fisch, die Männer aßen Calamares und Hummer und Jess einen Hamburger. Ich trank dazu zwei oder drei Gläser Wein. Ich werde Ihnen nicht sagen, wann ich das letzte Mal in einem Restaurant gegessen oder Wein zum Essen getrunken habe, denn ich lerne, das zu lassen. Ich sagte es nicht mal den anderen, denn ich spürte selbst, wie schwer es für mich wog, und es war mehr, als sie würden tragen wollen. Na, sie wussten ja mittlerweile, dass es Jahre her war, dass ich überhaupt irgendwas unternommen hatte, abgesehen von den Dingen, die man täglich tut. Sie gingen davon aus.

Aber eins möchte ich doch sagen, und es kümmert mich nicht, wie es klingt: Es war die beste Mahlzeit, die ich in meinem ganzen Leben zu mir genommen habe, und vielleicht der schönste Abend meines Lebens. Ist es so schlimm, wenn man sich da so sicher ist?

MARTIN

Ich würde sagen, der erste Abend ging einigermaßen glatt. Ich wurde ein- oder zweimal erkannt und schob mir schließlich JJs Baseballkappe tief in die Stirn, was mich deprimierte. Ich bin kein Freund von Baseballkappen und verabscheue Menschen, die während des Essens irgendwelche Kopfbedeckungen tragen. Wir aßen in einem Touristennepplokal am Strand mittelmäßige Meeresfrüchte, und der einzige Grund, warum ich mich nicht über alles und jedes beschwerte, war der Ausdruck auf Maureens Gesicht: Sie war von ihrer Mikrowellen-Scholle und ihrem lauwarmen Weißwein ganz hin und weg, und es wäre grob unhöflich gewesen, ihr das zu verderben.

Maureen war noch nie weggefahren, und ich hatte erst vor einigen Monaten Urlaub gemacht. Nach meiner Haftentlassung waren Penny und ich ein paar Tage verreist, nach Mallorca. Wir hatten in einer Privatvilla bei Deja gewohnt, und ich hatte erwartet, es würden die besten paar Tage meines Lebens werden, weil ich die schlimmsten drei Monate hinter mir hatte. Aber natürlich kam es ganz anders; das Gefängnis als die drei schlimmsten Monate meines Lebens zu bezeichnen ist so, als würde man einen Autounfall als die schlimmsten zehn Sekunden beschreiben. Zunächst klingt das logisch und zutreffend, es klingt wahrheitsgemäß. Aber es ist nicht die Wahrheit, denn die schlimmste Zeit kommt danach, wenn du im Krankenhaus aufwachst und erfährst, dass deine Frau tot ist oder dass dir die Beine amputiert wurden, und die schlimmste Zeit deines Lebens fängt dann erst an. Mir ist durchaus bewusst, dass es trostlos ist, so über einen Kurzurlaub auf einer rundum entzückenden Mittelmeerinsel zu reden, aber dort auf Mallorca begriff ich, dass das Schlimmste keineswegs vorbei war, sondern vielleicht nie vorbeigehen würde. Das Gefängnis war erniedrigend, beängstigend, raubte den Verstand und war derart brutal und verheerend für Geist und Seele, dass der Begriff »seelische Vergewaltigung« es nur sehr unzureichend beschreibt. Wisst ihr, was »Quizzies« sind? Vor meiner ersten Nacht im Gefängnis kannte ich das auch nicht. »Quizzies« nennt man es, wenn zugedrogte Psychos sich über die Blocks hinweg Fragen zurufen, die alle darum kreisen, was man einem unpopulären und/oder prominenten Neuzugang alles antun möchte. Ich war in meiner ersten Nacht Gegenstand solcher »Quizzies«; ich will nicht einmal die einfallsreicheren Vorschläge aufzählen, aber überflüssig zu sagen, dass ich in dieser Nacht nicht sehr gut schlief und zum ersten Mal in meinem Leben blutrünstige Rachefantasien hatte. Ich konzentrierte mich ganz auf den Tag meiner Haftentlassung, doch obwohl ich an diesem Tag überwältigende Erleichterung empfand, hielt dieses Gefühl nicht lange vor.

Kriminelle sitzen ihre Strafe ab, aber mit allem gebührenden Respekt gegenüber meinen Freunden aus dem B-Flügel, ich war kein Krimineller, kein richtiger: Ich war ein Fernsehmoderator, der sich einen Fehltritt geleistet hatte, und paradoxerweise bedeutete das, dass ich meine Strafe nie verbüßt haben würde. Es war eine Frage der Klassenzugehörigkeit; tut mir Leid, aber welchen Sinn hätte es, das zu leugnen? Verstehen Sie, die anderen Häftlinge würden irgendwann ihr Leben als Diebe, Drogendealer, vielleicht sogar als Dachdecker oder was immer sonst sie taten, bevor ihre Berufslaufbahn unterbrochen wurde, wieder aufnehmen. Die Haft würde für sie kein großes Hindernis darstellen, weder in gesellschaftlicher noch beruflicher Hinsicht. Wer weiß, vielleicht sähen sie sogar ihre Berufsaussichten und ihre gesellschaftliche Stellung verbessert.

Aber in die Mittelschicht kehrt man nicht mehr zurück, wenn man einmal gesessen hat. Es ist gelaufen, du bist draußen. Da geht man nicht zum Programmdirektor des Vormittagsprogramms und will seinen Platz hinter dem Tisch bei *Guten Morgen mit …* zurückhaben; man klopft nicht bei Freunden an und sagt Bescheid, dass man wieder für Dinner Partys zur Verfügung steht. Außerdem kann man sich die Mühe sparen, der Exfrau zu sagen, man würde die Kinder gerne wiedersehen. Ich bezweifle, dass Mrs Big Joe versuchen würde, ihrem Mann den Umgang mit seinen Kindern zu verwehren, und ich bezweifle, dass viele seiner Bekannten im Pub missbilligend murmelnd von ihm abrücken. Im Gegenteil, ich wette, sie geben ihm einen aus und besorgen ihm eine fürs Bett. Ich habe lange und eingehend darüber nachgedacht und habe mich in Fragen der Reform des Strafvollzugs gewissermaßen zum Radikalen gewandelt: Ich bin zu dem Schluss gekommen, dass niemand, der mehr als – sagen wir – fünfundsiebzigtausend Pfund im Jahr verdient, ins Gefängnis kommen sollte, denn die Strafe wird immer unverhältnismäßig schlimmer sein als das Verbrechen. Stattdessen sollte man dazu verknackt werden, zum Therapeuten zu gehen, Geld für wohltätige Zwecke zu spenden oder so was in der Art.

In diesen Ferien mit Penny begriff ich zum ersten Mal, mit welchen Schwierigkeiten ich jetzt und in Zukunft zu rechnen hatte. Die Villa am Ende der Straße gehörte einem

Pärchen, das wir beide kannten, ein Paar, das eine eigene Produktionsfirma besaß und uns in glücklicheren Tagen schon Jobs angeboten hatte. Wir liefen ihnen eines Abends in einer Bar am Ort über den Weg, und sie taten so, als würden sie uns nicht kennen. Später zog die Frau Penny im Supermarkt beiseite und erklärte ihr, sie seien besorgt um ihre Tochter, eine ausnehmend unsympathische Vierzehnjährige, die, um ganz offen zu sein, ihre Jungfräulichkeit sicher noch viele Jahre lang nicht verlieren würde, und wenn, dann garantiert nicht durch mich. Das war natürlich alles Nonsens: Sie machte sich ebenso wenig Sorgen, dass ich ihrer Tochter zu nahe kommen würde, wie sie besorgt war, dass ich ihrer Brieftasche zu nahe kommen könnte. Sie gab mir einfach, wie so viele andere seitdem auch, zu verstehen, dass ich aus dem paradiesischen Islington vertrieben wurde und dazu verdammt war, auf ewig durch die Büros beschissener Kabelsender zu irren.

Daher machte mich das Abendessen an diesem ersten Tag auf Teneriffa trübsinnig. Das waren nicht meine Leute. Das waren bloß Leute, die mit mir redeten, weil ich mit ihnen in einem Boot saß, aber in einem miesen Boot: Es war ein nicht seetüchtiges, schäbiges Bötchen, und ich sah plötzlich, dass es auseinander brechen und sinken würde. Es war ein Boot, mit dem man auf dem Teich im Regent's Park herumpaddeln konnte, und wir versuchten, darin gottverdammt noch mal bis Teneriffa zu schippern. Man musste schon debil sein zu glauben, dass es sich noch sehr viel länger über Wasser halten würde.

JESS

Ich finde nicht, dass alles am Tag darauf meine Schuld war. Einen Teil der Schuld nehm ich auf mich, aber wenn was schief läuft, verschlimmert man es nur, wenn man überreagiert, oder? Und ich fand die Reaktion gewisser Leute schon ein bisschen übertrieben. Mein Dad ist ja New Labour und so, darum rhabarbert er ewig was von wegen Toleranz gegenüber anderen Kulturen, und ich denke, dass gewisse Menschen, namentlich Martin, meine Kultur nicht tolerierten, die sich im Gegensatz zu ihrer eher auf Saufen, Drogenkonsum und Ficken gründet. Schließlich respektiere ich seine auch. Ich geh nicht hin und sag ihm, er soll sich besaufen und mit Drogen zuknallen und mehr Mädchen abschleppen. Darum sollte er meine auch mehr respektieren. Er würde mir ja auch nicht sagen, ich soll Schweinefleisch essen, wenn ich Jüdin wäre, warum sagt er mir dann, ich soll das andere *nicht* machen?

Es lagen nur sieben Jahre zwischen dem ersten und dem letzten Beatles-Album. Sieben Jahre, das ist gar nichts, wenn man bedenkt, wie ihre Haare und ihre Musik sich verändert haben. Manche Bands würden ja sieben Jahre vertrödeln, ohne irgendwas zu leisten. Na, jedenfalls, als die sieben Jahre rum waren, konnten sie sich wahrscheinlich nicht mehr riechen, und man merkt, dass jeder etwas anderes wollte. John wollte … in einen (Schlaf-)Sack, oder was weiß ich, und Paul zog es auf seine Farm oder so, und es ist schwer vorstellbar, eine Beziehung aufrechtzuerhalten, wenn man so verschieden ist. Na gut, das mit uns lief noch nicht mal sieben Wochen, aber wir waren von Anfang an verschieden, während John und Paul die gleiche Musik mochten, auf dieselben Schulen gegangen waren und so weiter. Wir konnten nicht auf so was aufbauen. Wir waren nicht mal alle aus demselben Land. Also darf man sich eigentlich nicht wundern, dass wir unsere sieben Jahre zu drei Wochen komprimierten.

Es war so: Wir hatten zusammen gefrühstückt und dann beschlossen, dass jeder eigene Wege gehen würde und wir uns am Abend in der Hotelbar wiedertreffen würden, um einen Cocktail zu trinken und dann irgendwo essen zu gehen. Anschließend waren JJ und ich im Hotelpool schwimmen, während Maureen dabeisaß und zuschaute, und dann beschloss ich, alleine loszuziehen.

Wir wohnten auf der Nordseite der Insel in einem Ort namens Puerto de la Cruz, wo es ganz nett war. Als ich das erste Mal hier war, waren wir an der Südküste, wo es total irre abgeht, aber vermutlich zu irre für Maureen, und da es ihre Ferien sein sollten, hatte ich nicht unbedingt was dagegen. Aber ich wollte was zum Kiffen kaufen, was auf dieser Seite schwieriger ist als auf der anderen, und dadurch kriegte ich den Ärger, den Martin meiner Meinung nach respektlos aufnahm.

Auf der Suche nach Leuten, die aussahen, als könnten sie Gras verkaufen, klapperte ich ein paar Pinten ab, und in der zweiten sah ich ein Mädchen, das hundertprozentig wie Jen aussah. Ich übertreibe nicht, als sie mich ansah und nicht erkannte, dachte ich, sie machte nur Blödsinn, bis ich dann sah, dass ihre Augen eine Spur zu klein und ihre Haare gebleicht waren. Egal wie unkenntlich sie sich hätte machen wollen, Jen hätte sich nie die Haare gebleicht. Jedenfalls passte es dem Mädchen nicht, dass ich sie anstarrte, weshalb ich ihr kurz ein paar klare Worte sagen musste, und dummerweise war sie Engländerin und verstand jedes dieser Worte und hatte mir auch einiges zu sagen, und dann war ich wieder dran. Das ging eine Zeit lang so hin und her, dann wurden wir aufgefordert zu gehen. Ich hatte ehrlich gesagt schon ein paar Bacardi Breezer intus, obwohl es noch ziemlich früh war, und ich glaube, die machten mich aggressiv, auch wenn sie auf mein Angebot, sich zu schlagen, nicht einging. Und dann lief der übliche Film ab: Nicht-Jens Bruder, die Kneipe, der Typ, Geld, Dope und ein paar Eckys, wollte ich eigentlich erst später nehmen, haute dann aber fast alle auf einen Rutsch weg, irgendwelche Leute aus nem Ort namens Nantwich, so ein Typ, ausgeflippt, dann ausflippend allein gelassen. Kotzen, am Strand einpennen, aufwachen, ausflippen, im Polizeiwagen wieder zum Hotel zurückgekarrt. Ich glaub nicht, dass ich früher schon mal jemanden aus Nantwich kennen gelernt hab, und außerdem war das alles am hellichten Tag, aber ansonsten war es ein typischer Ausgehabend. Ich hab der Polizei erzählt, Maureen und Martin wären meine Eltern, und Martin war nicht begeistert. Aber deswegen musste er ja nicht gleich aus dem Hotel ausziehen. Das hätte sich alles wieder beruhigt.

Am nächsten Morgen fühlte ich mich grauenhaft, hauptsächlich, weil ich mit leerem Magen ins Bett gegangen war, obwohl ich sicher bin, die Eckys, die Breezer und der Joint trugen auch ihren Teil dazu bei. Bedrückt war ich auch. Ich hatte dieses schreckliche Gefühl, das dich überkommt, wenn du begreifst, dass du nun mal bist, wer du bist, und nichts daran ändern kannst. Klar, man kann sich Identitäten ausdenken, wie ich es gemacht hab, als ich Silvester so eine Art Jane-Austen-Mensch wurde, und sich so eine kleine Auszeit nehmen. Aber über kurz oder lang steht man wieder kotzend vor irgendeinem lahmen Club und droht Leuten Prügel an. Mein Dad fragt sich, warum ich ausgerechnet *so* sein will, aber die Wahrheit ist, man hat gar keine andere Wahl, und genau darum hat man gute Lust, sich umzubringen. Wenn ich versuche, mir ein Leben vorzustellen, in dem ich nicht vor einen lahmen Club kotze, bringe ich es nicht fertig; ich seh dann einfach gar nichts. Das bin ich: Das ist meine Stimme, das ist mein Körper, das ist mein Leben. Jess Crichton, das ist dein Leben, und hier sind ein paar Leute aus Nantwich, die etwas über dich zu erzählen haben.

Ich hab Dad mal gefragt, was er machen würde, wenn er nicht in der Politik wär, und er meinte, dann wär er in der Politik; ich glaube, damit wollte er sagen, dass er, egal wo auf der Welt er wäre und welchen Job er dort hätte, immer einen Weg zurück finden würde, so wie Katzen angeblich auch immer den Weg zurück finden, wenn man umzieht. Er wär dann im Stadtrat oder würde Flugblätter verteilen oder sonst was. Alles, was in diese Welt gehörte, würde er machen. Er klang ein bisschen betrübt, als er das sagte; er meinte, es sei letztendlich mangelnde Fantasie.

Und bei mir ist es dasselbe: Ich leide an Fantasiemangel. Ich konnte an jedem einzelnen Tag meines Lebens tun, wozu ich Lust hatte, und offensichtlich hatte ich nur Lust, mir die Birne zuzuknallen und Streit anzufangen. Mir zu sagen, ich könnte tun, was immer ich will, ist so, als würde man den Stöpsel aus der Badewanne ziehen und dann dem Wasser sagen, es könnte laufen, wohin immer es wollte. Probiert es mal und wartet, was passiert.

JJ

Am ersten Tag hatte ich einen schönen Tag. Morgens hab ich am Pool *The Sportswriter* gelesen, ein saucooles Buch. Dann habe ich mir ein Sandwich bestellt und dann … Na ja, ehrlich gesagt, ich fand, es wurde Zeit, meine Libido anzukurbeln, die seit vier bis fünf Monaten künstlich beatmet wurde und kein Lebenszeichen erkennen ließ. Habt ihr mal dieses Buch gelesen, das so ein Typ quasi mit dem Augenlid geschrieben hat? Er musste jedes Mal blinzeln, wenn derjenige, der ihm dabei half, am richtigen Buchstaben des Alphabets ankam. Wahre Geschichte. Na jedenfalls, meine abgefuckte Libido hätte nicht mal dieses Buch schreiben können. Aber als ich so in Shorts am Pool saß und die Sonne Körperteile von mir erwärmte, die lange Zeit auf Eis gelegen hatten, in jeder erdenklichen Hinsicht, regten sich schwache, jedoch untrügliche Lebensgeister.

Natürlich zog ich nicht mit der erklärten Absicht los, etwas dagegen zu unternehmen. Ich dachte nur, ich geh spazieren und sehe mich mal um, vielleicht kann ich die Bekanntschaft mit dieser Seite des Lebens wieder auffrischen. Zuerst ging ich allerdings aufs Zimmer und zog mir was an. Ich bin nicht der Blanke-Brust-Typ. Ich wiege etwa fünfundsiebzig Kilo, bin klapperdürr und bleich wie ein Gespenst, und so läuft man nicht neben Typen rum, die braun gebrannt und durchtrainiert sind. Selbst wenn man ein Mädchen fände, das auf den mageren Gespensterlook steht, würde es wohl kaum in *diesem* Kontext darauf stehen, oder? Wenn du auf Dolly Parton stündest und sie irgendwas von ihrem Album während eines Hip-Hop-Konzerts spielen würde, würde sie einfach nicht gut klingen. Ja, man könnte sie nicht mal *hören*. Indem ich also meine verwaschenen schwarzen Jeans und mein altes Drive-By-Truckers-T-Shirt anzog, stellte ich sicher, dass ich bei den richtigen Leuten Gehör fand.

Und stellt euch vor: Ich wurde nicht einfach nur erhört, um einen Euphemismus zu benutzen, sondern sogar von jemandem, der meine Band gesehen und gut gefunden hatte. Ehrlich. Na schön, sie konnte sich nicht mehr so genau an uns erinnern, und ich musste ihr mehr oder weniger einreden, dass sie uns gut fand, aber trotzdem. Und so lief das ab: Ich entdeckte in der Stadt einen coolen Meerwasserpool, den ein ortsansässiger Künstler entworfen hatte, und setzte mich direkt gegenüber auf ein Bier und ein Sandwich hin. Am Tisch neben mir saß ein englisches Mädchen und las *Bel Canto*. Ich sagte ihr, ich hätte das Buch auch gelesen, wir kamen ins Gespräch, und ich wechselte flott rüber an ihren Tisch. Wir fingen an, über Musik zu reden, denn *Bel Canto* handelt ja irgendwie von Musik − also Oper jedenfalls, und für manche Leute ist so was Musik −, und sie sagte, mit Rock 'n' Roll könnte sie mehr anfangen als mit Oper. Ich frag also, welche Bands? Und sie zählte eine ganze Reihe auf, und mit einer davon, den Clockers, waren wir vor ein paar Jahren mal getourt. Sie hatte sie auf dieser Tour gesehen, in Manchester, und meinte, sie wäre eventuell früh genug da gewesen, um die Vorgruppe zu sehen, und ich sagte: Siehst du, das waren wir.

Und sie sagte: Ach, stimmt, ich erinnere mich, ihr wart cool. Ich weiß, ich weiß – aber ich war in einer Lebensphase, in der ich dankbar alles nahm, was ich kriegen konnte.

Schließlich verbrachten wir den ganzen Nachmittag zusammen, dann ließ ich das Familienabendessen sausen, und wir verbrachten auch den Abend zusammen und schließlich verbrachten wir auch noch die Nacht zusammen, in meinem Hotel, weil sie noch eine Zimmergenossin hatte. Und das war mein erstes Mal seit der letzten Nacht mit Lizzie damals, und das war ohnehin eher Leichenschändung gewesen.

Kathy und ich frühstückten am nächsten Morgen zusammen im Speisesaal, und das nicht nur, weil das Hotel nicht genug Sterne für einen Zimmerservice hatte: Irgendwie freute ich mich auch darauf, den anderen zu begegnen. Aus irgendeinem Grund dachte ich, ich könnte damit Punkte machen – na gut, vielleicht nicht bei Maureen, aber bestimmt bei Martin, der für hübsche Mädchen etwas übrig hatte. Irgendwie war ich sogar auf die Idee verfallen, Jess würde beeindruckt sein. Ich sah schon vor mir, wie die drei auf der anderen Seite des Saals sitzen und zwei von ihnen sich dreckige Witze zuflüstern würden, und dann wäre ich mir wieder cool vorgekommen.

Maureen kam als Erste runter. Ich winkte ihr höflich zu, als sie reinkam, aber der Gruß wurde als Einladung missverstanden, und sie kam rüber und setzte sich zu uns an den Tisch. Sie sah Kathy misstrauisch an.

»Kommt irgendwer nicht zum Frühstück?« Sie wollte nicht unhöflich sein, sie war nur verwirrt.

»Nein, also …« Aber ich wusste nicht, was ich sagen sollte.

»Ich bin Kathy«, sagte Kathy, die ebenfalls verwirrt war. »Ich bin eine Freundin von JJ.«

»Das Problem ist, dass der Tisch für fünf eigentlich zu klein ist«, sagte Maureen.

219

»Wenn alle anderen kommen, ziehen Kathy und ich um«, sagte ich.

»Wer sind ›alle anderen‹?« fragte Kathy, man konnte es ihr nicht verdenken.

»Martin und Jess«, sagte Maureen. »Aber Jess ist letzte Nacht von der Polizei nach Haus gebracht worden. Da bleibt sie vielleicht länger im Bett.«

»Oh«, sagte ich. Ich meine, ich wollte schon wissen, warum Jess von der Polizei nach Haus gebracht worden war und so. Aber nicht unbedingt sofort.

»Was hat sie angestellt?« fragte Kathy.

»Was hat sie nicht angestellt?« sagte Maureen. Die Kellnerin kam und schenkte uns Kaffee ein, und Maureen ging ans Büffet, um sich Croissants zu holen. Kathy schaute mich an. Sie hatte einige Fragen, das sah ich ihr an.

»Maureen ist …« Aber dann fiel mir nicht ein, wie ich den Satz beenden sollte. Ich musste aber auch nicht länger darüber nachdenken, denn Jess kam rein und setzte sich.

»Leck mich am Arsch«, sagte sie, statt sich vorzustellen. »Ich fühl mich vielleicht beschissen. Eigentlich hätte ich erwartet, dass es mir besser geht, wenn ich gründlich gekotzt hab. Aber ich hab mir letzte Nacht die Eingeweide aus dem Leib gekotzt. Ich bin total leer.«

»Ich bin Kathy«, sagte Kathy.

»Hallo«, sagte Jess. »Mir geht's so dreckig, dass ich gar nicht gemerkt hab, dass ich dich nicht kenne.«

»Ich bin eine Freundin von JJ«, sagte Kathy, und Jess' Augen begannen Unheil verkündend zu glänzen.

»Was für eine Art von Freundin?«

»Wir kennen uns erst seit gestern.«

»Und ihr frühstückt zusammen?«

»Halt die Klappe, Jess.«

»Was hab ich denn gesagt?«

»Ich meine das, was du sagen wirst.«

»Was werd ich denn sagen?«

»Ich hab keine Ahnung.«

»Hast du Mum und Dad schon kennen gelernt, Kathy?«
Kathys Augen zuckten nervös in Maureens Richtung.

»Du traust dich mehr als ich, JJ«, sagte Jess. »Ich würde
einen One-Night-Stand nicht mit an den Frühstückstisch
der Familie bringen. Echt fortschrittlich von dir, Alter.«

»Ist das deine Mutter?« fragte Kathy. Es sollte ganz bei-
läufig klingen, aber man merkte, dass sie ein bisschen ver-
schreckt war.

»Natürlich ist das nicht meine Mutter. Wir haben nicht
mal die gleiche Nationalität. Jess zieht dich ...«

»Hat er dir erzählt, er wär Musiker?« fragte Jess. »Ich
wette, das hat er. Macht er immer. Das ist seine einzige Möglichkeit, mal an eine Freundin zu kommen. Wir sagen ihm
immer, er soll es lassen, weil sie es am Ende ja doch rauskriegen. Und dann sind sie enttäuscht. Ich wette, er hat behauptet, er wär Sänger, oder?«

Kathy nickte und sah mich an.

»Das ist echt ein Witz. Sing ihr was vor, JJ. Du solltest
ihn mal hören. Heilige Scheiße.«

»Kathy hat meine Band gesehen«, sagte ich. Aber kaum
war es raus, fiel mir ein, dass ich Kathy eingeredet hatte, sie
hätte die Band gesehen, und ich merkte, dass es ihr ebenfalls
wieder einfiel. Oh, Mann.

Maureen mit ihren Croissants setzte sich wieder an den
Tisch.

»Was wollen wir machen, wenn Martin kommt? Es ist
kein Platz mehr frei.«

»Oh, nein«, sagte Jess. »Aaaaaagh. Hilfe. Da gibt's wohl
nur eins – Panik!«

»Vielleicht sollte ich mal los«, sagte Kathy. Sie stand auf
und kippte einen Schluck Kaffee runter. »Anna fragt sich bestimmt schon, wo ich abgeblieben bin.«

»Wir könnten uns an einen anderen Tisch setzen«, sagte ich, aber ich wusste, es war gelaufen, zunichte gemacht von einer übel wollenden Macht, die sich meiner Kontrolle entzog.

»Bis dann«, sagte Jess fröhlich.

Und so sah ich Kathy zum letzten Mal. Wenn ich an ihrer Stelle wäre, säße ich heute noch da und würde in Gedanken diesen Dialog rekonstruieren, ich würde ihn aufschreiben und von meinen Freunden nachspielen lassen, um irgendeinen Hinweis zu finden, wie ich dieses Frühstück zu verstehen hatte.

Bei Jess weiß man nie, ob sie so schlau ist oder nur Zufallstreffer landet. Wenn man ständig so viele Giftpfeile abschießt wie sie, muss man ja irgendwann treffen. Warum auch immer, jedenfalls hatte sie Recht: Ohne die Musik wäre es mit Kathy nichts geworden. Kathy war eigentlich als kleiner Probelauf gedacht gewesen, mein erster, seit sich die Band getrennt hatte – mein erster überhaupt als nicht-praktizierender Musiker, denn ich war schon in einer Band, als ich meine Jungfräulichkeit verlor, und bin seitdem immer in einer Band gewesen. Als sie weg war, begann ich mir Sorgen zu machen, ob das je funktionieren würde, und ob ich in vierzig Jahren womöglich in irgendeinem beschissenen Altersheim hocken und einer netten Omi erzählen würde, dass der Manager von R. E. M. mal meine Band managen wollte. Ob ich jemals ein richtiger Mensch sein würde – jemand mit einem Job vielleicht, und einer Persönlichkeit, auf die andere Menschen reagieren können? Oh, fuck, es ist schon selten beschissen, irgendwas aufzugeben, wenn nichts da ist, was man stattdessen machen kann. Wenn ich zum Beispiel bloß über Bücher geredet hätte, die wir beide gelesen haben, und die Band nie erwähnt hätte … Wären wir trotzdem im Bett gelandet? Ich konnte es mir nicht vorstellen. Mir kam es vor, als hätte ich ohne mein altes Leben überhaupt kein Leben mehr. Meine kleine Aufheiterungsspritze hatte nur dazu geführt, dass ich am Ende komplett am Boden zerstört und verzweifelt war.

MAUREEN

Wir dachten uns nicht viel dabei, dass Martin sein Frühstück ausfallen ließ, obwohl es im Preis inbegriffen war. Ich gewöhnte mich langsam daran, dass ein- oder zweimal am Tag etwas passierte, das ich nicht verstand. Ich hatte nicht verstanden, was Jess in der Nacht davor getrieben hatte, und ich hatte nicht verstanden, warum eine fremde Frau – ein Mädchen, eigentlich – an unserem Frühstückstisch saß. Und nun verstand ich nicht, wo Martin geblieben war. Aber es schien nicht darauf anzukommen, dass ich es nicht verstand. Manchmal, wenn man im Fernsehen einen Krimi guckt, versteht man den Anfang nicht, aber man weiß, dass man es gar nicht soll. Man guckt trotzdem, denn am Ende erklärt einem bestimmt jemand die Zusammenhänge, wenn man gut aufpasst. Ich versuchte, das Leben mit Jess und JJ und Martin wie einen Fernsehkrimi zu betrachten; wenn ich was nicht verstand, sagte ich mir, nur keine Panik. Ich würde warten, bis mir jemand einen Hinweis gab. Außerdem begriff ich langsam, dass es eigentlich egal war, wenn man so gut wie nichts verstand. Ich hatte nie so recht verstanden, wieso wir erzählen mussten, uns sei ein Engel erschienen, und wie wir damit ins Fernsehen gekommen sind. Aber das war mittlerweile offenbar alles vergessen, also warum sich den Kopf zerbrechen? Ich muss zugeben, es hatte mir Sorgen gemacht, wo wir alle beim Frühstück sitzen sollten, aber nicht, weil ich verunsichert war. Ich wollte nur nicht, dass Martin uns für unhöflich hielt.

Nach dem Frühstück versuchte ich, das Pflegeheim anzurufen, aber alleine bekam ich es nicht hin. Schließlich musste ich JJ um Hilfe bitten, und er erklärte mir, dass es da ganz viele Extranummern gab, die man wählen musste, und wieder andere musste man weglassen, und wer weiß was alles noch. Es war nicht unverschämt von mir, das Telefon zu benutzen, denn die anderen hatten mir gesagt, ich könne einmal täglich anrufen, egal, was es kostete; sonst könnte ich mich nicht vernünftig erholen.

Und dieser Telefonanruf … Nun, er änderte alles. Diese zwei oder drei Minuten genügten. In meinem Kopf lief während des Telefonats mehr ab als in der ganzen Zeit auf dem Dach. Dabei gab es keineswegs schlechte Nachrichten oder überhaupt etwas Neues. Matty ging's gut. Wie sollte es auch anders sein? Er brauchte Pflege, und er erhielt Pflege, und viel mehr konnten sie mir nicht berichten, oder? Ich versuchte, das Gespräch zu verlängern, und ich muss es ihm lassen, der Pfleger tat alles, um mir dabei zu helfen, Gott segne ihn. Aber keinem von uns fiel etwas ein, das es noch zu sagen gegeben hätte. Matty macht den ganzen Tag über nichts, und er hatte auch an dem betreffenden Tag nichts gemacht. Er war mit seinem Rollstuhl draußen gewesen, und darüber sprachen wir, aber hauptsächlich sprachen wir über das Wetter und den Garten.

Dann dankte ich ihm, legte den Hörer auf und hing einen Moment meinen Gedanken nach, wobei ich versuchte, mir nicht selbst Leid zu tun. Liebe und Sorge, all das, was nur eine Mutter geben kann … Endlich, zum ersten Mal, seit es ihn gab, begriff ich, dass er dafür keinerlei Verwendung hatte. Mein Sinn und Zweck entsprach genau dem der Leute im Pflegeheim. Weil ich Übung darin hatte, war ich wahrscheinlich zur Zeit noch besser darin, aber alles, was sie wissen mussten, hätte ich ihnen in ein paar Wochen zeigen können.

Das bedeutete, wenn ich stürbe, würde es Matty trotzdem gut gehen. Und das bedeutete, dass das, was mir seit seiner Geburt die meiste Sorge bereitet hatte, überhaupt kein

Anlass zur Sorge war. Jetzt, nachdem ich das begriffen hatte, wusste ich nicht, ob ich damit mehr oder weniger Grund zum Selbstmord hatte. Ich wusste nicht, ob mein Leben reine Zeitverschwendung gewesen war oder nicht.

Ich ging nach unten und sah Jess in der Lobby.

»Martin ist aus dem Hotel ausgezogen«, sagte sie.

Ich lächelte ihr höflich zu, aber ich blieb nicht stehen, sondern ging weiter. Es war mir egal, dass Martin aus dem Hotel ausgecheckt hatte. Hätte ich dieses Telefonat nicht geführt, hätte es mir vielleicht etwas ausgemacht, denn er verwaltete unser Geld. Aber falls er mit dem Geld verschwunden war, würde das auch nicht viel ausmachen, oder? Ich würde dableiben oder nicht, ich würde essen oder nicht, trinken oder auch nicht, und nach Hause fahren oder auch nicht; was immer ich tat oder auch nicht, es würde niemanden betreffen. Dann wanderte ich fast den ganzen Tag lang. Werden andere Menschen in den Ferien manchmal traurig? Ich könnte es mir vorstellen, so viel Zeit, wie man da zum Nachdenken hat.

Für den Rest der Woche versuchte ich, den anderen möglichst aus dem Weg zu gehen. Martin war ohnehin verschwunden, und JJ schien es nichts auszumachen. Jess gefiel es nicht so gut, und ein- oder zweimal versuchte sie, mich zu überreden, mit ihr zu essen oder mich mit ihr an den Strand zu setzen. Aber ich lächelte nur und sagte: Nein, vielen Dank. Ich sagte nicht: Du warst immer so unhöflich zu mir! Warum willst du jetzt mit mir reden?

Ich lieh mir ein Buch aus dem kleinen Bücherschrank an der Rezeption aus, ein albernes Buch mit grellrosa Umschlag, das den Titel *Paws for Breath* trug, über ein Single-Mädchen, dessen Kater sich in einen hübschen Jungen verwandelt. Und der junge Bursche möchte sie heiraten, aber sie weiß nicht so recht, schließlich ist er ein Kater, daher braucht sie etwas Zeit, um sich zu entscheiden. Manchmal las ich darin und manchmal schlief ich. Ich konnte mich schon immer gut allein beschäftigen.

Am Tag vor unserem Rückflug ging ich in die Messe, zum ersten Mal seit gut einem Monat oder so. Der Ort hatte eine reizende alte Kirche – viel hübscher als die bei uns zu Hause, die modern und rechteckig ist. (Ich habe mich oft gefragt, wie Gott überhaupt unsere Kirche hat finden können, aber mittlerweile wird ihm das wohl gelungen sein.) Hineinzugehen und mich zu setzen war leichter, als ich erwartet hatte, vor allem, weil ich niemanden dort kannte. Danach war es schon schwieriger, weil die Menschen ausländisch wirkten und ich wegen der Sprache oft nicht wusste, wo wir gerade waren.

Aber man konnte sich daran gewöhnen. Es war, als ginge man in eine Dunkelkammer – es war da drin wirklich dunkel, viel dunkler als bei uns. Nach einer Weile konnte man etwas erkennen, und was ich sah, waren Menschen von zu Hause. Natürlich nicht die Originalpersonen, sondern deren Teneriffa-Ausgaben. Es gab da eine Frau wie Brigid, die jeden kannte und die ganze Zeit den Blick durch die Bankreihen schweifen ließ und lächelte und nickend grüßte. Dann gab es jemanden, der nicht mehr ganz sicher auf den Beinen war, schon zu dieser Tageszeit, und das war Pat.

Und dann entdeckte ich mich. Sie war in meinem Alter, alleine, und sie hatte einen erwachsenen Sohn im Rollstuhl dabei, der nicht mal wusste, was heute für ein Tag war. Ich starrte sie eine Weile an, bis die Frau es bemerkte und mich offenkundig unhöflich fand. Aber es erschien mir so seltsam, diese Gemeinsamkeit, bis ich ins Nachdenken kam. Und was ich dachte, war, dass man wahrscheinlich in jeder Kirche auf der Welt eine ältere Frau sehen kann, ohne Ehemann, die einen Jungen im Rollstuhl schiebt. Höchstwahrscheinlich war das einer der Gründe dafür, dass Kirchen erfunden wurden.

Ich hab nie viel über mich selbst nachgedacht, und das sage ich ohne Bedauern. Man könnte durchaus sagen, dass ein Großteil der Probleme auf der Welt dadurch entsteht, dass Menschen zu viel über sich nachdenken. Ich denke nicht an Dinge wie Krieg, Hunger, Krankheit oder Gewaltverbrechen – nicht diese Art von Problemen. Eher an Dinge wie nervende Zeitungskolumnen, tränenselige Talkshowgäste und dergleichen. Allerdings ist mir heute klar, dass sich Selbstbetrachtung schwer verhindern lässt, wenn man weiter nichts zu tun hat, als herumzusitzen und über sich selbst nachzudenken. Man könnte zwar versuchen, über andere Leute nachzudenken, doch die anderen Leute, über die ich nachzudenken versuchte, waren zumeist Bekannte von mir, und wenn ich an Menschen dachte, die ich kannte, brachte mich das wieder genau dorthin, wohin ich nicht wollte.

Daher war es in mancher Hinsicht ein Fehler, aus dem Hotel auszuchecken und mich selbständig zu machen, denn obwohl Jess mich höllisch nervte und Maureen mich deprimierte, besetzten sie doch einen Teil von mir, der nie unbewohnt und unmöbliert sein sollte. Es war auch nicht nur das: Neben ihnen fühlte ich mich relativ befähigt. Ich hatte schon etwas geschafft, und weil ich schon was geschafft hatte, war es immerhin möglich, dass ich auch noch mehr schaffen würde. Sie hatten überhaupt noch nichts zustande gebracht, und man konnte sich unschwer vorstellen, dass sie auch in Zukunft nichts zustande bringen würden – wogegen ich mich ausnahm und fühlte wie ein Staatschef, der abends noch einen multinationalen Konzern und am Wochenende eine Pfadfindertruppe leitete.

Ich zog in ein Hotelzimmer, das mehr oder weniger mit dem identisch war, in dem ich bislang gewohnt hatte, außer dass ich mir diesmal Meerblick und einen Balkon gönnte.

Dann saß ich zwei volle Tage auf diesem Balkon, glotzte aufs Meer hinaus und dachte über mich nach. Ich kann nicht sagen, dass ich bei meiner Nabelschau sonderlich einfallsreich gewesen wäre: Der Schluss, zu dem ich am ersten Tag kam, war, dass ich nahezu alles vergeigt hatte, dass ich tot besser dran wäre und dass mich niemand vermissen oder betrauern würde, wenn ich tot wäre. Dann betrank ich mich.

Der zweite Tag war eine Idee konstruktiver: Nachdem ich am Vorabend zu dem Schluss gelangt war, dass mich niemand vermissen würde, wenn ich stürbe, fiel mir verspätet ein, dass an meinem Elend größtenteils andere schuld waren: Wegen Cindy war ich meinen Kindern entfremdet, und am Scheitern meiner Ehe war auch Cindy schuld. Bloß wegen eines einzigen Fehltritts! Na gut, neun Fehltritten. Aber neun Fehltritte aus gut hundert Gelegenheiten! Ich hab einundneunzig Prozent erreicht und bin trotzdem durchgefallen! Ins Gefängnis musste ich, a) weil ich zu einer Straftat angestiftet wurde, und b) weil die Gesellschaft eine antiquierte Einstellung zur Sexualität von Teenagern hat. Meinen Job verlor ich aufgrund der Scheinheiligkeit und Illoyalität meiner Bosse. Daher wollte ich, als der zweite Tag zu Ende ging, lieber andere Leute umbringen als mich selbst, und das ist doch sicher viel gesünder, oder?

Jess spürte mich am dritten Tag auf. Ich saß gerade in einem Café, las einen zwei Tage alten *Daily Express* und trank einen Café con leche, da baute sie sich vor mir auf.

»Steht was über uns drin?« fragte sie.

»Ich geh mal davon aus«, sagte ich. »Aber ich hab bislang nur den Sportteil und das Horoskop gelesen. Die Seite eins habe ich mir noch nicht angesehen.«

»Wit-zig. Kann ich mich zu dir setzen?«

»Nein.«

Sie setzte sich trotzdem.

»Also, was soll das alles?«

»Was alles?«

»Das große Schmollen.«

»Du glaubst, ich würde schmollen?«

»Wie würdest du das nennen?«

»Ich hab die Schnauze gestrichen voll.«

»Was haben wir denn getan?«

»Nicht ihr. Du. *Toi*, nicht *vous*.«

»Wegen neulich Nacht?«

»Ja, wegen neulich Nacht.«

»Dir hat bloß nicht gepasst, dass ich dich als meinen Dad ausgegeben habe, stimmt's? Dabei wärst du alt genug.«

»Dessen bin ich mir bewusst.«

»Na bitte. Also reg dich ab. Nimm eine Beruhigungspille.«

»Ich hab mich abgeregt. Ich hab schon eine genommen.«

»Das sieht man.«

»Ich schmolle nicht, Jess. Glaubst du, ich wäre aus dem Hotel ausgezogen, weil du behauptet hast, ich wäre dein Vater?«

»Wär ich an deiner Stelle.«

»Weil du ihn hasst? Oder weil du dich für deine Tochter schämen würdest?«

»Beides.«

So läuft es mit Jess immer. Wenn sie glaubt, du würdest dich zurückziehen, gibt sie sich nachdenklich (und mit nachdenklich meine ich angewidert von sich selbst, für mich das einzig mögliche Ergebnis einer längeren Selbstbefragung ihrerseits). Ich beschloss, mich nicht einwickeln zu lassen.

»Ich lass mich nicht einwickeln. Zisch ab.«

»Was hab ich denn jetzt schon wieder gemacht? Heilige Scheiße.«

»Du spielst das reuige menschliche Wesen.«

»Was bedeutet ›reuig‹?«

»Das bedeutet, dir tut es Leid.«

»Was denn?«

»Zieh Leine.«

»Was denn?«

»Jess, ich möchte Urlaub machen. Ganz besonders Urlaub von dir.«

»Du willst dir also einen brennen und Drogen einklinken.«

»Genau. Das ist mein sehnlichster Wunsch.«

»Klar, verstehe. Und wenn ich das tue, machst du mich zur Sau.«

»Nee. Du wirst nicht zur Sau gemacht. Hau einfach ab.«

»Wie langweilig.«

»Dann such doch JJ oder Maureen.«

»Die sind langweilig.«

»Und ich nicht?«

»Welche Prominenten hast du kennen gelernt? Kennst du Eminem?«

»Nein.«

»Doch, wohl, du willst es mir bloß nicht sagen.«

»Oh, Mann.«

Ich ließ etwas Geld auf dem Tisch liegen, stand auf und ging raus. Jess folgte mir die Straße runter.

»Wie wär's mit einer Partie Billard?«

»Nein.«

»Sex?«

»Nein.«

»Stehst du nicht auf mich?«

»Nein.«

»Manche Männer schon.«

»Dann schlaf mit denen. Jess, tut mir Leid, das sagen zu müssen, aber unsere Beziehung ist vorbei.«

»Nicht, wenn ich dir den ganzen Tag nachlaufe.«

»Und du meinst, das würde auf Dauer funktionieren?«

»Auf Dauer interessiert mich nicht. Was ist mit dem, was

mein Dad sagte, dass du ein Auge auf mich haben sollst? Ich dachte, das möchtest du auch. Ich könnte dir die Töchter ersetzen, die du verloren hast. So könntest du deinen inneren Frieden finden, weißt du. Das sieht man doch immer wieder in Filmen.«

Die letzte Feststellung brachte sie ganz sachlich vor, als stünde es irgendwie für die Wirklichkeitsnähe des Szenarios, das sie sich ausgedacht hatte, nicht für das Gegenteil.

»Was ist mit deinem Sexangebot? Wie passt das damit zusammen, dass du die Töchter ersetzt, die ich verloren habe?«

»Das wäre, hm, was anderes. Andere Route. Ein anderer gangbarer Weg.«

Wir kamen an einem scheußlich aussehenden Café vorbei, das »New York City« hieß.

»Hier bin ich wegen der Schlägerei rausgeflogen«, erklärte Jess stolz. »Die machen mich kalt, wenn ich da noch mal reingeh.«

Wie um ihre Aussage zu bekräftigen, stand der ergraute Besitzer mit mordlustiger Miene im Eingang.

»Ich muss mal pinkeln. Geh nicht weg.«

Ich ging ins New York City, fand irgendwo in der Lower East Side ein Klo, legte die Fernsehseiten des *Express* auf die Brille, setzte mich hin und verriegelte die Tür. Die nächsten ein bis zwei Stunden konnte ich sie durch die Wand nach mir rufen hören, aber schließlich hörte die Schreierei auf. Ich nahm an, sie sei weg, blieb aber trotzdem noch drin, nur für den Fall. Es war elf Uhr morgens, als ich die Tür verriegelte, und drei Uhr nachmittags, als ich wieder raus kam. Ich fand die Zeit gar nicht mal schlimm. Es waren nun mal die etwas anderen Ferien.

Die letzte Band, bei der ich war, löste sich nach einem Konzert im Hope and Anchor in Islington auf, nur ein paar Straßen von dort, wo ich jetzt wohne. Wir wussten schon, ehe wir auf die Bühne gingen, dass wir uns auflösen würden, aber wir hatten noch nicht darüber geredet. Am Vorabend hatten wir in Manchester vor einer äußerst bescheidenen Anzahl von Leuten gespielt und waren auf dem Rückweg alle ein bisschen gereizt gewesen, die meiste Zeit aber bloß mürrisch und still. Es fühlte sich ganz genauso an wie die Trennung von einer Frau, die man liebt: so ein elendes Gefühl im Magen, das Wissen, dass nichts, was man sagen kann, irgendetwas ändern würde, oder wenn, dann bestenfalls für die nächsten fünf Minuten. Bei einer Band ist es merkwürdiger, denn irgendwie weiß man, dass der Kontakt zu den Leuten nicht in der Weise abreißt wie bei einer Exfreundin. Ich hätte mit allen dreien am nächsten Abend an der Theke sitzen können, ohne uns zu streiten, aber mit der Band wäre es trotzdem aus und vorbei. Sie war mehr gewesen als nur wir vier Personen, sie war ein Haus gewesen, und wir die Menschen, die darin lebten. Nun hatten wir es verkauft, daher war es nicht mehr unseres. Ich sage das natürlich metaphorisch, denn keiner hätte auch nur einen müden Dime dafür bezahlt.

Nach dem Auftritt im Hope and Anchor jedenfalls (der Auftritt war von einer unfrohen Intensität, wie ein verzweifelter Trennungsfick) marschierten wir in den beschissenen kleinen Backstageraum und setzten uns in einer Reihe hin, und dann sagte Eddie: Fühlt sich an, als wär's das gewesen. Und dann machte er etwas, was ganz untypisch für ihn war, so gar nicht Eddies Art: Er streckte die Hände nach links und rechts aus, ergriff meine und Jesses Hand und drückte sie. Und Jesse nahm Billys Hand, sodass wir alle ein letztes Mal vereint waren, und Billy sagte: »Fick dich, du Schwuchtel«, und stand abrupt auf, was einem eigentlich alles über Schlagzeuger verrät, was man wissen muss.

Ich kannte meine Ferienbegleiter erst seit ein paar Wochen, aber auf dem Weg vom Hotel zum Flughafen spürte ich die gleiche Übelkeit. Es stand eine Trennung bevor, das konnte man riechen, und keiner sagte ein Wort. Und das kam aus demselben Grund, nämlich, dass wir mit einer Sache so weit gekommen waren, wie wir konnten, und es nun für uns nirgendwo mehr hinging. Ich nehme an, das ist der Grund, warum alles auseinander geht, Bands, Freundschaften, Ehen, was ihr wollt. Partys, Hochzeitsfeiern, alles.

Schon komisch, aber einer der Gründe, warum ich mich bei der Auflösung mies fühlte, war, dass ich mir Sorgen um die anderen Jungs machte. Scheiße, was sollten die jetzt anfangen? Wir waren alle nicht gerade überqualifiziert. Billy war nicht so groß im Lesen und Schreiben, wenn ihr versteht, was ich meine, und Eddie war zu, wie soll ich sagen, zu prügelfreudig, um sich längere Zeit in einem Job zu halten, und Jesse zog ganz gerne einen durch … Der Einzige, um den ich mir keine großen Sorgen machte, war ich. Ich würde zurechtkommen. Ich war klug, ich war ausgeglichen und ich hatte eine Freundin. Auch wenn mir bewusst war, dass ich es jeden beschissenen Tag meines Lebens vermissen würde, keine Musik mehr zu machen, konnte ich trotzdem ohne sie etwas machen und etwas sein. Und was passierte? Ein paar Wochen später kriegen Billy und Jesse einen Gig mit einer Band von zu Hause, deren Rhythmusgruppe desertiert war, Eddie kriegte Arbeit bei seinem Dad, und ich fuhr Pizza aus und wär beinahe von einem Hochhaus gesprungen.

Folglich war ich diesmal fest entschlossen, mir über die Mitglieder meiner Band keine Sorgen zu machen. Die kamen schon zurecht, redete ich mir ein. Es sah vielleicht nicht so aus, aber sie hatten bis jetzt überlebt, so einigermaßen jedenfalls, und es war ohnehin nicht mein Problem.

Im Taxi zum Flughafen unterhielten wir uns darüber, was wir gemacht hatten, was wir gelesen hatten und was wir als Erstes machen würden, wenn wir wieder zu Haus waren, und ähnlichen Mist, und während des Fluges nickten wir alle ein, denn es war ein früher Flug. Dann nahmen wir die U-Bahn von Heathrow nach King's Cross und von da den Bus. Und in diesem Bus begannen wir zu realisieren, dass wir uns vielleicht nicht mehr so oft treffen würden.

»Warum nicht?« fragte Jess.

»Weil wir nichts gemeinsam haben«, sagte Martin. »Wie der Urlaub bewiesen hat.«

»Ich fand, es lief okay.«

Martin schnaubte. »Wir haben nicht miteinander geredet.«

»Du hast dich die meiste Zeit auf einer Toilette versteckt«, sagte Jess.

»Und was meinst du wohl, warum? Weil wir Seelenverwandte sind? Oder weil unsere Beziehung nicht gerade die Erfüllung für mich ist?«

»Na klar, und welche Beziehung wär die Erfüllung für dich?«

»Und für dich?«

Jess dachte einen Moment nach und zuckte dann die Achseln.

»Die mit euch«, sagte sie.

Es entstand eine Pause die lang genug war, um zu erkennen, dass es auf Jess durchaus zutraf. Glücklicherweise ergriff Martin gerade in dem Moment das Wort, in dem uns zu dämmern begann, dass es auch auf uns zutreffen könnte.

»Ja. Na schön. Aber das sollte sie nicht sein, oder?«

»Willst du Schluss mit mir machen?«

»Wenn du es so ausdrücken möchtest. Den Urlaub haben wir durchgestanden. Und jetzt ist es Zeit, getrennte Wege zu gehen.«

»Und was ist mit dem Valentinstag?«

»Am Valentinstag können wir uns treffen, wenn du willst. Das hatten wir so ausgemacht.«

»Oben auf dem Dach?«

»Denkst du immer noch, du würdest vielleicht springen?«

»Keine Ahnung. Das ändert sich von Tag zu Tag.«

»Ich fände es schön, sich zu treffen«, sagte Maureen.

»Ich nehme an, der Valentinstag muss für dich ein ganz wichtiges Datum sein, was, Maureen?« sagte Jess. Sie sagte es im leichten Plauderton, aber Mauren bemerkte die versteckte Gehässigkeit und ging gar nicht erst darauf ein. Praktisch alles, was Jess sagte, konnte man als Bumerang gegen sie einsetzen, aber keiner von uns hatte mehr die Energie dazu. Wir schauten aus den Fenstern auf den Verkehr im Regen, und am Angel sagte ich Tschüss und stieg aus. Als ich dem Bus nachblickte, sah ich noch, wie Maureen den anderen, sogar Jess, ihre Pfefferminzbonbons anbot, und die Geste ging einem irgendwie zu Herzen.

Die nächste Woche über machte ich eigentlich nichts. Ich las viel und spazierte durch Islington, um zu sehen, ob nicht irgendwo ein mieser Job auf mich wartete. An einem Abend ließ ich zehn Pfund für eine Band namens Fat Chance springen, die in der Union Chapel auftrat. Sie hatte etwa zur selben Zeit angefangen wie wir. Mittlerweile hatte sie einen anständigen Deal und war ziemlich angesagt, aber ich fand sie lahm. Die standen da und spielten ihre Stücke runter, die Leute klatschten, es gab eine Zugabe, und dann ging man wieder, aber ich denke nicht, dass irgendeiner von uns nun um eine Erfahrung reicher war.

Beim Rausgehen wurde ich von einem Kerl erkannt, der so um die vierzig sein musste.

»Alles klar, JJ?« fragte er.

»Kennen wir uns?«

»Ich hab euch letztes Jahr im Hope and Anchor gesehen. Ich hab gehört, ihr habt euch aufgelöst. Lebst du jetzt hier?«

»Ja, erst mal.«

»Was machst du so? Bist du jetzt solo?«

»Ja, genau.«

»Cool.«

Wir trafen uns um acht Uhr abends am Valentinstag, und alle waren pünktlich. Jess hätte sich lieber später getroffen, um Mitternacht, wegen des dramatischen Effekts, aber keiner der anderen fand die Idee besonders gut, und Maureen wollte so spätnachts nicht mehr nach Hause fahren müssen. Ich traf sie auf dem Weg nach oben im Treppenhaus und sagte ihr, ich sei froh zu hören, dass sie anschließend wieder nach Hause wolle.

»Wo sollte ich denn sonst hin?«

»Nein, ich meinte bloß … Das letzte Mal hattest du nicht vor, nach Hause zu gehen, weißt du noch? Jedenfalls nicht im profanen Sinn, meine ich.«

»Im profanen Sinn?«

»Das letzte Mal wolltest du doch den schnellen Weg vom Dach nehmen.« Ich ließ meine Finger durch die Luft trippeln und dann jäh abstürzen, als würden sie von einem Dach springen. »Aber es klingt so, als würdest du heute den langen Weg nach unten nehmen.«

»Oh. Verstehe. Ja. Ich bin ein bisschen weitergekommen«, sagte sie. »Gedanklich, meine ich.«

»Das ist toll.«

»Ich glaube, das ist noch die positive Nachwirkung der Ferien.«

»Klasse.«

Und dann wollte sie nicht mehr reden, denn der Weg nach oben war ebenfalls lang, und ihr ging die Puste aus.

Martin und Jess trafen ein paar Minuten später ein, und wir sagten Hallo und standen dann zusammen herum.

»Was war noch mal der Anlass für das hier?« fragte Martin.

»Wir wollten uns treffen und sehen, wie es uns allen geht, und so«, sagte Jess.

»Ah.« Wir traten von einem Bein aufs andere. »Und wie geht's uns allen?«

»Maureen geht es gut«, sagte ich. »Oder, Maureen?«

»Stimmt. Ich sagte schon zu JJ, ich glaube, das ist noch die positive Nachwirkung der Ferien.«

»Welche Ferien? Die Ferien, die wir gerade hinter uns haben?« Er musterte sie und schüttelte dann mit einer Mischung aus Erstaunen und Bewunderung den Kopf.

»Wie sieht's bei dir aus, Mart?« fragte ich. »Wie geht es dir?« Aber eigentlich wusste ich schon, wie die Antwort lauten würde.

»Ach, weißt du. *Comme ci, comme ça.*«

»Blödmann«, sagte Jess.

Wir traten noch ein bisschen von einem Bein aufs andere.

»Ich habe etwas gelesen, von dem ich glaube, dass es euch alle interessieren könnte«, sagte Martin.

»Ach ja?«

»Ich hab mich gefragt ... Vielleicht wäre es besser, sich an einem anderen Ort als dem hier zu unterhalten. In einem Pub zum Beispiel.«

»Klingt ganz okay für mich«, sagte ich. »Ich mein, vielleicht sollten wir das sowieso feiern, oder?«

»Feiern?« fragte Martin, als hätte ich sie nicht alle.

»Na ja, ich meine, wir sind am Leben, und, und ...«

Damit war ich auch schon am Ende der Liste. Aber am Leben zu sein schien es mir wert zu sein, eine Runde zu schmeißen. Am Leben zu sein schien mir feiernswert. Es sei

denn, das war nicht das, was man wollte, dann natürlich …
Ach, Scheiße. Ich wollte in jedem Fall was trinken. Wenn uns
nichts anderes einfiel, dann war es eben feiernswert, dass ich
ein Bier vertragen konnte. Ein stinknormales menschliches
Verlangen war aus dem Nebel von Depression und Unent-
schlossenheit aufgetaucht.

»Maureen?«

»Ja, ist mir recht.«

»Es sieht mir nicht danach aus, als wollte irgendwer
springen«, sagte ich. »Nicht heute Abend. Lieg ich da richtig?
Jess?«

Sie hörte gar nicht zu.

»Oh, Fuck«, sagte sie. »Heilige Scheiße.«

Sie starrte zu der Ecke des Dachs, dort, wo Martin Silvester den Draht durchgeschnitten hatte. Da saß ein Typ, genau an der Stelle, wo Martin gesessen hatte, und schaute zu
uns rüber. Er war vielleicht ein paar Jahre älter als ich, und er
sah wirklich verängstigt aus.

»He, Mann«, sagte ich ruhig. »He. Bleib ganz ruhig.«

Ich ging langsam auf ihn zu.

»Komm bitte nicht näher«, sagte er. Er war panisch, den
Tränen nah, zog hektisch an einer Kippe.

»Das kennen wir alle«, sagte ich. »Komm wieder hier auf
die Seite, dann darfst du bei uns mitmachen. Das ist unsere
Wiedersehensfeier.« Ich versuchte, näher heranzukommen.
Er sagte kein Wort.

»Ja«, sagte Jess. »Sieh uns an. Uns geht's gut. Du denkst,
du stehst den Abend nie durch, aber du schaffst es.«

»Ich will nicht«, sagte der Typ.

»Erzähl uns, was los ist«, sagte ich. Ich wagte noch ein
paar Schritte. »Scheiße, wir sind alle Experten auf dem Ge-
biet. Maureen zum Beispiel …«

Aber weiter kam ich nicht. Er schnippte die Zigarette
über die Kante und stieß sich dann mit einem leisen Stöhnen

ab. Dann kam Stille, und dann kam der Bums, mit dem sein Körper all die vielen Stockwerke tiefer auf den Beton aufschlug. Diese beiden Laute, das Stöhnen und den dumpfen Bums, habe ich seither an jedem einzelnen Tag gehört, und ich weiß immer noch nicht, welcher davon schauriger ist.

TEIL 3

Dass dieser Typ runtergesprungen war, löste bei uns allen zwei tief greifende und zunächst vielleicht widersprüchlich erscheinende Reaktionen aus. Erstens begriffen wir durch ihn, dass wir nicht fähig waren, uns umzubringen. Und zweitens ließ uns diese Erkenntnis wieder an Selbstmord denken.

Das ist gar nicht so paradox, wenn man irgendwas von der Perversität der menschlichen Natur versteht. Ich habe vor langem mal mit einem Alkoholiker gearbeitet – jemand, dessen Name ungenannt bleiben muss, da Sie bestimmt schon von ihm gehört haben. Er erzählte mir, der Tag, an dem sein erster Versuch, die Finger vom Sprit zu lassen, scheiterte, sei der schlimmste Tag seines Lebens gewesen. Er hatte immer geglaubt, er könne das Trinken sein lassen, wenn er es ernsthaft wollte, deswegen hatte er diese Möglichkeit irgendwo in einer Sockenschublade seines Gehirns gebunkert. Als er jedoch feststellte, dass diese Möglichkeit in Wirklichkeit nie bestanden hatte ... Tja, da wollte er seinem Leben ein Ende machen, wenn ich unsere Probleme an dieser Stelle mal vermengen darf.

Ich hatte nie richtig verstanden, was er gemeint hatte, bis ich sah, wie dieser Kerl vom Dach sprang. Bis dahin war Runterspringen immer eine Option gewesen, ein Ausweg, ein Notgroschen für klamme Tage. Und dann war das Geld plötzlich weg – oder besser gesagt, es hatte uns nie gehört. Es gehörte dem Kerl, der gesprungen war, und seinesgleichen, denn es bedeutet gar nichts, die Beine über den Abgrund baumeln zu lassen, wenn man nicht bereit ist, die letzten Zentimeter zu gehen, und das war keiner von uns gewesen. Wir konnten uns selbst und einander etwas anderes vormachen – oh, sicher, ich hätte es getan, wenn dieser oder jener nicht da gewesen wäre, dieser oder jener nicht auf meinem Kopf gesessen hätte –, aber Tatsache blieb, dass es uns noch gab, obwohl wir ausreichend Gelegenheit hatten, das zu ändern. Warum waren wir in der Nacht damals wieder runtergegangen? Wir sind runtergegangen, weil wir meinten, einen Trottel namens Chas suchen zu müssen, der sich als unwichtige Fußnote für unsere Geschichte erweisen sollte. Ich bin nicht sicher, ob wir unseren Springer hätten überreden können, nach Chas zu suchen. Er hatte andere Dinge im Kopf. Ich frage mich, wie er auf der Suizidvorsatzskala von Aaron T. Beck abgeschnitten hätte. Ganz gut, sollte man meinen, es sei denn, Aaron T. Beck läge völlig daneben. Man konnte nicht behaupten, der Vorsatz sei nicht da gewesen.

Nachdem er gesprungen war, machten wir schleunigst, dass wir von diesem Dach kamen. Wir hielten es für das Beste, nicht zu bleiben und zu erklären, welche Rolle wir beim Ableben des armen Kerls gespielt beziehungsweise nicht gespielt hatten. Wir hatten schließlich unsere kleine Topper's-Vorgeschichte, und wenn wir hier warteten, würden wir den Fall nur verkomplizieren. Wenn die Leute erführen, dass wir hier oben gewesen waren, würde die glasklare Story – unglücklicher Mensch springt von Hochhaus – nur getrübt und für die Menschen eher unverständlicher als verständlicher sein. Und das wollten wir doch nicht.

Wir hasteten daher so schnell es Raucherlungen und Krampfaderbeine zuließen die Treppen runter und gingen dann auseinander. Wir waren zu nervös, um in unmittelbarer Nähe irgendwo etwas zu trinken, und auch zu nervös, um gemeinsam ein Taxi zu nehmen, daher trennten wir uns, kaum dass wir auf der Straße waren. (Auf dem Heimweg fragte ich mich, wie es abends wohl in dem Pub war, der Topper's House am nächsten lag? Tummelten sich darin verzweifelte Menschen, die im Begriff waren hochzusteigen, oder halb verstörte, halb erleichterte Menschen, die gerade wieder runtergekommen waren? Vielleicht auch eine heikle Mischung aus beiden? Ob der Wirt die Einzigartigkeit seiner Klientel nutzt? Beutet er deren seelische Verfassung finanziell aus – zum Beispiel, indem er eine Unhappy Hour anbietet? Versucht er, die Aufsteiger – die in diesem Kontext die sehr Unglücklichen sind – und die Absteiger miteinander bekannt zu machen? Oder die Aufsteiger? Hat in dem Pub je ein Paar zueinander gefunden? Hatte der Pub möglicherweise schon eine Heirat, vielleicht auch ein Kind hervorgebracht?)

Wir trafen uns am darauf folgenden Nachmittag im Starbucks wieder, und alle hatten den Blues. Noch ein paar Tage zuvor, direkt nach dem Urlaub, war absolut klar gewesen, dass wir einander nicht mehr von großem Nutzen waren, aber jetzt konnte man sich kaum vorstellen, wer sonst ein passender Umgang für uns sein sollte. Ich sah mir die anderen Kunden im dem Laden an: junge Mütter mit Buggys und Kinderwagen, junge Männer im Anzug und Frauen in Kostümen mit Handys und Unterlagen, ausländische Studenten ... Ich versuchte mir vorzustellen, mit einem von ihnen zu reden, doch es gelang mir nicht. Die würden nichts hören wollen von Leuten, die von Hochhäusern sprangen. Das würde keiner wollen, abgesehen von den Leuten, mit denen ich zusammensaß.

»Scheiße, ich war die ganze Nacht wach und hab an den Typen gedacht«, sagte JJ. »Mann. Was ging da ab?«

»Weißt du, das war bestimmt bloß so eine übersensible Primadonna. Eine männliche Primadonna. Ein Primadon«, sagte Jess. »So sah er jedenfalls aus.«

»Sehr scharf beobachtet, Jess«, sagte ich. »Nach dem Eindruck, den wir kurz vor seinem Sprung von ihm gewinnen konnten, kam er mir auch nicht wie ein Mensch mit ernsthaften Problemen vor. Jedenfalls im Vergleich mit deinen.«

»Es wird in der Lokalpresse stehen«, sagte Maureen. »So ist es meistens. Früher habe ich solche Artikel immer gelesen.

Besonders wenn es auf Silvester zuging. Ich habe mich dann immer mit denen verglichen.«

»Und? Wie hast du abgeschnitten?«

»Ach«, meinte Maureen, »ganz gut. Einiges konnte ich nicht nachvollziehen.«

»Was zum Beispiel?«

»Geldprobleme.«

»Ich schulde einer Menge Leute Geld«, sagte Jess stolz.

»Vielleicht solltest du Selbstmord in Erwägung ziehen«, sagte ich.

»Es ist nicht viel«, sagte Jess. »Mal zwanzig Pfund hier und zwanzig Pfund da.«

»Trotzdem. Schulden sind Schulden. Und wenn du sie nicht begleichen kannst … Vielleicht solltest du den einzig ehrenhaften Ausweg wählen.«

»He, Leute«, sagte JJ. »Bleiben wir doch bei der Sache.«

»Bei welcher? Ist das nicht gerade unser Problem? Nichts, wobei wir bleiben können?«

»Bleiben wir bei diesem Kerl.«

»Wir wissen doch nicht das Geringste über ihn.«

»Schon, ja, aber, ich weiß auch nicht. Irgendwie finde ich ihn wichtig. Wir waren auch drauf und dran, das zu tun.«

»Waren wir?«

»Ich ja«, sagte Jess.

»Aber du hast es nicht getan.«

»Du hast auf mir draufgesessen.«

»Aber seitdem hast du es nicht noch mal versucht.«

»Na ja. Erst waren wir auf dieser Party. Dann sind wir in Urlaub gefahren. Und … na ja. Es kam dauernd irgendwas dazwischen.«

»Schrecklich, so was. Du musst dir unbedingt ein paar Tage im Terminkalender freihalten. Sonst kommt dir ständig das Leben in die Quere.«

»Halt die Fresse.«

»Leute, Leute …«

Wieder mal hatte ich mich auf ein würdeloses Gezänk mit Jess eingelassen. Ich beschloss, staatsmännischer aufzutreten.

»Wie JJ habe ich eine lange Nacht mit Überlegen zugebracht«, sagte ich.

»Blödmann.«

»Und ich bin zu dem Schluss gekommen, dass wir es nicht ernst meinen. Das haben wir nie getan. Wir waren kürzer davor als manch einer, aber nicht annähernd so kurz wie ein anderer. Und deswegen sind wir in einer Sackgasse angekommen.«

»Seh ich auch so. Wir sind im Arsch«, sagte JJ. »Sorry, Maureen.«

»Ich hab irgendwas nicht mitgekriegt«, sagte Jess.

»Das ist es«, sagte ich. »Das sind wir.«

»Was?«

»Dies hier.« Ich wies vage auf unsere Umgebung, die Gesellschaft, in der wir uns befanden, den Regen draußen – das alles schien über unseren gegenwärtigen Zustand zu sprechen. »Das hier ist es. Es führt kein Weg hier raus. Nicht mal dieser Ausweg ist ein Ausweg. Nicht für uns.«

»Scheiß drauf«, sagte Jess. »Und *nicht* sorry, Maureen.«

»Gestern Abend wollte ich euch was erzählen, was ich in einer Zeitschrift gelesen habe. Über Selbstmord. Wisst ihr noch? Dieser Typ meinte jedenfalls, dass die Krise neunzig Tage dauert.«

»Welcher Typ?« fragte JJ.

»Dieser Suizidologe.«

»Das ist ein Beruf?«

»Alles ist ein Beruf.«

»Ja, und weiter?« fragte Jess.

»Demnach hätten wir sechsundvierzig von den neunzig Tagen rum.«

»Und was passiert nach den neunzig Tagen?«

»Da *passiert* gar nichts«, sagte ich. »Es ist nur alles … anders. Dinge verändern sich. Die spezifische Anordnung der Sachen, die dich zu dem Schluss geführt haben, dein Leben sei unerträglich … die hat sich irgendwie verschoben. Das ist so eine Art Real-Life-Version von Astrologie.«

»Für dich ändert sich gar nichts«, sagte Jess. »Du wirst immer noch der Pfeifenheini aus der Glotze sein, der mit einer Fünfzehnjährigen gepennt hat und in den Knast gewandert ist. Das wird nie jemand vergessen.«

»Ja. Gut. Ich bin sicher, auf mich ist die Neunzig-Tage-Regel nicht anwendbar«, sagte ich. »Wenn dich das glücklich macht.«

»Maureen wird sie auch nicht helfen«, sagte Jess. »Oder JJ. Ich könnte mich allerdings ändern. Das mach ich oft.«

»Na, jedenfalls, worauf ich hinauswill, ist, dass wir unsere Deadline weiter rausschieben. Weil … Tja, ich weiß nicht, wie's bei euch aussieht, aber mir ist heute Morgen klar geworden, dass ich noch nicht, na ja, bereit bin, schon solo zu bleiben. Schon komisch, denn ich mag eigentlich keinen von euch so richtig. Aber wie es aussieht, seid ihr, ich weiß auch nicht, das, was ich jetzt brauche. Wisst ihr, so wie man manchmal weiß, dass man mehr Kohl essen sollte. Oder mehr Wasser trinken. So ähnlich.«

Es gab ein allgemeines Füßescharren, das ich als widerstrebende Solidaritätserklärung interpretierte.

»Danke, Mann«, sagte JJ. »Sehr anrührend. Wann wären die neunzig Tage rum?«

»Am 31. März.«

»Was für ein Zufall, oder?« sagte Jess. »Genau drei Monate.«

»Worauf willst du hinaus?«

»Na ja. Das ist nicht gerade streng wissenschaftlich, oder?«

»Ach ja, und achtundachtzig Tage wären es?«

»Ja, schon wissenschaftlicher.«

»Nein, ich kapier schon«, sagte JJ. »Drei Monate hört sich gut an. Drei Monate sind wie eine Jahreszeit.«

»Ziemlich genau sogar«, stimmte ich zu. »Wenn man davon ausgeht, dass es vier Jahreszeiten gibt und zwölf Monate im Jahr.«

»Also helfen wir uns durch den Winter. Das ist cool. Denn im Winter kriegt man den Blues«, sagte JJ.

»Scheint ganz so«, sagte ich.

»Aber wir müssen auch irgendetwas *machen*«, sagte JJ. »Wir können nicht einfach dahocken und warten, bis die drei Monate rum sind.«

»Typisch Amerikaner«, sagte Jess. »Was willst du denn machen? Irgendein kleines Land bombardieren?«

»Klar. Das würd mich auf andere Gedanken bringen, ein kleines Bombardement.«

»Was denn dann?« fragte ich ihn.

»Ich weiß auch nicht, Mann. Ich weiß nur, dass wir uns nicht selbst helfen, indem wir sechs Wochen mit Jammern und Angiften verbringen.«

»Jess hat Recht«, sagte ich. »Typisch saublöder Ami. ›Sich selbst helfen.‹ Hilf dir selbst, dann hilft dir Gott. Du kannst alles werden, wenn du es richtig willst, was? Sogar Präsident.«

»Was habt ihr Arschlöcher bloß immer? Ich rede nicht davon, Präsident zu werden. Ich rede davon, ich sag mal, einen Job als Bedienung zu finden.«

»Großartig«, sagte Jess. »Bringen wir uns doch einfach nicht um, weil uns irgendwer fünfzig Pence Trinkgeld gibt.«

»In diesem Scheißland kaum mit zu rechnen«, sagte JJ. »Sorry, Maureen.«

»Geh doch dahin zurück, wo du hergekommen bist«, sagte Jess.

»Klar, dann wär alles anders. Außerdem sind unsere Gebäude höher, nicht wahr?«

»Also«, sagte ich. »Noch vierundvierzig Tage.«

Es stand noch etwas anderes in dem Artikel, den ich gelesen hatte: ein Interview mit einem Mann, der einen Sprung von der Golden Gate Bridge in San Francisco überlebt hatte. Er sagte, in den zwei Sekunden, nachdem er gesprungen war, sei ihm klar geworden, dass es nichts im Leben gab, womit er nicht zurechtkommen, kein Problem, das er nicht lösen konnte – außer dem, das er sich gerade geschaffen hatte, indem er von der Brücke sprang. Ich weiß nicht, warum ich den anderen nichts davon erzählte, es war ja keine ganz uninteressante Information. Trotzdem wollte ich es vorerst für mich behalten. Es erschien mir wie etwas, das später vielleicht besser passen würde, wenn die Geschichte vorbei wäre. Falls sie je vorbei sein würde.

MAUREEN

Es stand in der Woche darauf in der Lokalzeitung. Ich schnitt den Artikel aus und bewahrte ihn auf. Ich habe ihn wieder und wieder gelesen, bloß um den armen Kerl besser zu verstehen. Er ging mir einfach nicht aus dem Kopf. Er hieß David Fawley und war wegen Problemen mit seiner Frau und seinen Kindern gesprungen. Sie hatte einen anderen kennen gelernt und war mit den Kindern zu ihm gezogen. Er wohnte nur zwei Straßen von mir entfernt, was mir sehr seltsam vorkam, so ein Zufall, bis mir einfiel, dass Menschen aus der Lokalzeitung nun mal gewöhnlich in der Nähe wohnten, außer es ist mal jemand nur zu Besuch da, um eine Schule zu eröffnen oder so. Glenda Jackson war zum Beispiel mal hier, um Mattys Schule zu besuchen.

Martin hatte Recht. Als ich den Mann springen sah, begriff ich, dass ich Silvester nicht dazu bereit gewesen war. Ich war bereit gewesen, die Vorbereitungen zu treffen, weil mir das eine Beschäftigung gegeben hatte – ich konnte mich auf Silvester freuen, wenn auch auf eine seltsame Art. Und als ich dann Menschen traf, mit denen ich reden konnte, war ich glücklich, reden zu können, anstatt zu springen. Sie hätten mich springen lassen, glaube ich, nachdem ich ihnen erst mal erklärt hatte, aus welchem Grund ich da oben war. Sie hätten sich mir nicht in den Weg gestellt oder auf meinen Kopf gesetzt. Aber ich wäre in jedem Fall die Treppe wieder runtergegangen und zu dieser Party gegangen. Dieser arme David hatte nicht mit uns reden wollen, das war mir aufgefallen. Er war zum Springen gekommen, nicht zum Schwatzen. Ich hatte gedacht, ich wäre zum Runterspringen hingegangen, aber trotzdem blieb ich beim Schwatzen.

Wenn man so überlegt, waren dieser David und ich ein Gegensatzpaar. Er brachte sich um, weil seine Kinder weg waren, und ich hatte daran gedacht, weil mein Sohn immer noch da war. Es muss viele solche Gegensatzpaare geben. Es muss Leute geben, die sich umbringen, weil ihre Ehe beendet ist, und andere, die sich umbringen, weil sie aus ihrer Ehe keinen Ausweg sehen. Ich fragte mich, ob man das mit jedem machen kann, ob jede unglückliche Lage ihr Komplementärunglück hat. Bei Leuten mit Schulden konnte ich mir das allerdings nicht vorstellen. Es hat sich noch nie einer umgebracht, weil er zu viel Geld hatte. Diese Scheichs mit ihrem Öl scheinen nicht oft Selbstmord zu begehen. Oder wenn, dann spricht niemand darüber. Na, jedenfalls war vielleicht etwas an dieser Idee mit den Gegensatzpaaren dran. Ich hatte jemanden, und David hatte niemanden; er sprang, und ich nicht. Wenn es um Selbstmord geht, gibt es keine Sieger und Verlierer, wenn Sie verstehen, was ich meine. Es gibt keinen Strick, der einen zurückhält.

Ich betete für Davids Seelenheil, auch wenn ich wusste, dass es ihm nichts nützen würde, denn er hatte die Sünde der Verzweiflung begangen, und meine Gebete würden auf taube Ohren stoßen. Als Matty dann eingeschlafen war, ließ ich ihn für fünf Minuten alleine und ging die Straße runter, um mir anzusehen, wo David gelebt hatte. Ich weiß nicht, warum ich das tat oder was ich dort zu sehen hoffte, denn natürlich war dort gar nichts. Es war eine von diesen Straßen mit großen Häusern, die in Mietwohnungen aufgeteilt sind, und alles, was ich herausfand, war, dass er in einer Wohnung gelebt hatte. Dann war es Zeit, kehrtzumachen und wieder nach Hause zu gehen.

Am Abend sah ich im Fernsehen die Serie mit dem schottischen Detektiv, der mit seiner Exfrau nicht so gut auskommt. Da musste ich noch mehr an David denken, denn er schien mit seiner Exfrau ja auch nicht so gut ausgekommen zu sein. Ich weiß nicht, ob es in dieser Serie wirklich darum ging, denn es gab nicht viele Gelegenheiten zu Streitereien zwischen dem schottischen Detektiv und seiner Exfrau, weil er die meiste Zeit damit zu tun hatte, herauszufinden, wer diese eine Frau umgebracht und vor dem Haus ihres Exmanns (das war ein anderer Exmann) abgelegt hatte, um den Verdacht auf ihn zu lenken. Also, in der einstündigen Sendung entfielen etwa zehn Minuten auf Streitereien mit seiner Exfrau und fünfzig Minuten darauf, wer die Frauenleiche in den Mülleimer gesteckt hatte. Eher vierzig Minuten, wenn man die Werbung abzieht. Das fiel mir auf, weil mich die Streitereien eigentlich mehr interessierten als die Leiche, und die Streitereien irgendwie nicht so häufig vorkamen.

Und ich fand das ganz angemessen, zehn Minuten pro Stunde. Es war höchstwahrscheinlich für die Serie angemessen, denn er war Detektiv, und für ihn wie für die Zuschauer war es wichtiger, dass er den Großteil der Zeit darauf verwandte, die Mordfälle zu lösen. Aber ich meine, selbst wenn man keine Fernsehserie ist, sind zehn Minuten pro Stunde für persönliche Probleme ganz in Ordnung. Dieser David Fawley war arbeitslos, also gut möglich, dass er sechzig Minuten pro Stunde über seine Exfrau nachdachte, und wenn man das tut, muss man ja schließlich auf dem Dach des Topper's House landen.

Ich muss es wissen. Bei mir gibt es zwar keinen Streit, aber ich habe es in meinem Leben oft genug nicht verhindern können, dass Matty sechzig Minuten pro Stunde einnimmt. Es gab nichts anderes, worüber ich hätte nachdenken können. Durch die anderen und das, was in deren Leben passiert war und passierte, hatte ich in letzter Zeit mehr Stoff zum Nachdenken, aber zumeist, an den meisten Tagen gab es nur mich und meinen Sohn, und das bedeutete Unheil.

An diesem Abend jedenfalls war mein Kopf eine Rumpelkammer. Ich lag halb wach im Bett, dachte an David, an den schottischen Detektiv, und dass ich vom Dach runtergekommen war, um Chas zu suchen, und schließlich bekam ich diese Gedanken entwirrt, und als ich am Morgen aufwachte, beschloss ich, es sei eine gute Idee herauszufinden, wo Martins Frau und Kinder lebten, und dann hinzugehen und mit ihnen zu reden und zu sehen, ob eine Chance bestand, die Familie wieder zu kitten. Denn falls das funktionierte, würde Martin sich über manches nicht so grämen müssen und hätte jemanden anstatt niemanden, und ich hätte etwas, womit ich mich vierzig oder fünfzig Minuten pro Stunde beschäftigen könnte, und damit wäre jedem geholfen.

Aber als Detektivin war ich hoffnungslos. Ich wusste, dass Martins Frau Cindy hieß, also schlug ich im Telefonbuch Cindy Sharp nach, aber sie stand nicht drin, und ich wusste nicht weiter. Also fragte ich Jess, denn ich glaubte nicht, dass JJ mein Vorhaben gutheißen würde, und sie fand alle Informationen, die wir brauchten, innerhalb von fünf Minuten in einem Computer. Dann wollte sie mich allerdings zu Cindy begleiten, und ich erlaubte es ihr. Ich weiß, ich weiß. Aber versuchen Sie mal, ihr etwas abzuschlagen.

JESS

Ich ging an Dads Computer, gab »Cindy Sharp« bei Google ein und fand ein Interview, das sie irgendeiner Frauenzeitschrift gegeben hatte, als Martin ins Gefängnis musste. »Cindy Sharp erzählt zum ersten Mal über ihre bittersten Stunden« und der ganze Quatsch. Man konnte sogar ein Foto von ihr und ihren beiden Mädchen anklicken. Cindy sah wie Penny aus, nur älter und ein bisschen fetter, vom Kinderkriegen und so. Und jede Wette, dass Penny wie diese Fünfzehnjährige aussieht, nur dass die Fünfzehnjährige noch schlanker als Penny ist und größere Titten hat oder so. Das sind schon Flaschen, oder? Männer wie Martin? Frauen sind für die so was wie verfickte Laptops oder so, nach dem Motto, mein alter ist kaputt und außerdem gibt es jetzt welche, die schlanker sind und mehr können.

Ich las also dieses Interview, und da stand, dass sie in einem Ort namens Torley Heath lebte, etwa vierzig Meilen von London entfernt. Wenn sie vorhatte zu verhindern, dass Leute wie wir irgendwann bei ihr vor der Tür stehen würden, um ihr zu sagen, sie soll zu ihrem Mann zurückkehren, dann hatte sie einen großen Fehler begangen, denn die Interviewerin beschrieb haargenau, wo im Ort ihr Haus liegt – gegenüber einem altmodischen Eckladen, das zweite Haus neben der Dorfschule. Sie hat uns das alles beschrieben, weil wir sehen sollten, wie idealistisch oder was weiß ich Cindys Leben ist. Abgesehen von der Tatsache, dass ihr Ehemann wegen Sex mit einer Fünfzehnjährigen im Gefängnis saß.

Wir beschlossen, JJ nichts zu sagen. Wir waren ziemlich sicher, dass er uns aus irgendeinem bescheuerten Grund zurückhalten würde. Er würde sagen: »Das geht euch nichts an« oder: »Ihr werdet ihm noch die letzte Chance versauen, die er hat.« Aber Maureen und ich fanden, wir hätten ein schlagendes Argument. Unser Argument war Folgendes: Gut, Cindy mochte Martin hassen, weil er ein *real playa* war, der mit jeder und überallhin mitgehen würde. Aber nun war er selbstmordgefährdet und würde sehr wahrscheinlich mit niemandem mehr irgendwohin gehen, zumindest eine Weile nicht. Im Grunde müsste sie ihn, wenn sie ihn nicht zurücknehmen wollte, so sehr hassen, dass sie ihm den Tod wünschte. Und da muss viel Hass zusammenkommen. Stimmt, er hat nie gesagt, er wolle wieder mit ihr zusammen sein, aber er gehörte in ein gefestigtes familiäres Umfeld, an einen Ort wie Torley Heath. Es war besser, an einem Ort, wo es nichts zu tun gab, nichts zu tun, als in London, wo überall Ärger lauerte – minderjährige Mädchen, Nachtclubs und Hochhäuser. Das war unser Eindruck.

Wir machten also eine Landpartie. Maureen fabrizierte so scheußliche altmodische Sandwiches mit Eiern und Zeugs, die ich nicht runterkriegte. Wir sind mit der U-Bahn nach Paddington, dann mit dem Zug nach Newbury und von dort mit dem Bus nach Torley Heath. Ich hatte mir Sorgen gemacht, dass Maureen und ich uns nicht viel zu sagen hätten und uns total anöden würden und ich am Schluss aus reiner Langeweile was Dummes anstellen würde. Aber so war es gar nicht, hauptsächlich meinetwegen und weil ich mich so bemühte. Ich beschloss, so ein Umfragemensch zu sein und alles über Maureens Leben herauszufinden, so langweilig oder deprimierend das auch sein mochte. Das einzige Problem war, dass es tatsächlich zu langweilig und deprimierend war, um hinzuhören, daher schaltete ich gewissermaßen ab, wenn sie redete, und dachte mir dabei schon mal die nächste Frage aus. Ein paar Mal sah sie mich seltsam an, deswegen vermute ich, dass sie mir oft gerade etwas erzählt hatte, wonach ich sie dann erneut fragte. Wie einmal, als ich mich wieder einklinkte und hörte, wie sie sagte, blabla, blabla … Frank kennen gelernt. Also frag ich, Wann hast du Frank kennen gelernt, aber ich glaub, das war genau das, was sie gerade gesagt hatte, Und bei der Gelegenheit lernte ich Frank kennen. Daran musste ich also noch arbeiten, wenn ich mal Interviewerin werden wollte. Aber seien wir realistisch, ich würd auch keine Leute interviewen, die nie irgendwas machen und einen behinderten Sohn haben, oder? Bei anderen würde man sich besser konzentrieren können, weil sie über ihren neuen Film oder andere Sachen reden würden, die einen wirklich interessieren.

Na, Hauptsache war, dass wir eine komplette Reise zum Arsch der Welt hinter uns brachten, ohne dass ich fragte, ob sie schon mal einer von hinten gefickt hat oder so was in der Art. Und da wurde mir bewusst, dass ich seit Silvester weit gekommen war. Ich war als Mensch gereift. Was mich wiederum auf den Gedanken brachte, dass unsere Geschichte sich ihrem Ende näherte, und zwar einem Happyend. Weil ich als Mensch gereift war und wir jetzt in der Phase waren, in der man dem anderen hilft, seine Probleme zu lösen. Wir hockten nicht bloß trübselig rum. So enden Geschichten doch, oder? Wenn die Leute beweisen, dass sie was gelernt haben, und wenn Probleme gelöst werden. Ich hab endlos viele Filme in der Art gesehen. Heute helfen wir Martin, dann kümmern wir uns um JJ, dann um mich und dann um Maureen. Und nach neunzig Tagen würden wir uns oben auf dem Dach treffen und lachen und uns umarmen und wissen, dass wir uns weiterentwickelt hatten.

Die Bushaltestelle befand sich genau vor dem Dorfladen, der in dem Zeitschriftenartikel erwähnt worden war. Wir stiegen also aus, standen vor dem Laden und guckten, was es auf der anderen Straßenseite zu sehen gab. Zu sehen war so ein kleines cottageähnliches Ding mit einem niedrigen Mäuerchen, über das man in den Garten gucken konnte, in dem zwei kleine Mädchen, eingemummt in Mützen und Schals, mit einem Hund spielten. Ich fragte also Maureen, Weißt du, wie Martins Kinder heißen? Sie darauf, Ja, die heißen Polly und Maisie – was mir ganz glaubwürdig vorkam. Ich konnte mir vorstellen, dass Martin und Cindy Kinder mit den Namen Polly und Maisie haben, was so altmodische, vornehme Namen sind, damit alle so tun konnten, als ob Mr Darcy oder so gleich nebenan wohnt. Ich rief also, Polly! Maisie! Sie guckten und kamen zu uns rüber, und damit war meine Detektivarbeit erledigt.

Wir klopften, und Cindy öffnete die Tür und guckte mich an, als käme ich ihr bekannt vor, und ich sagte dann so, Ich bin Jess. Ich bin eine von den Topper's House Four, und in der Zeitung haben sie mir eine Affäre mit Ihrem Ehemann oder was er jetzt ist unterstellt. Was übrigens gelogen ist. (Also, ich hab zu *ihr* gesagt, dass das eine Lüge ist, nicht zu euch. Ich wüsste wirklich gern, wo diese Dinger, die Anführungszeichen, geblieben sind. Auf einmal kommen sie mir ganz sinnvoll vor.)

Und sie sagte, Exehemann, ein eher unfreundlicher und nicht sehr viel versprechender Gesprächsbeginn.

Ich darauf dann, Tja, darum geht's ja grade, oder?

Und sie, Ach ja?

Und ich wieder, Ja, darum geht's. Weil er nicht Ihr Exehemann sein müsste.

Darauf sie, Oh doch, ganz bestimmt.

Und dabei waren wir noch nicht mal über die Schwelle getreten.

An der Stelle meinte dann Maureen, Könnten wir vielleicht reinkommen und uns mit Ihnen unterhalten? Ich heiße Maureen. Ich bin ebenfalls eine Bekannte von Martin. Wir sind mit dem Zug aus London hergekommen.

Und mit dem Bus, sagte ich. Ich wollte sie bloß wissen lassen, dass wir keine Mühe gescheut hatten.

Und Cindy sagte, Tut mir Leid, kommen Sie rein. Nicht, Tut mir Leid, aber verpisst euch, wie ich erwartet hatte. Sie entschuldigte sich für ihre Unhöflichkeit, uns vor der Tür stehen zu lassen. Deswegen dachte ich, Oh, das wird ja easy. Die hab ich in zehn Minuten so weich geklopft, dass sie ihn zurücknimmt.

Wir gehen also in das Cottage, und es ist echt gemütlich, aber gar nicht wie aus einer Zeitschrift, wie ich eigentlich erwartet hatte. Die Möbel passten nicht richtig zueinander, und alles war alt und roch ein bisschen nach Hund. Sie führte uns ins Wohnzimmer, und da saß so ein Typ vor dem Kamin. Er sah gut aus, jünger als sie, und ich dachte, Oh-oh, der hat sich hier ins gemachte Nest gesetzt. Denn er hatte einen Walkman auf und die Schuhe ausgezogen, und in einem fremden Haus hört man nicht Musik auf einem Walkman und hat keine Schuhe an, wenn man nur zu Besuch ist.

Cindy ging zu ihm rüber, tippte ihm auf die Schulter und sagte, Wir haben Besuch, und er sagt, Oh, tut mir Leid. Ich hab mir das Harry-Potter-Hörbuch angehört, gelesen von Stephen Fry. Die Kinder lieben es, da dachte ich, ich hör mal rein. Haben Sie's schon mal gehört? Worauf ich sag, Aber klar, seh ich für Sie aus wie eine Neunjährige? Und darauf ist ihm dann nichts eingefallen. Er nahm den Kopfhörer ab und drückte einen Knopf an dem Gerät.

Cindy sagte, Der Hund, mit dem die Mädchen spielen, gehört Paul. Ich dachte, Ach, nee? Aber ich sprach es nicht aus.

Cindy erklärte ihm, wir seien Freunde von Martin, und er fragte sie, ob er gehen solle, worauf sie sagte, Nein, natürlich nicht, egal, was sie mir sagen wollen, ich will, dass du das auch hörst. Darauf ich, Tja, wir sind hergekommen, um Cindy zu sagen, sie soll zu Martin zurückkehren, also willst du es vielleicht doch nicht hören. Darauf fiel ihm dann auch nichts mehr ein.

Maureen sah mich an und sagt dann, Wir machen uns Sorgen um ihn. Darauf Cindy, Ja, gut, ich kann nicht behaupten, dass mich das überrascht. Dann erzählte Maureen ihr von dem Typ, der sich umgebracht hat, und zwar, weil seine Frau und seine Kinder ihn verlassen hatten, worauf Cindy sagte, Wissen Sie, dass Martin *uns* verlassen hat? Dass nicht wir ihn verlassen haben? Dann sagte ich so was wie, Klar, deswegen sind wir hier. Weil, wenn Sie *ihn* verlassen hätten, wär dieser ganze Ausflug ja reine Zeitverschwendung. Aber, na ja, wir sind hier, um Ihnen zu sagen, dass er gewissermaßen seine Meinung geändert hat. Und Maureen sagte, Ich denke, er weiß, dass es ein Fehler war. Darauf Cindy, Ich habe nie daran gezweifelt, dass ihm das früher oder später klar würde, und ich habe nie daran gezweifelt, dass es dann zu spät sein würde. Da sagte ich, Es ist nie zu spät, was dazuzulernen. Und sie dann, Für ihn schon. Ich sagte, ich fände, sie würde ihm eine zweite Chance schulden, worauf sie so grinste und sagte, das könnte sie so nicht akzeptieren, worauf ich sagte, ich könnte nicht akzeptieren, dass sie das nicht akzeptiert, und sie sagte, wir müssten akzeptieren, dass wir das nicht akzeptieren. Darauf ich, Sie wollen also echt, dass er sich umbringt?

Darauf wurde sie etwas kleinlaut, und ich dachte, jetzt hätte ich sie. Aber dann sagt sie, Ich habe selbst an Selbstmord gedacht, vor einiger Zeit, als es wirklich schlimm stand. Aber ich durfte das nicht, wegen der Mädchen. Und es ist bezeichnend für den Stand der Dinge, dass ihm das freisteht. Er empfindet sich nicht als Teil einer Familie. Er fand es grässlich, Teil einer Familie zu sein. Und da habe ich mir gesagt, dass es seine Sache ist. Wenn er sich die Freiheit genommen hatte, herumzuficken, dann steht es ihm auch frei, sich umzubringen. Finden Sie nicht?

Darauf ich, Gut, ich verstehe, was Sie meinen. Was ein Fehler war, denn das stärkte nicht gerade meine Position.

Cindy sagte, Hat er Ihnen erzählt, ich ließe ihn die Mädchen nicht besuchen?

Und Maureen sagt, Ja, das hat er erwähnt. Darauf Cindy, Tja, das stimmt nicht. Ich will bloß nicht, dass er sie hier besucht. Er hätte sie an den Wochenenden in London haben können, aber das wollte er nicht. Oder er sagt, er will, aber findet dann Ausreden. Verstehen Sie, er will nicht diese Art von Dad sein. Das ist ihm zu anstrengend. Er will von der Arbeit nach Hause kommen, ihnen hin und wieder mal am Abend etwas vorlesen, aber nicht jeden Abend, und es sich ansehen, wenn sie im Krippenspiel auftreten. Von dem ganzen anderen Kram will er nichts wissen. Und dann meinte sie, Ich weiß gar nicht, warum ich Ihnen das alles erzähle.

Da sagte ich, Er ist schon eine ziemliche Flasche, was? Und sie lachte. Er hat viele Fehler gemacht, sagte sie. Und er macht sie auch weiterhin.

Und dann meinte dieser Paul, Wenn er ein Computer wäre, müsste man sagen, er hat einen Programmierfehler, worauf ich sagte, Was geht dich das denn an? Da sagte Cindy, Hören Sie, ich bin bisher sehr geduldig mit Ihnen gewesen. Zwei Fremde stehen vor der Tür und sagen mir, ich müsse wieder zu meinem Exmann zurückkehren, zu einem Mann, der mich beinahe zerstört hätte, und ich lasse Sie rein und höre Ihnen auch noch zu. Aber Paul ist mein Partner und ein Mitglied der Familie und den Mädchen ein wunderbarer Stiefvater. Deswegen geht ihn das was an.

Und dann stand Paul auf und sagte, Ich glaub, ich hör mir Harry Potter oben an, und wäre beinahe über meine Füße gestolpert. Cindy sprang zu ihm hin und meinte, Vorsicht, Darling, und da schnallte ich, dass er blind war. Blind! Heilige Scheiße! Deswegen hatte der einen Hund. Deswegen hatte sie mir zu verstehen geben wollen, dass der Hund ihm gehörte (weil ich Sachen sagte wie, Seh ich aus wie eine Neunjährige – Gottogott). Das hieß, wir waren den ganzen Weg hier raus gefahren, um Cindy zu sagen, sie soll einen blinden Mann verlassen und zu einem Kerl zurückkehren, der Fünfzehnjährige gefickt und sie wie Scheiße behandelt hat. Eigentlich hätte das ja keinen Unterschied machen dürfen, oder? Die sagen doch immer, dass sie wie jeder andere behandelt werden wollen. Deswegen werde ich den Teil mit dem Blindsein weglassen. Ich sag einfach, dass wir den ganzen Weg hier raus gefahren sind, um Cindy zu sagen, sie soll einen ganz netten Typen, der lieb zu ihr und den Kindern ist, verlassen und zu einem Arschloch zurückkehren. Aber auch das hörte sich nicht so toll an.

Aber ich verrate euch, was mich wirklich wurmte. Der einzige Beweis dafür, dass Martin je was mit Cindy zu tun gehabt hatte, war, dass wir hier bei ihr aufkreuzten. Das und die Kinder natürlich, aber die wären nur ein echter Beweis, wenn man mit ihnen einen DNA-Test machen würde oder so. Was ich meine, ist jedenfalls, dass es Martin, soweit es Cindy anging, genauso gut nie gegeben haben könnte. Sie alle hatten sich weiterentwickelt. Cindy hatte ein neues Leben angefangen. Auf dem Weg hierhin hatte ich gedacht, *ich* hätte mich weiterentwickelt, aber ich hatte nicht mehr geleistet, als eine Zug und Busreise zu machen, ohne Maureen über Sexstellungen auszufragen. Nachdem ich Cindy gesehen hatte, erschien mir mein Fortschritt nicht so groß. Cindy hatte Martin abgeschrieben, sich eine neue Bleibe gesucht und einen anderen kennen gelernt. Ihre Vergangenheit war Vergangenheit, aber unsere Vergangenheit, ich weiß nicht … Unsere Vergangenheit schwirrte immer noch überall um uns rum. Wir sahen sie jeden Tag, wenn wir aufwachten. Es war, als würde Cindy in einer modernen Stadt leben, so wie Tokio, während wir noch in einer alten Stadt wie Rom lebten. Nur dass der Vergleich ein bisschen hinkt, denn Rom ist wahr-

scheinlich eine ziemlich coole Stadt, um da zu leben, so mit
den ganzen Klamotten, dem Eis und den sexy Jungs und allem – genauso cool wie Tokio. Bloß, wo wir lebten, da war es
nicht cool. Es war vielleicht eher so, als würde sie in einem
modernen Penthouse wohnen und wir in irgendeinem alten
Rattenloch, das man schon vor Jahren hätte abreißen sollen.
Wir lebten in einem Haus mit Löchern in den Wänden,
durch die jeder, der Lust dazu hatte, seinen Kopf reinstecken
und uns Grimassen schneiden konnte. Und Maureen und ich
hatten Cindy überreden wollen, aus ihrem coolen Penthouse
zu uns auf die Müllkippe zu ziehen. Kein besonders verlo-
ckendes Angebot, wie mir jetzt klar wurde.

Als wir aufbrachen, sagte Cindy so was wie, Ich hätte
mehr Respekt vor ihm, wenn er mich selbst gefragt hätte.
Und ich dann, Was gefragt? Darauf sie, Wenn ich ihm irgendwie helfen kann, werde ich das tun. Aber ich weiß nicht,
wobei er sich helfen lassen will.

Und als sie das sagte, wurde mir klar, dass wir den Nachmittag ganz falsch angepackt hatten und es einen viel besseren Weg gab.

J J

Das einzige Problem war, der amerikanische Hilf-dir-selbst-
Typ hatte nicht die blasseste verfickte Ahnung, wie er sich
selbst helfen sollte. Ehrlich gesagt, je mehr ich über die
Neunzig-Tage-Theorie nachdachte, desto weniger schien sie
auf mich zuzutreffen. Soweit ich das sah, hatte ich für deutlich länger als neunzig Tage die Arschkarte gezogen. Ich
würd nie wieder Musik machen, Mann, und nie wieder Musik zu machen ist was anderes, als nie wieder zu rauchen. Mit
jedem Tag, den ich darauf verzichtete, würde es schlimmer
und schlimmer, härter und härter werden. Mein erster Ar-

beitstag bei Burger King würde halb so schlimm sein, weil ich mir einreden würde … Ehrlich gesagt, keinen Schimmer, was ich mir einreden würde, aber irgendwas würde mir schon einfallen. Aber am fünften Tag würde es mir dreckig gehen, und im dreißigsten *Jahr* … Mann. Versucht bloß nicht, mich bei meinem dreißigsten Dienstjubiläum als Burgerwender anzuquatschen. An dem Tag werd ich echt mies drauf sein. Und einundsechzig Jahre alt.

Und dann, als mir das alles eine Weile im Kopf rumgegangen war, stand ich auf, im übertragenen Sinn natürlich, und sagte mir: Na schön, scheiß drauf, dann bring ich mich eben um. Dann fiel mir der Kerl ein, den wir genau dabei gesehen hatten, und ich setzte mich wieder hin und fühlte mich echt grauenvoll, noch schlimmer als vorher, als ich aufgestanden war. Selbsthilfe ist gequirlte Scheiße. Ich war mir wirklich keine große Hilfe.

Als wir uns das nächste Mal trafen, erzählte uns Jess, dass sie und Maureen auf dem Land bei Cindy gewesen waren.

»Meine Exfrau heißt Cindy«, sagte Martin. Er trank einen Latte und las den *Telegraph* und hörte nicht wirklich hin, was Jess erzählte.

»Tja, was für ein Zufall«, sagte Jess.

Martin schlürfte weiter seinen Kaffee.

»Hal-loo«, sagte Jess.

Martin legte den *Telegraph* hin und blickte sie an.

»Was?«

»Es war deine Cindy, du Hohlkopf.«

Martin starrte sie an.

»Du kennst meine Cindy doch gar nicht. Ehemals meine Cindy. Meine Ex.«

»Das erzähl ich dir doch grade. Maureen und ich sind nach Dingsda gefahren, um mit ihr zu reden.«

»Torley Heath«, sagte Maureen.

»Das ist ja da, wo sie wohnt!« sagte Martin schockiert.

Jess seufzte.

»Ihr habt Cindy besucht?«

Jess nahm den *Telegraph* auf und begann darin zu blättern, sein vorheriges Desinteresse nachäffend. Martin riss ihr die Zeitung aus der Hand.

»Warum zum Teufel habt ihr das gemacht?«

»Wir dachten, das könnte helfen.«

»Wie denn?«

»Wir sind hingefahren, um sie zu fragen, ob sie dich zurücknimmt. Aber das will sie nicht. Sie ist mit dieser Blindschleiche zusammen. Sie ist gut versorgt. Oder, Maureen?«

Maureen war so taktvoll, auf ihre Schuhspitzen zu starren.

Martin starrte Jess an.

»Bist du wahnsinnig?« fragte er. »Wer hat dir das Recht gegeben ...?«

»Wer mir das Recht gegeben hat? Ich hab mir das Recht genommen. Freies Land.«

»Und was hättest du getan, wenn sie in Tränen ausgebrochen wäre und gesagt hätte, na ja: ›Wie schön wäre es, wenn er zurückkäme‹?«

»Ich hätte dir packen geholfen. Und du hättest gefälligst gemacht, was wir dir sagen.«

»Aber ...« Er machte ein paar stotternde Geräusche und stockte dann. »Du lieber Himmel.«

»Aber die Chance besteht sowieso nicht. Sie hält dich für ein echtes Arschloch.«

»Wenn du je zugehört hättest, als ich dir was über meine Exfrau erzählt habe, hättest du dir den Ausflug sparen können. Du hast tatsächlich gedacht, sie wollte mich zurückhaben? Und ich würde zurückgehen?«

Jess zuckte die Achseln. »Den Versuch war's wert.«

»He, Sie«, sagte Martin. »Maureen. Da auf dem Boden ist nichts. Sehen Sie mich an. Sie sind mitgefahren?«

»Es war ihre Idee«, sagte Jess.

»Dann sind Sie noch dümmer als sie.«

»Jeder von uns braucht Hilfe«, sagte Maureen. »Nicht jeder von uns weiß, was er braucht. Ihr alle habt mir geholfen. Ich wollte Ihnen helfen. Und ich hielt das für die beste Möglichkeit.«

»Warum sollte es jetzt funktionieren, wenn es vorher nicht funktioniert hat?«

Maureen sagte nichts, daher sagte ich es.

»Wer von uns würde denn nicht etwas noch mal versuchen, was vorher nicht funktioniert hat? Jetzt, wo wir wissen, was die Alternative ist. Nämlich ein großes, fettes, verficktes Nichts.«

»Was willst du denn zurückhaben, JJ?« fragte Jess.

»Alles, Mann. Die Band. Lizzie.«

»Das ist scheiße. Die Band war scheiße. Na ja«, sagte sie schnell, als sie meine Miene sah, »nicht scheiße. Aber nicht ... du weißt schon.«

Ich nickte. Ich wusste schon.

»Und Lizzie hat dich abserviert.«

Das wusste ich auch. Was ich nicht sagte, weil es so verdammt losermäßig klang, war, dass ich, hätte ich alles zurückspulen können, bis zu den letzten paar Wochen mit der Band und den letzten paar Wochen mit Lizzie zurückgespult hätte, obwohl da längst alles im Arsch war. Ich würde noch Musik machen, ich wär noch mit ihr zusammen – was wollte man mehr, oder? Okay, alles siechte dahin. Aber es war nicht tot.

Ich weiß auch nicht, aber es war irgendwie befreiend, auszusprechen, was ich wirklich wollte, auch wenn ich es nicht haben konnte. Als ich diesen Cosmic Tony für Maureen erfunden hatte, hatte ich seinen Superkräften Grenzen gesetzt, weil ich dachte, erst mal abwarten, welche praktische Hilfe Maureen brauchte. Wie sich herausstellte, brauchte sie Ferien, und wir konnten ihr helfen, damit erwies sich Cosmic

Tony als nützliche Bekanntschaft. Aber wenn die Superkräfte keine Grenzen kennen, findet man am Ende noch allen möglichen anderen Scheiß raus, was einem *wirklich* fehlt, zum Beispiel. Wir alle wenden so viel Zeit dafür auf, nicht zu sagen, was wir wollen, weil wir wissen, dass wir es nicht kriegen können. Und weil es unhöflich wäre, oder undankbar, illoyal, kindisch oder banal. Oder wir wollen so verzweifelt vortäuschen, es wär alles in Butter, dass wir nicht mal uns selbst das Gegenteil eingestehen. Na los, sagt, was ihr wollt. Vielleicht nicht laut, falls ihr sonst Ärger kriegen könntet. »Ich wünschte, ich hätte ihn nie geheiratet.« »Ich wünschte, sie wäre noch am Leben.« »Ich wünschte, ich hätte nie Kinder mit ihr bekommen.« »Ich wünschte, ich hätte irrsinnig viel Geld.« »Ich wünschte, die ganzen Albaner würden sich wieder in ihr beschissenes Albanien verpissen.« Was immer es ist, gesteht es euch ein. Die Wahrheit wird euch befreien. Entweder das, oder ihr kriegt eins auf die Nase. Egal, welches Leben ihr führt, darin zu überleben heißt lügen, und Lügen zerfrisst die Seele, also macht bloß mal eine Minute Pause vom Lügen.

»Ich will meine Band wiederhaben«, sagte ich. »Und meine Freundin. Ich will meine Band und meine Freundin zurück.«

Jess blickte mich an. »Das sagtest du gerade schon.«

»Ich hab es noch nicht oft genug gesagt. Ich will meine Band und meine Freundin zurück. ICH WILL MEINE BAND UND MEINE FREUNDIN ZURÜCK. Und was willst du, Martin?«

Er stand auf. »Ich will noch einen Cappuccino«, sagte er. »Sonst noch jemand?«

»Sei nicht so etepetete. Was willst du?«

»Und was habe ich davon, wenn ich es euch sage?«

»Ich weiß nicht. Sag es uns, und wir werden sehen.«

Er zuckte die Achseln und setzte sich wieder.

»Du hast drei Wünsche frei«, sagte ich.

»Na schön. Ich wünschte, ich hätte meine Ehe retten können.«

»Tja, das wär nie was geworden«, sagte Jess. »Weil du den Schwanz nicht in der Hose lassen kannst. Sorry, Maureen.«

Martin ignorierte sie.

»Und ich wünschte mir natürlich, ich hätte niemals mit diesem Mädchen geschlafen.«

»Tja, also …«, sagte Jess.

»Halt die Klappe«, sagte ich.

»Ich weiß auch nicht«, sagte Martin. »Vielleicht wünschte ich mir einfach, ich wäre nicht so ein Arschloch gewesen.«

»Na, siehst du. War doch gar nicht so schwer, oder?«

Ich machte bloß Spaß, aber keiner lachte.

»Warum wünschst du dir nicht einfach, du hättest mit dem Mädchen geschlafen und wärst nicht erwischt worden?« fragte Jess. »Das würd ich mir an deiner Stelle wünschen. Ich glaube, du lügst immer noch. Du wünschst dir Dinge, die dich gut dastehen lassen.«

»Dieser Wunsch würde das Problem wohl kaum lösen, oder? Ich wäre immer noch ein Arschloch. Ich würde dann bei irgendwas anderem erwischt.«

»Tja, dann wünsch dir doch, dass du nie bei irgendwas erwischt wirst. Warum wünschst du dir nicht … Wie ging dieser Spruch mit dem Kuchen noch mal?«

»Wovon redest du?«

»Irgendwas mit Kuchen essen.«

»Den Kuchen haben und ihn aufessen?«

Jess guckte etwas skeptisch. »Bist du da sicher? Wie kann man einen Kuchen essen, ohne ihn vorher zu haben?«

»Der Gedanke dahinter«, sagte Martin, »ist der, dass du beides hast. Du isst den Kuchen auf, aber irgendwie bleibt er unberührt. ›Haben‹ bedeutet hier folglich ›behalten‹.«

»Das ist bescheuert.«

»Fürwahr.«

»Wie soll man das machen?«

»Das geht nicht. Daher dieser Spruch.«

»Und was soll man mit dem Scheißkuchen? Wenn man ihn nicht aufessen will?«

»Wir kommen vom Thema ab«, sagte ich. »Es geht darum, sich was zu wünschen, was einen glücklicher macht. Ich kann verstehen, warum Martin ein, ich sag mal, anderer Typ Mensch sein möchte.«

»Ich wünsche mir, Jen käme zurück.«

»Ja, gut. Das versteh ich. Was noch?«

»Nichts. Das wär's.«

Martin schnaubte. »Willst du dir nicht wünschen, du wärst nicht so ein Arschloch?«

»Wenn Jen zurückkäm, wär ich das nicht mehr.«

»Oder weniger verrückt?«

»Ich bin nicht verrückt. Bloß, du weißt schon, verstört.«

Ein nachdenkliches Schweigen trat ein. Man merkte, dass nicht jeder am Tisch überzeugt war.

»Du lässt also einfach zwei Wünsche verfallen?« fragte ich.

»Nein. Ich kann sie auch verbrauchen. Ääähhh … Ein endloser Nachschub für Dope vielleicht? Und, keine Ahnung … Ooooh. Ich hätte auch nichts dagegen, Klavier spielen zu können, glaub ich.«

Martin seufzte. »Mannomann. Ist das dein einziger Kummer? Dass du nicht Klavier spielen kannst?«

»Wär ich nicht so verstört, hätte ich Zeit zum Klavierspielen.«

Wir beließen es dabei.

»Was ist mit dir, Maureen?«

»Ich hab dir das doch schon erzählt. Als du gesagt hast, Cosmic Tony könnte Dinge möglich machen.«

»Erzähl es auch den anderen.«

»Ich wünschte, sie würden einen Weg finden, Matty zu helfen.«

»Das kannst du doch besser, oder?« fragte Jess.

Wir zuckten zusammen.

»Wie denn?«

»Gut, pass auf, ich hab mich gefragt, was du sagen würdest. Denn du hättest dir ja wünschen können, er wär gesund zur Welt gekommen. Dann hättest du dir die ganzen Jahre Scheißeaufwischen gespart.«

Maureen schwieg für eine Minute.

»Wer wäre ich dann jetzt?«

»Hä?«

»Ich weiß nicht, wer ich dann wäre.«

»Du wärst immer noch Maureen, du dusselige Henne.«

»Das meint sie nicht«, sagte ich. »Sie meint das so, dass wir alle das Ergebnis unserer Erfahrungen sind. Wenn man diese Erfahrungen dann wegnimmt, weißt du, dann ...«

»Nein, weiß ich nicht, Scheiße noch mal«, sagte Jess.

»Hättest du das mit Jen und all die anderen Sachen nicht durchgemacht ...«

»Wie Chas und so?«

»Genau. Und ähnlich einschneidende Erlebnisse. Na, wer wärst du dann heute?«

»Ich wär eine andere.«

»Genau.«

»Das wär echt super.«

An dieser Stelle beendeten wir das Wünsch-dir-was-Spiel.

Ich vermute, es sollte so eine ganz große Geste werden, ein Weg, alles glücklich abzuschließen, als könne oder wolle sich alles zum Abschluss bringen lassen. Das ist das Problem mit den Jugendlichen heutzutage, oder? Die haben zu viele Happyends gesehen. Alles muss sauber abgeschlossen werden, mit einem Lächeln, einer Träne und einem freundlichen Winken. Alle haben dazugelernt, die Liebe gefunden, den Fehler in ihrem Verhalten eingesehen, die Freuden der Monogamie, der Vaterschaft, der kindlichen Pflicht oder des Lebens an sich erkannt. Zu meiner Zeit wurden die Leute, nachdem sie gelernt hatten, dass das Leben inhaltsleer, trist, viehisch und kurz ist, am Ende des Films erschossen.

*

Es war im Starbucks, etwa zwei oder drei Wochen nach der »Wünsch-dir-was«-Runde. Irgendwie hatte Jess es geschafft, dichtzuhalten – eine beeindruckende Leistung für jemanden, dessen übliche Konversationstechnik darin bestand, alles, was gerade geschah, oder besser noch bevor es geschah, in möglichst vielen Worten zu beschreiben, wie ein Sportkommentator. Im Nachhinein muss man sagen, dass sie sich gelegentlich verraten hat – oder verraten hätte, hätte einer von uns gewusst, dass es etwas zu verraten gab.

Eines Nachmittags, als Maureen sagte, sie müsse heim und sich um Matty kümmern, unterdrückte Jess ein Kichern und machte die rätselhafte Bemerkung, sie würde ihn noch früh genug sehen.

Maureen sah sie an.

»Ich werde ihn in zwanzig Minuten sehen, wenn ich den Bus noch erwische«, sagte sie.

»Ja, aber danach dann«, sagte Jess.

»Früh genug, aber danach dann?« fragte ich.

»Jau.«

»Ich sehe ihn die meiste Zeit des Tages«, sagte Maureen.

Dann vergaßen wir das Ganze, wie wir praktisch alles sofort vergaßen, was Jess sagte.

Ungefähr eine Woche später zeigte sie ein bis dato verborgenes Interesse an Lizzie, JJs Exfreundin.

»Wo wohnt Lizzie?« fragte sie JJ.

»King's Cross. Aber bevor du was sagst, nein, sie ist keine Nutte.«

»Was, ist sie etwa eine Nutte? Haha. War bloß Spaß.«

»Ja. Absoluter Spitzenwitz.«

»Wo kann man denn dann am King's Cross wohnen, wenn man keine Nutte ist?«

JJ verdrehte die Augen. »Ich werd dir nicht verraten, wo sie wohnt, Jess. Hältst du mich für blöd?«

»Ich will gar nicht mit ihr reden. Diese gemeine Schlampe.«

»Warum genau ist sie noch mal eine Schlampe?« fragte ich sie. »Soweit wir wissen, hat sie in ihrem Leben nur mit einem einzigen Mann geschlafen.«

»Wie heißt dieses Wort noch mal? Dieses Arschwort? Sorry, Maureen.«

»Metaphorisch«, sagte ich. Wenn jemand die Vokabel »Arschwort« benutzt und man sofort weiß, dass es ein Synonym für »metaphorisch« sein soll, darf man sich fragen, ob man die Sprecherin nicht schon zu gut kennt. Man darf sich sogar fragen, ob man sie überhaupt kennen möchte.

»Genau. Metaphorisch gesprochen ist sie eine Schlampe. Sie hat mit JJ Schluss gemacht und war dann wahrscheinlich mit einem anderen zusammen.«

»Tja, ich weiß nicht«, sagte JJ. »Ich bin mir nicht sicher, dass mit mir Schluss zu machen einen Menschen zu ewiger Enthaltsamkeit verpflichtet.«

Und so gerieten wir in eine Diskussion über die angemessenen Strafen für unsere Expartnerinnen und -partner, ob der Tod für sie zu gnädig wäre und so weiter und so fort. Daher ging die Sache mit Lizzie wie so viele Dinge in jenen Tagen unbemerkt an uns vorüber. Aber es war irgendwo da drin, hätten wir das Bedürfnis gehabt, in dem zugemüllten Teenagerzimmer von Jess' Verstand herumzuwühlen.

An dem großen Tag selbst aß ich mit meinem Agenten Theo zu Mittag, aber natürlich hatte ich, während ich mit Theo zu Mittag aß, keine Ahnung, dass es ein großer Tag werden würde. Mit Theo zu Mittag zu essen war schon bedeutend genug. Seit ich aus der Haft entlassen worden war, hatte ich nicht mehr von Angesicht zu Angesicht mit ihm gesprochen.

Er wollte mit mir reden, weil er von einem renommierten Verlag ein, wie er es bezeichnete, ein »substanzielles« Angebot für eine Autobiografie bekommen hatte.

»Wie viel?«

»Von Geld war noch nicht die Rede.«

»Dürfte ich dann fragen, in welcher Hinsicht man von ›substanziell‹ sprechen kann?«

»Nun ja. Sie verstehen. Es hat Substanz.«

»Was soll das bedeuten?«

»Es ist real, nicht fiktiv.«

»Und was bedeutet ›real‹ in realen Worten? Realistisch gesehen?«

»Sie werden immer schwieriger, Martin. Falls ich das sagen darf. Sie waren schon zu den besten Zeiten nicht mein pflegeleichtester Klient, und unter diesen Bedingungen … Ich habe sehr viel Arbeit in dieses Projekt investiert.«

Ich wurde vorübergehend abgelenkt von der Feststellung, dass Stroh unter meinen Füßen lag. Wir saßen in einem Restaurant, das sich »Farm« nannte, und alles, was wir aßen, kam von einer Farm. Toll, was? Fleisch! Kartoffeln! Kopfsalat! Was für ein Konzept! Ich nehme an, sie brauchtes das

Stroh, weil ihr Thema sonst ein wenig einfallslos ausgesehen hätte. Ich würde gerne berichten, dass die Kellnerinnen alle fröhlich und kräftig und rotwangig waren und Schürzen trugen, aber natürlich waren sie mürrisch, schlank, blass und schwarz gekleidet.

»Welche Arbeit hatten Sie damit schon, Theo? Wenn, wie Sie sagten, jemand Sie angerufen hat, um auf irgendeine nicht näher zu beschreibende substanzielle Art ein Angebot für meine Autobiografie zu machen?«

»Nun ja. Ich habe dort angerufen und vorgeschlagen, dass *sie* das interessieren könnte.«

»Schön. Und sie schienen interessiert zu sein?«

»Sie haben zurückgerufen.«

»Mit einem substanziellen Angebot.«

Theo grinste herablassend.

»Sie verstehen wohl nicht viel vom Verlagswesen, was?«

»Eigentlich nicht. Nur das, was Sie mir gerade beim Lunch erzählen. Nämlich, dass irgendwer mit einem substanziellen Angebot angerufen hat. Ich dachte, deswegen sitzen wir hier.«

»Nun, hier heißt die Devise, nichts überstürzen.«

Theo fing an, mir auf die Nerven zu gehen.

»Meinetwegen. Sehe ich auch so. Erklären Sie mir bloß unsere Devise.«

»Nein, Sehen Sie ... Schon die Devise zu hinterfragen verstößt gegen die Devise. Wissen Sie, das muss man *taktisch* betrachten.«

»Sie zu bitten, mir unsere Devise zu erklären, verstößt schon gegen die Devise?«

»Mit Geduld und Spucke fängt man eine Mucke.«

»Um Himmels willen, Theo.«

»Und diese Reaktion zeugt nicht unbedingt von Geduld, wenn ich das sagen darf. Man könnte sie fast als ungeduldig bezeichnen.«

Ich habe nie wieder von diesem Angebot gehört, und ich weiß auch bis heute nicht, worum es bei diesem Lunch eigentlich ging.

Jess hatte für vier Uhr ein außerplanmäßiges Treffen im gigantischen und immer völlig leeren Souterrain des Starbucks auf der Upper Street einberufen, einem dieser Räume mit vielen Sofas und Tischen, die genau wie das eigene Wohnzimmer wirken sollten, falls jemand ein Wohnzimmer ohne Fenster hat und dort ausschließlich aus Pappbechern trinkt, die man nie wegwirft.

»Warum im Souterrain?« fragte ich sie, als sie mich anrief.

»Weil ich über persönliche Dinge reden muss.«

»Welche Art von persönlichen Dingen?«

»Sexuelle.«

»Oh, Gott. Die anderen werden doch wohl auch da sein, oder?«

»Du glaubst, es gäbe persönliche Dinge sexueller Natur, die ich mit dir allein bereden möchte?«

»Das will ich nicht hoffen.«

»Als würd ich jeden Tag von dir träumen.«

»Wir sehen uns später, ja?«

Ich nahm den Bus, Linie 19, vom West End zur Upper Street, denn mittlerweile war mir das Geld ausgegangen. Das Geld, das ich durch Auftritte in Talkshows und bei Juniorministern zusammengekratzt hatte, war aufgebraucht, und ich hatte keinen Job. Denn obwohl Jess uns mal auseinander gesetzt hatte, Taxis wären das preiswerteste Verkehrsmittel, weil sie einen überall kostenlos hinbrächten und das Geld erst am Zielort verlangten, hätte ich es nicht richtig gefunden, meine Armut einem Taxifahrer aufzubürden. Zudem würden der Taxifahrer und ich mit größter Wahrscheinlichkeit die Fahrt damit zubringen, über die Ungerechtigkeit meiner Gefängnisstrafe zu reden, blabla, normalstes Verhalten der Welt, ihre eigene Schuld, in dieser Aufmachung auszugehen usw., usw. In letzter Zeit hatte ich Minicabs bevorzugt, denn deren Fahrer kennen die Einwohner von London ebenso wenig wie den Stadtplan. Im Bus wurde ich zweimal erkannt, einmal von jemandem, der mir eine einschlägige und offenbar läuternde Bibelstelle vorlesen wollte.

Als ich zum Starbucks kam, betrat ein noch recht junges Pärchen direkt vor mir den Laden und steuerte sofort das Souterrain an. Erst war ich froh, weil das bedeutete, dass Jess ihre sexuellen Enthüllungen *sotto voce* vorbringen musste, doch als ich mich für meine Chai Tee Latte anstellte, fiel mir ein, das es sich angesichts von Jess' Resistenz gegen Schamgefühle keineswegs so verhielt. Mein Magen reagierte gleich darauf, wie er immer reagiert, seit ich vierzig geworden bin. Jedenfalls drehte er sich nicht um, das sicher nicht. Alte Mägen drehen sich nicht um. Es war mehr so, als wäre die eine Seite des Magens die Zunge und die andere eine Batterie. Und in stressigen Momenten berühren sich beide Seiten – mit katastrophalen Konsequenzen.

Die erste Person, die ich am Fuß der Treppe sah, war Matty in seinem Rollstuhl. Er war von zwei stämmigen Pflegern eingerahmt, die ihn wohl heruntergetragen hatten. Einer von ihnen unterhielt sich mit Maureen. Und während ich noch überlegte, wie es Matty wohl zu Starbucks verschlagen hatte, kamen zwei kleine blonde Mädchen auf mich zugestürzt und riefen: »Daddy! Daddy!« Selbst da erkannte ich nicht sofort, dass es meine Töchter waren. Ich hob sie hoch, hielt sie fest, versuchte, nicht zu weinen, und sah mich im Raum um. Penny war da und lächelte mich an, und Cindy saß an einem Tisch in der entgegengesetzten Ecke und lächelte mich nicht an. JJ hatte den Arm um das Pärchen gelegt, das vor mir hereingekommen war, und Jess stand bei ihrem Vater und einer Frau, die vermutlich ihre Mutter war – unverkennbar die Gattin eines Juniorministers der Labour-regierung. Sie war groß, kostspielig gekleidet und von einem schrecklichen Lächeln entstellt, das unverkennbar nichts mit dem zu tun hatte, was in ihr möglicherweise vorging, ein echtes Wahlabendlächeln. Um ihr Handgelenk lag eins von diesen roten Bändern, die Madonna auch trägt, also war sie entgegen ihrer äußeren Erscheinung offenbar ein zutiefst religiöser Mensch. Angesichts von Jess' Neigung zum Melodramatischen hätte es mich nicht überrascht, ihre Schwester ebenfalls zu sehen, aber ich schaute mich genau um, und sie war nicht da. Jess trug einen Rock und ein Jackett, und man musste anders als sonst ziemlich nahe an sie herangehen, um vor ihrem Augen-Make-up zu erschrecken.

Ich setzte die Mädchen ab und begleitete sie hinüber zu ihrer Mutter. Allerdings winkte ich auf dem Weg Penny zu, damit sie sich nicht ausgeschlossen fühlte.

»Hallo«, ich beugte mich vor, um Cindy auf die Wange zu küssen, aber sie wich mir geschickt aus.

»Wie kommst du denn hierher?«

»Das verrückte Mädchen da scheint zu glauben, das könnte uns auf irgendeine Weise helfen.«

»Oh. Hat sie erklärt, auf welche?«

Cindy schnaubte. Ich bekam den Eindruck, dass sie immer schnauben würde, egal, was ich sagte, dass Schnauben ihre bevorzugte Kommunikationsmethode sein würde, darum ging ich lieber in die Hocke, um mit den Kindern zu reden.

Jess klatschte in die Hände und trat in die Mitte des Raums.

»Ich habe da so eine Sache im Internet entdeckt«, sagte sie. »Das nennt sich Intervention. Das machen sie in Amerika andauernd.«

»Andauernd«, rief JJ. »Wir sind mit nichts anderem beschäftigt.«

»Also, wenn einer total abgefuckt ... äh, von der Rolle ist

von Drogen oder Alkohol oder so, dann kommen die besten Freunde, die Familienmitglieder und so alle zusammen, treten ihm gegenüber und sagen so was wie, Schluss mit dem Scheiß. Sorry, Maureen. Sorry, Mum und Dad, sorry, kleine Mädchen. Hier wird es etwas anders laufen. In Amerika haben sie professionelle … Oh, Scheiße, ich hab vergessen, wie die heißen. Auf der Website, auf der ich war, hieß er Steve.«

Sie kramte in der Tasche ihres Jacketts und holte einen Zettel hervor.

»Einen Moderator. Man soll eigentlich einen Moderator haben, der sich auskennt, und den haben wir nicht. Ehrlich gesagt, ich wusste nicht, wenn ich da fragen sollte. Ich kenne keinen, der sich in irgendwas auskennt. Außerdem läuft diese Intervention quasi andersrum. Denn wir bitten euch, zu intervenieren. Wir kommen auf euch zu statt andersrum. Wir sagen euch, dass wir eure Hilfe brauchen.«

An dieser Stelle begannen die beiden Pfleger, die mit Matty gekommen waren, etwas unbehaglich dreinzuschauen, und Jess entging das nicht.

»Ihr nicht, Jungs«, sagte sie. »Ihr müsst gar nichts machen. Ehrlich gesagt seid ihr nur hier, um Maureen zahlenmäßig zu unterstützen, weil, na ja, eigentlich hat sie ja sonst keinen. Da dachte ich, ihr beide plus Matty wären besser als gar nichts, versteht ihr? Es wär sonst doch ein bisschen hart für dich, Maureen, wenn sich alle hier wiedersehen und du sitzt allein da rum.«

Das musste man Jess lassen. Hatte sie mal ihre Zähne in ein Thema geschlagen, gab sie es freiwillig nicht mehr her. Maureen versuchte sich an einem dankbaren Lächeln.

»Egal. Bloß damit ihr wisst, wer wer ist: In der JJ-Ecke haben wir seine Ex, Lizzie, und seinen Kumpel Ed, der früher mit ihm in dieser Schrottband war. Ed ist extra aus den USA hergeflogen. Ich habe meine Mum und meinen Dad dabei, und es geschieht wirklich nicht oft, dass man sie in ein und demselben Raum antrifft, haha. Martin hat seine Exfrau, seine Töchter und seine Exfreundin. Oder vielleicht auch nicht ex, wer weiß? Am Ende dieses Abends hat er vielleicht seine Frau *und* seine Freundin zurück.«

Alle lachten, blickten dann zu Cindy und hörten mit dem Lachen auf, als ihnen aufging, dass Lachen Konsequenzen haben konnte.

»Und Maureen hat ihren Sohn Matty hier und die beiden Typen vom Pflegeheim. Also, meine Idee ist folgende: Wir reden erst eine Weile mit unsern eigenen Leuten, um ein bisschen auf den neuesten Stand zu kommen. Und dann wird getauscht, und jeder spricht mit den Angehörigen der anderen. Es ist also eine Mischung aus dieser Sache aus Amerika und einem Elternabend an der Schule, denn die Freunde und Angehörigen sitzen quasi in einer Ecke und warten darauf, dass Leute zu ihnen kommen.«

»Warum?« fragte ich. »Wozu?«

»Keine Ahnung. Mal gucken. Bloß so zum Spaß. Dabei lernen wir doch was, oder? Über die anderen? Und über uns selbst?«

Jetzt fing sie schon wieder mit ihren Happyends an. Es stimmte, dass ich Dinge über die anderen erfuhr, aber ich erfuhr absolut nichts außer den Fakten. So konnte ich Ed den Namen der Band nennen, in der er früher gespielt hatte, und ich konnte den Crichtons den Namen ihrer vermissten Tochter nennen, aber ich glaubte kaum, dass sie es in irgendeiner Weise als hilfreich oder tröstlich empfunden haben.

Überhaupt, was lernt man schon jemals, abgesehen vom Einmaleins und dem Namen des spanischen Premierministers? Ich hoffe, dass ich gelernt habe, nicht mit Fünfzehnjährigen zu schlafen, aber das habe ich schon vor langer Zeit gelernt – Jahrzehnte bevor ich tatsächlich mit einer Fünfzehnjährigen schlief. Das Problem war einfach, dass sie mir erzählt hat, sie sei sechzehn. Und habe ich nun gelernt, nicht mit Sechzehnjährigen oder attraktiven jungen Frauen überhaupt zu schlafen? Nein. Und trotzdem hat mir praktisch jeder, den ich je interviewt habe, erzählt, er habe dadurch, dass er dies oder jenes getan habe – den Krebs besiegt, einen Berg bezwungen, die Rolle eines Serienmörders in einem Film gespielt –, etwas über sich selbst gelernt. Und ich lächelte dann stets und nickte verstehend, während ich eigentlich nachhaken wollte: »Was *haben* Sie durch den Krebs denn nun gelernt? Dass Sie nicht sterben wollen? Dass Perücken auf der Kopfhaut jucken? Na los, gehen Sie ein bisschen mehr ins Detail.« Ich hatte den Verdacht, dass sie sich das nur einredeten, um dieser Erfahrung irgendeinen Wert beizumessen, anstatt sie als komplette, absolute Zeitverschwendung zu verbuchen.

In den vergangenen Monaten habe ich im Gefängnis gesessen, auch das letzte Molekül meiner Selbstachtung verloren, mich meinen Kindern entfremdet und ernsthaft daran gedacht, Selbstmord zu begehen. Das müsste doch wohl die seelische Entsprechung zu Krebs sein, oder? Es ist auf jeden Fall eine größere Sache, als in einem dämlichen Film mitzuspielen. Wie kommt es dann, dass ich einen Scheiß daraus gelernt hab? Was hätte ich daraus lernen sollen? Gut, ich habe festgestellt, dass ich ziemlich an meiner Selbstachtung hänge und ihr Hinscheiden bedaure. Außerdem habe ich rausgefunden, dass Gefängnis und Armut irgendwie nicht *mein Ding* sind. Aber wissen Sie, darauf wäre ich wahrscheinlich auch von allein gekommen. Nennt mich prosaisch, aber ich glaube, Menschen können mehr über sich erfahren, wenn sie keinen Krebs bekommen. Dann haben sie mehr Zeit und wesentlich mehr Energie.

»Also«, fuhr Jess fort. »Wer geht zu wem?«

In diesem Moment tauchte eine Gruppe halbwüchsiger französischer Punks mit Kaffeebechern in den Händen in unserer Mitte auf. Sie strebten auf einen freien Tisch neben Mattys Rollstuhl zu.

»He«, sagte Jess. »Was habt ihr denn vor? Ab nach oben mit euch.«

Sie starrten sie an.

»Na los, wir haben nicht den ganzen Tag. Hopphopp-hopp. *Dawai. Plus vitement.*« Sie scheuchte sie Richtung Treppe, und sie zogen ohne Murren ab; Jess war nur eine weitere unbegreifliche und aggressive Bewohnerin eines unbegreiflichen und aggressiven Landes. Ich setzte mich an den Tisch meiner Exfrau und winkte erneut Penny zu. Es war so eine Multifunktionsgeste für überfüllte Partys, eine Mischung aus »Ich hol mir nur was zu trinken« und »Ich ruf dich an« mit vielleicht noch einem Hauch »Können wir bitte die Rechnung haben?« Penny nickte, als habe sie begriffen. Und dann rieb ich, ebenso deplatziert, die Hände aneinander, als freute ich mich schon auf die köstliche und nahrhafte Portion Selbsterkenntnis, die ich mir gleich schmecken lassen würde.

MAUREEN

Ich glaubte nicht, dass es für mich da sonderlich viel mitzureden gab. Ich meine, Matty konnte ich ja sowieso nicht viel sagen. Aber ich glaubte auch nicht, dass mir etwas einfallen würde, was ich zu den beiden Jungs vom Pflegeheim sagen konnte. Ich fragte sie, ob sie einen Tee wollten, aber sie wollten keinen. Dann fragte ich sie, ob es anstrengend gewesen sei, Matty die Treppe herunterzutragen, und sie meinten nein, wo sie doch zu zweit wären. Darauf sagte ich, dass ich ihn auch nicht heruntergekriegt hätte, wenn zehn von mir da gewesen wären, und sie lachten, und danach standen wir da und guckten uns an.

Dann fragte der Kleinere, der, der aus Australien war und eine Figur hatte wie dieser Spielzeugroboter, den Matty früher hatte, mit quadratischem Kopf und quadratischem Leib, worum es bei dieser kleinen Versammlung ginge. Der Gedanke, dass sie das vielleicht nicht wüssten, war mir gar nicht gekommen.

»Ich habe versucht, dahinter zu kommen, aber ich komm nicht drauf.«

»Ja«, sagte ich. »Nun ja, es ist wahrscheinlich recht verwirrend.«

»Na, dann los. Erlösen Sie uns. Steve hier meint, Sie hätten alle Geldprobleme.«

»Ein paar von uns schon. Ich nicht.«

Über Geld habe ich mir eigentlich nie Sorgen machen müssen. Ich bekomme mein Pflegegeld und lebe im Haus meiner Mutter, die mir ein bisschen was hinterlassen hat. Und wenn man nie irgendwo hingeht oder irgendetwas unternimmt, ist das Leben preiswert.

»Aber Sie haben Probleme«, sagte der Quadratische.

»Ja, wir haben Probleme«, sagte ich. »Aber jeder hat andere Probleme.«

»Ja, dass der da Probleme hat, weiß ich«, sagte der andere, Stephen. »Der Typ aus dem Fernsehen.«

»Ja, er hat Probleme«, sagte ich.

»Woher kennen Sie den überhaupt? Sie werden ja wohl kaum in dieselben Nachtclubs gehen.«

Und so erzählte ich ihnen schließlich alles. Ich wollte es gar nicht. Es kam einfach irgendwie raus. Und nachdem ich einmal damit angefangen hatte, war es mir auch egal, wie viel ich ihnen erzählte. Erst als ich mit der Geschichte fertig war, wurde mir klar, dass ich besser gar nichts gesagt hätte, auch wenn sie es rücksichtsvoll aufnahmen und erklärten, wie Leid es ihnen täte und etwas in der Art.

»Sie werden das doch nicht im Heim weitererzählen, oder?« fragte ich.

»Warum sollten wir?«

»Wenn sie herausfänden, dass ich vorhatte, Matty für immer dort zu lassen, nehmen sie ihn vielleicht nicht wieder auf. Sie denken dann vielleicht, dass ich jedes Mal, wenn ich anrufe, damit Sie ihn holen, von irgendeinem Dach springen will.«

Also machten wir einen Handel. Sie gaben mir die Adresse eines anderen Heims in der Nähe, ein privates, das netter sein sollte, und ich versprach, dort anzurufen, wenn ich vorhätte, mich umzubringen.

»Das soll natürlich nicht heißen, dass wir nichts davon wissen wollen«, sagte der Quadratische, Sean.

»Und es soll auch nicht heißen, dass wir nicht wollen, dass Matty in unserem Heim bleibt. Wir möchten bloß nicht, dass wir jedes Mal, wenn Sie anrufen, den Eindruck haben müssen, dass Sie gefährdet sind.«

Ich weiß auch nicht, warum, aber darüber freute ich mich. Zwei Männer, die ich eigentlich gar nicht richtig kannte, hatten mich gebeten, sie nicht anzurufen, wenn ich in Selbstmordstimmung war, und ich hätte sie dafür am liebsten umarmt. Verstehen Sie, ich wollte nicht, dass man Mitleid mit mir hat. Ich wollte, dass man mir half, selbst wenn Helfen bedeutete, mir nicht zu helfen, falls das nicht allzu unlogisch klingt. Und das Komische war, dass Jess genau so etwas im Sinn gehabt hatte, als sie diese Versammlung organisierte. Sie hatte erwartet, dass es für mich gar nichts bringen würde, und die beiden jungen Kerle nur eingeladen, weil Matty ohne sie nicht hätte herkommen können, aber sie hatten in nur fünf Minuten meine Stimmung verbessert.

Stephen, Sean und ich beobachteten noch eine Weile, wie die anderen vorankamen. JJ hielt sich am besten, weil er und seine Freunde noch nicht richtig angefangen hatten zu streiten. Martin und seine Exfrau schauten schweigend zu, wie ihre Töchter ein Bild malten, und Jess und ihre Eltern schrien sich an. Das wäre vielleicht ein gutes Zeichen gewesen, wenn sie über die richtigen Dinge gestritten hätten, doch ab und zu übertönte Jess die anderen, und nie schien es um etwas zu gehen, das hätte zweckdienlich sein können. Zum Beispiel: »Ich hab nie irgendwelche verfickten Scheißohrringe angefasst.« Alle im Raum bekamen das mit, und Martin und JJ und ich sahen uns an. Keiner von uns wusste etwas über diese Ohrring-Geschichte und wollte darum vorschnell urteilen, doch man mochte nur schwer daran glauben, dass Ohrringe die Wurzel von Jess' Problemen waren.

Penny, die immer noch alleine saß, tat mir Leid, daher fragte ich sie, ob sie nicht rüber in meine Ecke kommen wollte.

»Ich bin überzeugt, Sie haben dort jede Menge zu bereden«, sagte sie.

»Nein«, sagte ich. »Eigentlich sind wir fertig.«

»Tja, Sie haben den attraktivsten Kerl im Saal abbekommen«, sagte sie. Sie sprach von Stephen, dem großen Pfleger, und als ich ihn mir so von der anderen Seite des Raums ansah, verstand ich, was sie meinte. Er war blond und hatte lange, dichte Haare, blaue Augen und ein Lächeln, das den Raum erwärmte. Traurig, dass mir das gar nicht aufgefallen war, aber an solche Dinge denke ich eigentlich gar nicht mehr.

»Dann kommen Sie doch rüber und unterhalten sich mit ihm. Er würde sich freuen, Sie kennen zu lernen«, sagte ich. Ich war mir nicht sicher, ob das stimmte, aber wenn man nichts zu tun hat, als neben einem Jungen im Rollstuhl herumzustehen, würde man sich bestimmt freuen, eine hübsche Frau vom Fernsehen kennen zu lernen, dachte ich mir. Viel kann ich mir zwar nicht darauf einbilden, denn abgesehen von dem, was ich bereits sagte, habe ich nicht viel dazu beigetragen; dennoch war es seltsam, dass so viel passierte, nur weil Penny durch eine Coffee-Bar ging, um sich mit Stephen zu unterhalten.

Für alle schien es ganz gut zu laufen, bloß für mich nicht. Für mich war es scheiße. Und das war nicht gerecht, denn schließlich hatte ich Ewigkeiten damit verbracht, diesen Intervention-und/oder-Elternabend zu organisieren. Ich war im Internet und hab die E-Mail-Adresse des Typen rausgekriegt, der früher JJs Band gemanagt hat. Der hat mir Eds Telefonnummer gegeben, und ich bin bis drei Uhr morgens aufgeblieben, damit ich ihn anrufen konnte, wenn er gerade von der Arbeit kam. Und als ich ihm erzählte, wie fertig JJ ist, hat er gesagt, er würde rüberkommen, und dann hat er Lizzie angerufen und sie informiert, und sie war auch mit von der Partie. Dann gab es alles mögliche Hin und Her mit Cindy und den Kindern, und es war eine Woche lang praktisch ein beschissener Fulltimejob. Und was kam für mich dabei rum? Ein Scheißdreck. Wie konnte ich bloß glauben, dass es mir irgendwas bringen würde, mit meinem bescheuerten Vater und meiner bescheuerten Mutter zu reden? Ich rede jeden beschissenen Tag mit denen, und nie bringt es was. Wie konnte ich da glauben, das würde sich ändern? Weil Matty und Penny und die alle dabei waren? Weil wir bei Starbucks waren? Ich hatte wohl gehofft, dass sie vielleicht zuhören würden, vor allem, nachdem ich angekündigt hatte, dass wir alle da waren, weil wir ihre Hilfe bräuchten. Aber als Mum wieder von den Ohrringen anfing, wusste ich, dass ich genauso gut irgendwen von der Straße hätte reinzerren und bitten können, mich zu adoptieren oder so.

Das mit den Ohrringen werden wir wohl nie vergessen. Noch auf Mums Sterbebett werden wir darüber reden. Das ist quasi ihre Art zu fluchen. Wenn ich sauer bin, sage ich häufig Scheiße, wenn sie sauer ist, sagt sie häufig Ohrringe. Dabei waren es nicht mal ihre Ohrringe; sie hatten Jen gehört, und wie ich ihr erklärt hatte, hab ich die niemals angerührt. Sie hat diese fixe Idee, dass die Ohrringe in den ersten Wochen, als wir nichts anderes taten, als neben dem Telefon zu sitzen und darauf zu warten, dass die Polizei anrief und mitteilte, sie hätten ihre Leiche gefunden, auf Jens Nachttisch gelegen hätten. Mum meint, sie hätte jeden Abend auf dem Bett gesessen und quasi ein gestochen scharfes Bild von allem im Kopf, was sie da jeden Abend gesehen hätte. Sie sähe die Ohrringe heute noch vor sich, neben einer leeren Kaffeetasse und irgendeinem Taschenbuch. Und dann, als wir praktisch zur Arbeit und Schule und einem normalen Alltag zurückfanden, oder zumindest so nah an ein normales Leben ran, wie es uns möglich war, verschwanden die Ohrringe. Natürlich konnte nur ich sie weggenommen haben, denn ich klaue ja ständig. Zugegeben, das mache ich auch, aber meistens Geld, und zwar ihres. Die Ohrringe gehörten jedoch Jen, nicht ihnen, und außerdem hatte sie die ohnehin auf dem Camden Market für fünf Pfund gekauft.

Ich weiß das jetzt nicht sicher und will auch überhaupt nicht selbstmitleidig sein oder so, aber Eltern haben doch bestimmt Lieblingskinder, oder? Wie sollte es anders sein? Wie könnten zum Beispiel Mr und Mrs Minogue Kylie *nicht* der anderen vorziehen? Jen hat ihnen nie was geklaut; sie hat ständig Bücher gelesen, war gut in der Schule, hat sich mit Dad über Kabinettsumbildungen und all diese politischen Sachen unterhalten und niemals vor dem Finanzminister auf den Boden gekotzt oder dergleichen. Nehmen wir das mit dem Kotzen, bloß als Beispiel. Das kam von unbekömmlichen Falafel, okay? Ich hatte die Schule gebläut und vielleicht zwei Joints und ein paar Breezer intus, also nicht grade ein Nachmittag der Exzesse. Ich hatte mich wirklich zurückgehalten. Und dann, kurz vor dem Nachhausegehen, hab ich dieses Falafel gegessen. Ich spürte das Falafel wieder hochkommen, als ich den Schlüssel in die Haustür steckte, darum wusste ich, dass mir davon schlecht geworden war. Und es war aussichtslos, es noch zur Toilette zu schaffen, okay? Dad war mit dem Finanzfritzen in der Küche, und ich wollte es noch bis zur Spüle schaffen, aber das klappte nicht. Alles voll mit Falafel und Breezer. Hätte ich ohne das Falafel kotzen müssen? Nein. Hätten sie Jen das geglaubt? Ja, bloß weil sie weder kifft noch Alk trinkt. Ich weiß nicht. Zu was anderem kommt's nicht – Falafel und Ohrringe. Jeder weiß, wie man spricht, aber keiner weiß, was er sagen soll.

Nachdem wir die Ohrring-Geschichte durchgekaut hatten, meinte Mum, was willst du eigentlich? Und ich, hörst du denn nie zu? und sie, wobei hätte ich denn zuhören sollen? Darauf sagte ich, in meiner, äh, Ansprache hab ich gesagt, dass wir eure Hilfe brauchen, und sie dann wieder, und, was heißt das konkret? Was sollen wir tun, was wir nicht schon tun?

Und da wusste ich dann auch nichts. Sie geben mir zu essen, sie kleiden mich ein und geben mir Geld zum Saufen und sie erziehen mich und alles. Sie hören mir zu, wenn ich rede. Ich hatte gedacht, wenn ich ihnen sage, sie müssten mir helfen, würden sie mir helfen. Ich hatte nie gedacht, dass es gar nichts gab, was ich sagen konnte, nichts gab, was sie sagen konnten, und nichts gab, was sie tun konnten.

Dieser Moment, also, in dem Mum mich fragte, wie sie denn helfen könnten, der war irgendwie der Moment, als dieser eine Typ vom Dach sprang. Ich meine, es war nicht dermaßen schrecklich oder gespenstisch, und es kam niemand um, und wir waren drinnen, nicht draußen usw. Aber ihr kennt das sicher, wie man so Sachen in irgendeinem Gehirnwinkel verstaut, in einer Notfallbox, für schlechte Zeiten? Man denkt sich zum Beispiel, irgendwann, wenn ich gar nicht mehr klarkomme, bring ich mich um. Eines Tages, wenn ich mich echt in die Scheiße geritten hab, strecke ich die Waffen und lass mich von Mum und Dad raushauen. Na, jedenfalls war die mentale Notfallbox jetzt leer, und der Witz war, dass eigentlich nie was drin gewesen war.

Also machte ich das, was ich üblicherweise in solchen Situationen mache. Ich sagte meiner Mum, sie könne mich mal, und ich sagte meinem Dad, er könnte mich mal, und haute dann ab, obwohl ich ja eigentlich anschließend mit den Freunden und Angehörigen von einem der anderen hätte reden sollen. Als ich die Treppe schon rauf war, kam ich mir blöd vor, aber da war es schon zu spät, wieder runterzugehen, deswegen marschierte ich zur Tür hinaus, die Upper Street runter, in die U-Bahn-Station am Angel und nahm die erste Bahn, die kam. Niemand lief mir nach.

JJ

In dem Moment, in dem ich Ed und Lizzie unten im Souterrain sah, flackerte dieses unbezähmbare Fünkchen Hoffnung in mir auf. So was wie, endlich! Sie kommen, um mich zu retten! Der Rest der Band hat für heute Abend einen Gig klargemacht, und anschließend gehen Lizzie und ich nach Hause in diese süße Wohnung, die sie für uns beide gemietet hat! Das hat sie also die ganze Zeit getrieben! Eine Wohnung gesucht und eingerichtet! Und … Wer ist denn der alte Kerl, der da mit Jess redet? Ist das vielleicht irgendwer von einer Plattenfirma? Hat Ed einen neuen Vertrag für uns ausgehandelt? Nein, hat er nicht. Der alte Kerl ist der Vater von Jess, und später erfuhr ich dann auch, dass Lizzie einen neuen Freund hatte, jemand, der ein eigenes Haus in Hampstead und eine eigene Werbeagentur besaß.

Ich kam ziemlich schnell wieder auf den Teppich. Weder ihre Gesichter noch ihr Tonfall waren aufgeregt, daran merkte ich, dass sie keine Neuigkeiten, keine großartigen Zukunftsaussichten für mich hatten. Ich sah Liebe und auch Sorge, und das machte mich ein wenig rührselig, wenn ich ehrlich sein soll. Ich drückte sie lange an mich, damit sie nicht merkten, was ich für ein Waschlappen war. Aber sie waren zu Starbucks ins Souterrain gekommen, weil man ihnen gesagt hatte, sie sollten zu Starbucks ins Souterrain kommen, obwohl keiner von beiden die blasseste Ahnung hatte, warum.

»Was ist los, Alter?« fragte Ed. »Ich hab gehört, bei dir läuft es nicht besonders.«

»Ach, na ja«, sagte ich. »Es wird sich schon irgendwas ergeben.« Beinahe hätte ich Mr Micawber aus David Copperfield erwähnt, aber ich wollte nicht, dass ich Ed schon nervte, bevor wir uns unterhalten hatten.

»Hier wird sich überhaupt nichts ergeben«, sagte er. »Du solltest nach Hause kommen.«

Ich wollte ihm nicht die ganze Neunzig-Tage-Geschichte erzählen, also wechselte ich das Thema.

»Wie siehst du überhaupt aus?« fragte ich ihn. Er trug so eine Art Wildlederjacke, die aussah, als wäre sie sauteuer gewesen, und eine weiße Cordhose, und sein Haar war zwar immer noch lang, sah aber irgendwie gepflegt und gesund aus. Er sah aus wie eins von diesen Arschlöchern, die mit den Weibern aus *Sex and the City* ausgehen.

»Ich wollte eigentlich nie so rumlaufen wie früher. Ich sah so aus, weil ich kein Geld hatte. Außerdem haben wir nie irgendwo gepennt, wo es eine vernünftige Dusche gab.«

Lizzie lächelte höflich. Es war hart, dass sie beide da waren – so ähnlich, als würdest du von deiner ersten und deiner zweiten Frau im Krankenhaus Besuch bekommen.

»Ich hätte nie gedacht, dass du einer bist, der kneift«, sagte Ed.

»He, pass auf, was du sagst. Du bist hier im Kneifer-Hauptquartier.«

»Ja. Aber soweit ich gehört habe, haben die anderen gute Gründe. Und was hast du? Du hast gar nichts.«

»Jau. So ähnlich seh ich das auch.«

»Das hab ich damit nicht gemeint.«

»Will noch wer einen Kaffee?« fragte Lizzie.

Ich wollte nicht, dass sie wegging.

»Ich komm mit«, sagte ich.

»Wir gehen alle zusammen«, sagte Ed. So gingen wir alle zusammen, Lizzie und ich redeten weiterhin nicht, und Ed hörte nicht auf zu reden, und mir kam es vor wie die letzten paar Jahre meines Lebens, reduziert zu einmal Anstehen für einen Latte.

»Für Leute wie uns ist Rock 'n' Roll wie aufs College zu gehen«, sagte Ed, nachdem wir bestellt hatten. »Wir sind Jungs aus der Arbeiterklasse. Wir können nicht so rumgammeln wie Jungs von der Uni, es sei denn, wir schließen uns einer Band an. Dann hat man ein paar Jahre, danach fängt die Band an, einem auf die Eier zu gehen, das Touren fängt an, einem auf die Eier zu gehen, und dass man nie Geld hat, fängt erst recht an, einem auf die Eier zu gehen. Also sucht man sich einen Job. So ist das Leben, Alter.«

»Dann wär der Punkt, an dem alles anfängt, einem auf die Eier zu gehen, quasi unser College-Abschluss. Unser Examen.«

»Genau.«

»Und wann geht dann alles Dylan auf die Eier? Oder Springsteen?«

»Wahrscheinlich wenn sie in einem Hotel wohnen, wo es vor sechs Uhr abends kein warmes Wasser gibt.«

Es stimmte, dass wir auf unserer letzten Tour in South Carolina in so einem Hotel waren. Aber ich erinnerte mich an den Auftritt, der echt heiß war, Ed erinnerte sich an die Duschen, die es nicht waren.

»Außerdem kenne ich Springsteen. Oder hab ihn zumindest live gesehen, bei der E-Street-Reunion-Tour. Und Sie, Senator JJ, sind kein Springsteen.«

»Herzlichen Dank, Partner.«

»Scheiße, JJ. Was willst du denn hören? Meinetwegen, du bist Springsteen. Du bist einer der erfolgreichsten Künstler im Musikbusiness. Du warst in ein und derselben Woche auf den Titelseiten von *Time* und *Newsweek*. Du füllst an jedem einzelnen beschissenen Tag ganze Stadien. Bitte. Wenn du dich jetzt besser fühlst. Mensch, werd endlich erwachsen.«

»Ach, und du bist wohl auf einmal richtig erwachsen, weil dein Alter Mitleid mit dir hatte und dir einen Job gegeben hat, bei dem du Leute illegal ans Kabelfernsehen anschließt?«

Eds Ohren werden rot, wenn er kurz davor steht, dir eine reinzuhauen. Diese Information ist wahrscheinlich für niemanden auf der Welt außer mir von Nutzen, weil er zu Leuten, denen er eine reinhaut, aus offensichtlichen Gründen selten eine enge Bindung entwickelt. Daher lernen sie das mit den Ohren nie – sie bleiben nicht lange genug. Ich bin höchstwahrscheinlich der Einzige, der weiß, wann er sich ducken muss.

»Deine Ohren werden rot«, sagte ich.

»Fick dich.«

»Du bist den ganzen Weg hergeflogen, um mir das zu sagen?«

»Fick dich.«

»Hört auf damit, ihr beiden«, sagte Lizzie. Ich will es nicht beschwören, aber ich meine, dass sie, als wir drei das letzte Mal zusammen waren, das Gleiche gesagt hatte.

Der Mann, der uns den Kaffee machte, beäugte uns vorsichtig. Ich kannte ihn flüchtig, und er war ganz nett; er war Student, und wir hatten uns ein paar Mal über Musik unterhalten. Er war White-Stripes-Fan, und ich hatte versucht, ihm Muddy Waters und den Wolf schmackhaft zu machen. Wir machten ihm ein bisschen Angst.

»Hör mal«, sagte ich zu Ed. »Ich bin hier Stammgast.

Wenn du mir den Arsch aufreißen willst, gehen wir besser nach draußen.«

»Danke«, sagte der White-Stripes-Typ. »Ich meine, du weißt schon. Kein Problem, wenn sonst niemand hier wäre, weil du Stammgast bist und uns unsere Stammgäste am Herzen liegen. Aber …« Er wies auf die Schlange hinter uns.

»Nein, nein, kein Problem, Mann«, sagte ich. »Danke.«

»Soll ich euren Kaffee so lange auf der Theke stehen lassen?«

»Klar. Es wird nicht lange dauern. Normalerweise regt er sich ab, sobald er einen guten Treffer gelandet hat.«

»Leck mich.«

Also marschierten wir alle raus auf die Straße. Es war kalt, dunkel und regnerisch, doch Eds Ohren waren zwei kleine Leuchtfeuer in dunkler Nacht.

MARTIN

Seit dem Morgen, an dem unsere kleine Begegnung mit dem Engel in der Zeitung gestanden hatte, hatte ich Penny weder gesehen noch gesprochen. Ich hatte mit Zuneigung an sie gedacht, doch ich hatte weder den Sex noch den gesellschaftlichen Umgang mit ihr vermisst. Meine Libido war beurlaubt (und man musste damit rechnen, dass sie sich für den Vorruhestand entschied und gar nicht mehr an ihren Arbeitsplatz zurückkehrte); mein gesellschaftlicher Umgang waren JJ, Maureen und Jess, was darauf hindeuten mochte, dass er ebenso zu wünschen übrig ließ wie mein Sexualtrieb, nicht zuletzt, weil sie mir im Moment vollauf genügten. Und trotzdem: Als ich sah, wie Penny mit einem von Mattys Pflegern flirtete, überkam mich eine unkontrollierbare Wut.

Das ist gar nicht so paradox, wenn man irgendwas von der Perversität der menschlichen Natur versteht. (Ich glaube, diesen Spruch habe ich schon mal gebracht, also wirkt er mittlerweile vielleicht nicht mehr ganz so autoritativ und scharf beobachtet. Das nächste Mal sollte ich nur die Perversität und Paradoxie bemühen und die menschliche Natur außen vor lassen.) Ein Mann ist wahrscheinlich anfällig für Eifersucht, und der blonde Pfleger war zudem noch groß, jung, braun gebrannt und blond. Die Chancen standen gut, dass er mich auch in unbeherrschte Wut versetzt hätte, wenn er alleine im Souterrain des Starbucks oder sonst wo in London gestanden hätte.

Außerdem war mir, rückblickend betrachtet, jeder Anlass recht, dem Schoß meiner Familie zu entfliehen. Wie ich befürchtet hatte, hatte ich in den vorangegangenen Minuten nur sehr wenig über mich selbst hinzugelernt. Weder die Verachtung meiner Exfrau noch die Buntstifte meiner Töchter waren so aufschlussreich gewesen, wie Jess wohl gehofft hatte.

»Besten Dank«, sagte ich zu Penny.

»Oh, keine Ursache. Ich hatte sowieso nichts vor, und Jess schien zu glauben, es könnte helfen.«

»Nein«, sagte ich, und war sofort moralisch im Hintertreffen. »Nicht dafür danke. Danke, dass du hier rumstehst und vor meinen Augen flirtest. Also danke in Anführungszeichen.«

»Das hier ist Stephen«, sagte Penny. »Er kümmert sich um Matty und hatte niemanden zum Reden, deswegen bin ich rübergekommen, um hallo zu sagen.«

»Hi«, sagte Stephen. Ich funkelte ihn an.

»Sie finden sich wohl ganz toll, was?« sagte ich.

»Bitte?« meinte er.

»Martin!« sagte Penny.

»Sie haben schon verstanden«, sagte ich. »Lackaffe.«

Ich hatte das Gefühl, dass von drüben aus der Ecke, wo die Mädchen ihr Bild ausmalten, ein anderer Martin – ein netterer, freundlicherer Martin – mit angeekelter Faszination zusah, und ich fragte mich kurz, ob es möglich wäre, mich wieder mit ihm zu vereinen.

»Geh lieber, bevor du dich zum Idioten machst«, sagte Penny. Es sagt einiges über Pennys Großherzigkeit, dass sie die Idiotie immer noch als etwas ansah, das aus einiger Entfernung auf mich zukam und dem ich noch ausweichen konnte; weniger parteiische Beobachter hätten gesagt, die Idiotie hatte mich bereits unter sich begraben. Es war ohnehin egal, denn ich rührte mich nicht von der Stelle.

»Pfleger zu sein ist ein leichter Job, oder?«

»Eher nicht«, sagte Stephen. Er beging den elementaren Fehler, auf meine Frage einzugehen, als wäre sie ernst und ohne Gehässigkeit gestellt worden. »Na schon, es befriedigt einen, aber … Überstunden, miese Bezahlung, Nachtarbeit. Manche Patienten sind schwierig.« Er zuckte die Achseln.

»Manche Patienten sind schwierig«, sagte ich mit kindischer Quengelstimme. »Schlechte Bezahlung. Nachtarbeit. O weh, o weh.«

»Sean«, sagte Stephen zu seinem Kollegen, »ich warte oben. Der Typ hier schmeißt gleich seine Rassel aus dem Kinderwagen.«

»Sie bleiben hier und hören sich an, was ich zu sagen habe. Ich war so höflich zuzuhören, wie Sie rumprahlen, was für ein Volksheld Sie sind. Jetzt hören Sie mir zu.«

Ich glaube nicht, dass er etwas dagegen hatte, noch ein paar Minuten zu bleiben, wo er war. Dieses geradezu sensationell schlechte Benehmen übte große Faszination aus, das merkte ich, und ich hoffe, es klingt nicht anmaßend, wenn ich sage, dass meine Berühmtheit oder deren schäbige Reste von maßgeblicher Bedeutung für den Erfolg des Spektakels waren: Normalerweise benehmen sich Fernsehstars nur in Nachtclubs oder in Gesellschaft anderer Fernsehstars daneben, darum war mein Einfall, stocknüchtern im Souterrain des Starbucks einen Krankenpfleger anzupöbeln, kühn, vielleicht sogar bahnbrechend. Und schließlich konnte Stephen es nicht persönlich nehmen, er hätte es ja auch nicht persönlich genommen, wenn ich ihm auf die Schuhe geschissen hätte. Die äußeren Zeichen inneren Aufruhrs sind nie besonders gezielt.

»Ich hasse Leute wie Sie«, sagte ich. »Sie schieben ein behindertes Kind ein bisschen in der Gegend rum und erwarten sofort einen Orden dafür. Was ist denn schon dabei?«

An dieser Stelle packte ich, ich sage es mit Bedauern, die Griffe von Mattys Rollstuhl und ruckelte daran. Und mir kam plötzlich der brillante Einfall, dabei eine Hand in die Hüfte zu stemmen, um zu suggerieren, es sei eine weibische Tätigkeit, Behinderte im Rollstuhl durch die Gegend zu schieben.

»Guck mal Mummy, Daddy«, rief eine meiner Töchter (und ich muss zu meinem Bedauern gestehen, ich weiß nicht, welche) begeistert. »Ist er nicht witzig?«

»Und?« sagte ich zu Penny. »Wie sieht das aus? Bin ich jetzt wieder attraktiv für dich?« Penny starrte mich an, als würde ich tatsächlich auf Stephens Schuhe scheißen, ein Blick, der meine Frage hinlänglich beantwortete. »He, alle zusammen«, rief ich, obwohl ich längst alle Aufmerksamkeit hatte, die ich mir wünschen konnte. »Bin ich nicht toll? Bin ich nicht toll? Das nennst du schwierig, Blondie? Ich werd dir sagen, was schwierig ist, Sonnenschein. Schwierig ist …« Ich brach ab. Tatsache war, dass mein Berufsleben gerade keinerlei Schwierigkeiten bereithielt. Und die Schwierigkeiten, die ich zuletzt hatte durchmachen müssen, rührten alle daher, dass ich mit einer Minderjährigen geschlafen hatte, daher waren sie nicht direkt dazu angetan, Sympathien zu wecken.

»Schwierig ist …« Ich brauchte bloß irgendwas, um den Satz zu Ende zu bringen. Alles wäre mir recht gewesen, selbst etwas, das ich nicht persönlich erlebt hatte. Kinder kriegen? Schach mit einem Großmeister? Aber mir fiel nichts ein.

»Bist du fertig, Kumpel?« fragte Stephen.

Ich nickte, wobei ich versuchte, in dieser Geste irgendwie kundzutun, dass ich zu wütend und angewidert war, um fortzufahren. Und dann nahm ich die einzige Option wahr, die ich offenbar noch hatte, und folgte Jess und JJ nach draußen.

MAUREEN

Jess nimmt ständig überall Reißaus, daher dachte ich mir nicht viel dabei, als sie ging. Aber als JJ und Martin ebenfalls gingen … Nun, ich begann mich etwas zu ärgern, um die volle Wahrheit zu sagen. Ich fand das ungehörig, nachdem sich alle die Mühe gemacht hatten herzukommen. Und Martin benahm sich so merkwürdig, wie er da Matty hin- und herschob und jeden fragte, ob er attraktiv wirkte. Warum sollte irgendjemand ihn dabei attraktiv finden? Er wirkte keineswegs attraktiv. Er wirkte verrückt. Um JJ gegenüber nicht ungerecht zu sein, er nahm seine Gäste wenigstens mit, als er hinausging – er ließ sie nicht einfach im Café stehen, wie Jess und Martin. Aber später erfuhr ich, dass er mit ihnen nach draußen gegangen war, um sich mit ihnen zu prügeln, daher fällt es einem schwer zu entscheiden, ob das nun ungehörig war oder nicht. Einerseits blieb er mit ihnen zusammen, andererseits blieb er mit ihnen zusammen, um sie zu verprügeln. Ich meine, das war immer noch unhöflich, aber nicht so unhöflich wie die anderen.

Wir Zurückgebliebenen, die Pfleger, die Eltern von Jess und Martins Freundin und Familie, standen eine Weile herum, und als wir dann langsam begriffen, dass niemand zurückkommen würde, nicht einmal JJ und seine Bekannten, wussten wir nichts so recht mit uns anzufangen.

»Was meinen Sie, war's das?« fragte Jess' Vater. »Ich möchte ja nicht … Ich möchte ja nicht gefühllos erscheinen.

Und ich weiß, Jess hat sich sehr viel Mühe gemacht, das alles zu organisieren. Aber, tja … Eigentlich ist ja niemand mehr da, nicht wahr? Möchten Sie, dass wir bleiben, Maureen? Gibt es irgendwas, wobei wir uns als Gruppe sinnvoll einbringen können? Denn offenkundig, wenn es da etwas … Ich meine, was glauben Sie, was Jess sich davon versprochen hat? Vielleicht können wir ihr *in absentia* dazu verhelfen.«

Ich wusste, was Jess sich davon versprochen hatte. Sie hatte gehofft, ihre Mum und ihr Dad würden kommen und alles wieder besser machen, so wie man das von Mums und Dads erwartet. Vor langer Zeit, als ich plötzlich mit Matty allein dastand, hatte ich auch mal diese Wunschvorstellung gehabt, und ich glaube, so etwas wünscht sich jeder. Jedenfalls jeder, in dessen Leben etwas gründlich schief gelaufen ist. Daher erklärte ich dem Vater von Jess, Jess habe meiner Meinung nach nur erreichen wollen, dass man alles besser versteht, und es täte mir Leid, falls das nicht funktioniert hätte.

»Das liegt an diesen gottverdammten Ohrringen«, sagte er, daher fragte ich ihn nach den Ohrringen, und er erzählte mir die Geschichte.

»Haben sie ihr viel bedeutet?« fragte ich.

»Jen? Oder Jess?«

»Jen.«

»Ich weiß nicht genau«, sagte er.

»Es waren ihre Lieblingsohrringe«, sagte Mrs Crichton. Sie hatte ein seltsames Gesicht. Sie lächelte unentwegt, während wir uns unterhielten, aber es wirkte, als habe sie das Lächeln erst an diesem Nachmittag entdeckt – ihr Gesicht sah nicht so aus, als sei es an Fröhlichkeit gewöhnt. Ihre Falten waren Falten, die man bekommt, wenn man zornig über gestohlene Ohrringe ist, und ihre Lippen waren sehr schmal und verkniffen.

»Sie ist noch mal da gewesen, um sie zu holen«, sagte ich. Ich weiß nicht, warum ich das sagte, und ich weiß nicht, ob es zutraf oder nicht. Aber ich glaube, in diesem Moment war es das Richtige. In dieser Beziehung war es wahr.

»Wer?« fragte sie. Ihr Gesicht sah nun ganz anders aus. Es musste etwas anstellen, das es nicht gewohnt war, denn sie brannte plötzlich darauf, zu hören, was ich zu sagen hatte. Ich glaube nicht, dass sie es gewohnt war, richtig zuzuhören. Mir gefiel es, ihr Gesicht etwas Neues machen zu sehen, und das war einer meiner Gründe, fortzufahren. Ich fühlte mich, als würde ich mit einem Rasenmäher einen Pfad durch meterhohes Gras schneiden.

»Jen. Wenn sie ihre Ohrringe so liebte, dann ist sie wahrscheinlich deswegen noch mal zurückgekommen. Sie wissen doch, wie Mädchen in diesem Alter sind.«

»Guter Gott«, sagte Mr Crichton. »Daran habe ich nie gedacht.«

»Ich auch nicht. Aber ... das könnte wirklich sein. Weißt du nicht mehr, Chris? Uns sind doch noch ein paar andere Sachen abhanden gekommen. Da ist doch auch dieses Geld verschwunden.«

Was das Geld anbelangte, teilte ich ihre Ansicht nicht. Mir war klar, dass es dafür auch eine andere Erklärung geben konnte.

»Und ich sagte damals auch, dass ich den Eindruck hätte, einige Bücher wären verschwunden, weißt du noch? Und wir wissen beide, dass Jess sie nicht genommen hat.«

An der Stelle lachten beide, als hätten sie Jess gern und fänden es nett, dass sie eher von einem Hochhaus springen würde, als ein Buch zu lesen.

Ich sah und fühlte, warum der Gedanke, Jen könne ihre Ohrringe später noch geholt haben, so wichtig für sie war. Das hieße, dass sie ausgerissen war, nach Texas, Schottland oder Notting Hill Gate, und nicht umgebracht wurde oder sich selbst umgebracht hatte. Es bedeutete, dass sie sich darüber den Kopf zerbrechen konnten, wo sie nun war und wie ihr Leben womöglich aussah. Sie konnten sich fragen, ob sie vielleicht ein Kind bekommen hatte, das sie nicht zu sehen bekamen und vielleicht nie sehen würden, ob sie einen Beruf hatte, von dem sie nie erfahren würden. Es bedeutete, dass sie in Gedanken weiterhin ganz normale Eltern sein konnten. Es war das Gleiche, was ich machte, wenn ich Matty seine Poster und CDs kaufte – in Gedanken war ich dann eine ganz normale Mutter, wenigstens für den Augenblick.

Man hätte es ihnen im Handumdrehen kaputtmachen können, wenn man gewollt hätte, und faustgroße Löcher hineinreißen, denn was besagte das alles letzten Endes schon? Jen konnte zurückgekommen sein, weil sie ihre Ohrringe tragen wollte, wenn sie sich umbrachte. Vielleicht war sie auch überhaupt nicht zurückgekommen. Außerdem blieb sie weiterhin verschwunden, ob sie noch einmal für fünf Minuten zurückgekommen war oder nicht. Ach, aber ich weiß selbst am besten, was man braucht, um sich über Wasser zu halten. Das klingt vielleicht komisch, wenn man den Grund bedenkt, der uns in dieser Coffee-Bar zusammengeführt hat. Aber Tatsache ist, dass ich mich bis hierher über Wasser gehalten habe, auch wenn ich dazu die Treppen im Topper's House hatte hochsteigen müssen. Manchmal muss man die Dinge einfach ein bisschen anschubsen. Man muss nur davon überzeugt sein, dass sich jemand vielleicht seine Ohrringe geholt hat, und schon sieht die Welt, in der man lebt, für eine Weile wieder ganz erträglich aus.

Das galt allerdings nur für Mr und Mrs Crichton, nicht für Jess. Jess wusste nichts von der Ohrring-Theorie, und Jess war diejenige, deren Welt ein neues Gesicht brauchte. Sie war mit mir auf diesem Dach gewesen. Mr und Mrs Crichton hatten ihre Jobs und ihre Freunde und sonst was, daher hätte man sagen können, sie brauchten gar keine Ohrringgeschichten. Man könnte sagen, die Ohrringgeschichte war an sie verschwendet.

Das konnte man durchaus sagen, aber es hätte nicht gestimmt. Auch sie brauchten die Geschichten, man sah es an ihren Mienen. Ich kenne nur einen einzigen Menschen auf der Welt, der nicht solche Geschichten braucht, um sich über Wasser zu halten, und das ist Matty. (Aber vielleicht braucht sogar er sie. Ich weiß nicht, was in ihm vorgeht. Reden Sie weiter mit ihm, sagen sie immer, also tue ich das, und wer weiß schon, ob er mit irgendetwas von dem, was ich sage, etwas anfangen kann?) Es gibt andere Arten zu sterben, ohne dass man dafür Selbstmord begehen muss. Man kann Teile von sich absterben lassen. Die Mutter von Jess hat ihr Gesicht absterben lassen, und ich habe gesehen, wie es wieder zum Leben erwachte.

JESS

Die erste Bahn, die kam, fuhr Richtung Süden, und ich stieg London Bridge aus und machte einen Spaziergang. Wenn ihr gesehen hättet, wie ich an der Mauer gelehnt runter ins Wasser geguckt habe, hättet ihr bestimmt gedacht, oh, sie denkt nach, aber das tat ich nicht. Ich meine, klar, es waren Worte in meinem Kopf, aber nur weil einem Worte durch den Kopf gehen, heißt das nicht, dass man nachdenkt. Wenn man die Tasche voller Pennys hat, heißt das ja auch nicht, dass man reich ist. Die Worte in meinem Kopf waren so ungefähr Kotz, Arschloch, Miststück, Scheiße, Fuck, Wichser, und sie wirbelten sehr schnell darin herum, selbst für mich zu schnell, um einen Satz daraus zu bilden. Das ist wohl kaum Nachdenken, oder?

Also sah ich eine Weile in den Fluss, dann ging ich zu einem Stand an der Brücke und kaufte Tabak, Blättchen und Streichhölzer. Dann ging ich wieder an meinen alten Platz und drehte mir ein paar Kippen, damit ich etwas zu tun hatte sozusagen. Um ehrlich zu sein, ich weiß nicht, warum ich nicht noch viel mehr rauche. Ich glaube, ich vergess es einfach. Wenn jemand wie ich das Rauchen vergisst, welche Chance hat das Rauchen dann überhaupt noch? Guckt mich an. Man würde jede Wette eingehen, dass ich rauche wie eine Irre, aber das mach ich nicht. Guter Vorsatz fürs neue Jahr: mehr rauchen. Muss doch irgendwie gesünder sein, als von Hochhäusern zu springen.

Na, jedenfalls sitz ich da mit dem Rücken an die Mauer gelehnt und dreh meine Selbstgedrehten, da seh ich diesen Dozenten vom College. So ein alter Typ, einer von diesen übrig gebliebenen Kunstakademie-Typen aus den Sechzigern. Er unterrichtet Typographie und so was, und ich war in ein paar von seinen Seminaren, bis es mir zu öde wurde. Ich hab nichts gegen ihn, gegen Colin. Er hat weder einen grauen Pferdeschwanz noch trägt er eine verwaschene Jeansjacke. Und er hat nie versucht, einen auf Freund zu machen, also muss er wohl eigene Freunde haben. Und das kann man nicht von vielen dieser Typen sagen.

Um diese Geschichte wahrheitsgetreu zu erzählen, sollte ich euch wahrscheinlich sagen, dass er mich sah, bevor ich ihn sah, denn als ich vom Zigarettendrehen aufblickte, kam er schon auf mich zu. Und um auch wirklich absolut ehrlich zu sein, sollte ich dazu sagen, dass ein Teil meiner Nachdenkerei, des mentalen Geschimpfes, richtiger gesagt, wahrscheinlich nicht gänzlich mental war, wisst ihr. Es war mental gedacht, aber ein Teil blubberte aus meinem Mund, einfach weil so viel davon da war. Es schwappte sozusagen aus mir raus, als würde das Geschimpfe aus einem Hahn in einen Eimer (= meinen Kopf) fließen, und ich hätte vergessen, den Hahn zuzudrehen, obwohl der Eimer schon voll war.

So sah es von meiner Warte aus. Von seiner Warte aus sah es aus, als säße ich auf dem Bürgersteig, würd Kippen drehen und vor mich hin schimpfen, und das sieht nicht besonders gut aus, oder? Er kam also zu mir rüber, ging in die Hocke, damit er auf einer Höhe mit mir war, und begann, leise auf mich einzureden. Er sagte so was wie, Jess? Kennst du mich noch?

Ich hatte ihn zuletzt vor ungefähr zwei Monaten gesehen, natürlich kannte ich ihn noch. Ich sagte also, Nein, und lachte, was eigentlich ein Witz sein sollte, aber wohl nicht als Witz rüberkam, weil er danach sagte, immer noch in diesem Flüsterton, Ich bin's, Colin Wearing, du hattest früher Kunstunterricht bei mir. Ich darauf, Jaa, jaa, und er, Doch, wirklich, und dann hab ich kapiert, dass er mein »Jaa, jaa« für ein »ja, von wegen« gehalten hat, aber es war gar nicht so ein »jaa, jaa«. Mit den beiden »Jas« wollte ich ihm nur begreiflich machen, dass ich es vorher nicht ernst gemeint hatte, aber das machte es nur noch schlimmer. Dadurch sah es jetzt so aus, als würde ich denken, er gäbe sich nur als Colin Wearing aus, was durch und durch geisteskrank gewesen wäre. Und schon lief das Gespräch irgendwie schief. Es war wie so ein Einkaufswagen im Supermarkt mit einem blockierten Rad, denn ich dachte die ganze Zeit, das hier müsste doch problemlos laufen, aber alles, was ich sagte, ging in die falsche Richtung.

Dann meint er, Warum sitzt du hier auf dem Gehweg? Und ich erzähl ihm, dass ich wegen ein paar Ohrringen Streit mit meinen bescheuerten Eltern hätte, worauf er sagt, Und nun kannst du nicht mehr heim? Darauf ich, ich könnte schon, wenn ich wollte. Ich müsste nur mit der Northern Line zurück zum Angel und ab da den Bus nehmen. Aber ich wollte nicht. Und er dann, Also, ich finde, du solltest hier nicht rumsitzen. Gibt es irgendeinen Ort, wohin du gehen kannst? Da schnallte ich, dass er glaubte, ich wär irgendwie bekloppt geworden, deswegen stand ich so schnell auf, dass er hochfuhr, sagte ihm ordentlich die Meinung und ging.

Aber dann dachte ich tatsächlich nach, anstatt mental zu schimpfen. Und das Erste, was ich dachte, war, dass ich bestimmt kein Problem damit hätte, mich den Bekloppten anzuschließen. Ich will damit nicht sagen, dass es pisseinfach wäre, so ein Leben zu führen – das mein ich nicht. Ich meine bloß, dass ich ziemlich viel mit den Leuten gemeinsam hab, die man sonst so auf den Gehwegen rumsitzen und schimpfen und Kippen drehen sieht. Manche von denen scheinen die Menschen zu hassen, und ich hasse praktisch alle. Sie müssen ihre Freunde und Angehörigen vergrätzt haben, ziemlich genau das, was ich gemacht hab. Und wer weiß, ob Jen mittlerweile nicht auch verrückt ist? Vielleicht liegt das in den Genen, auch wenn mein Dad Juniorminister ist. Vielleicht überspringt das eine Generation.

Ich wusste nicht, wohin all dieses Grübeln führen würde, aber ich begriff plötzlich, dass ich in größeren Schwierigkeiten steckte, als ich geglaubt hatte. Ich weiß, dass hört sich blöd an, wenn man bedenkt, dass ich vorgehabt hatte, mich umzubringen, aber das war alles nicht ernst gemeint gewesen, und wenn ich tatsächlich gesprungen wäre, wär das auch nicht ernst gemeint gewesen. Aber was, wenn ich eine Zukunft auf diesem Planeten hätte? Was dann? Wie viele Leute konnte ich vor den Kopf stoßen und wie oft konnte ich einfach wegrennen, bevor ich endgültig am Fluss sitzen und laut vor mich hin schimpfen würde? Nicht mehr viele, lautete die Antwort. Also hieß es, zurück – ins Starbucks, nach Haus oder sonst wohin –, bloß nicht weiter vorwärts. Denn wenn man irgendwo langgeht und vor eine Mauer läuft, muss man in seinen eigenen Fußspuren zurückgehen.

Doch dann fand ich sozusagen einen Weg, über die Mauer zu klettern. Beziehungsweise fand ein kleines Loch in der Mauer, durch das ich kriechen konnte, oder so. Ich traf so einen Typen mit einem echt netten Hund und schlief mit ihm.

JJ

Ich stand da also einfach auf dem Bürgersteig und sagte Ed, er könnte mir eine reinhauen, wenn er sich dann besser fühlen würde.

»Ich will dich nicht schlagen, bevor du mich schlägst«, sagte er.

In der Nähe stand ein Typ, der diese Obdachlosenzeitung verkaufte.

»Schlag ihn«, sagte er zu mir.

»Du hältst dein Maul«, sagte Ed.

»Ich wollte die Sache nur in Schwung bringen«, sagte der Obdachlose.

»Du bist über den Atlantik geflogen, weil ich dir erzählt habe, dass JJ in Schwierigkeiten steckt«, sagte Lizzie zu Ed. »Und nun guck dich mal an. Ein Gespräch, und schon willst du ihn schlagen.«

»Man muss den Dingen ihren Lauf lassen«, sagte Ed.

»Ist das so was wie ›Ein Mann muss tun, was ein Mann tun muss‹? Tut mir Leid, für mich hört sich das ausgesprochen inhaltsleer an«, sagte Lizzie. Sie lehnte am Schaufenster eines An- und Verkaufs und tat gelangweilt. Aber ich wusste, das war sie nicht. Sie war auch wütend, aber sie wollte es nicht zeigen.

»Er sieht das wie ich«, sagte Ed. »Daher ist es egal, wie es sich für dich anhört. Er versteht das.«

»Nein, tu ich nicht«, sagte ich. »Lizzie hat Recht. Warum solltest du diesen weiten Weg machen, bloß um mich zu schlagen?«

»Das ist bestimmt so eine *Butch Cassidy und Sundance Kid*-Geschichte, oder?« fragte Lizzie. »Ihr wollt miteinander schlafen, aber das könnt ihr nicht, weil ihr beide so total hetero seid.«

Darüber kriegte sich der Obdachlose gar nicht mehr ein.

Er wieherte wie eine Hyäne. »Habt ihr mal gelesen, was Pauline Kael über *Butch Cassidy* geschrieben hat? Mann, fand die den vielleicht scheiße«, sagte er.

Weder Lizzie noch Ed hatten die blasseste Ahnung, wer Pauline Kael war, aber ich besaß zwei oder drei Bücher von ihr. Ich hatte sie immer auf dem Klo liegen, denn man kann prima einen Blick hineinwerfen, wenn man auf dem Pott sitzt. Na, jedenfalls hatte ich nicht erwartet, ihren Namen ausgerechnet in diesem Moment von ausgerechnet diesem Kerl zu hören. Ich starrte ihn an.

»Oh, klar kenn ich Pauline Kael«, sagte er. »Weißt du, ich bin nicht als Obdachloser zur Welt gekommen.«

»Ich will ganz, ganz bestimmt nicht mit ihm schlafen«, sagte Ed. »Ich will ihn eindeutig schlagen. Aber er muss mich zuerst schlagen.«

»Siehst du?« sagte Lizzie. »Homoerotisch, mit einer Prise Sadomasochismus. Gib ihm schon ein Küsschen und lass es gut sein.«

»Küss ihn«, sagte der obdachlose Typ zu Ed. »Küss ihn oder schlag ihn. Aber mach um Himmels willen, dass es weitergeht.«

Eds Ohren konnten unmöglich noch röter werden, und ich fragte mich, ob sie vielleicht in Flammen aufgehen und dann schwarz werden würden. Dann hätte ich zumindest sagen können, ich hätte mal was Neues gesehen.

»Willst du, dass ich sterbe?« fragte ich sie.

»Warum tut ihr euch nicht einfach wieder zusammen?« fragte Lizzie. »Dann könntet ihr euch wenigstens wieder ein Mikro teilen und hättet diese großen elektrischen Penissurrogate.«

»Ach, darum warst du dagegen, dass er in einer Band spielt«, sagte Ed. »Du warst eifersüchtig.«

»Wie kommst du darauf, ich wäre dagegen gewesen, dass er in einer Band spielt?« fragte Lizzie ihn.

»Ja, das hast du total falsch verstanden, Ed«, sagte ich. »So tief gingen ihre Gefühle gar nicht. Sie hat mich gerade deswegen verlassen, weil ich *nicht* in einer Band war. Für sie wäre ich erst interessant gewesen, wenn ich Rockstar geworden wäre und ein Schweinegeld verdient hätte.«

»Du glaubst wirklich, *das* wäre der Punkt gewesen?« fragte Lizzie.

Plötzlich konnte ich sehen, wie mein Leben vor meinen Augen wieder zusammengefügt wurde. Es war alles nur ein schreckliches Missverständnis, das sich nun unter großem Gelächter und ein paar Tränchen klären würde. Lizzie hatte sich nie von mir trennen wollen. Ed hatte sich nie von mir trennen wollen. Ich war raus auf die Straße gegangen, um mir die Fresse polieren zu lassen, und stattdessen würde ich nun alles bekommen, was ich mir je gewünscht hatte.

»Die Schlägerei findet wohl nicht mehr statt, was?« fragte der Obdachlose betrübt.

»Es sei denn, wir drei prügeln dir die Scheiße aus den Knochen«, sagte Ed.

»Lass mich nur den Schluss noch mitkriegen«, bat der obdachlose Typ. »Geht nicht wieder rein. Nie krieg ich hier draußen den Schluss einer Story mit.«

Es würde ein Happyend geben, ich fühlte es kommen. Und zwar für uns alle vier. Bei unserem ersten Auftritt nach der Reunion könnten wir dem Obdachlosen ein Stück widmen. He – vielleicht könnte er sogar unser Tourmanager werden. Außerdem könnte er bei der Hochzeit einen Toast aussprechen. »Alle sollten wieder zusammenkommen«, sagte ich und meinte es auch so. Das war mein großes Schlussplädoyer. »Jede Band, die sich je getrennt hat, jedes Paar ... Es gibt schon genug Elend auf der Welt, ohne dass alle zehn Sekunden irgendwo Leute auseinander gehen.«

Ed starrte mich an, als hätte ich sie nicht mehr alle.

»Das meinst du doch wohl nicht ernst«, sagte Lizzie.

Vielleicht hatte ich die Stimmung und den Moment falsch eingeschätzt. Die Welt war noch nicht reif für mein großes Schlussplädoyer.

»Neeee«, sagte ich. »Na ja. Ihr wisst schon. Ist bloß so ... so eine Idee von mir. Eine Theorie, an der ich arbeite. Aber die ist noch nicht ganz wasserdicht.«

»Guckt euch doch sein Gesicht an«, sagte der obdachlose Typ. »Und ob der das ernst meint.«

»Wie würde das denn bei Bands funktionieren, die aus anderen Bands entstanden sind?« fragte Ed. »Zum Beispiel, äh, ich weiß nicht. Wenn Nirvana wieder zusammenkäme. Das würde bedeuten, die Foo Fighters müssten sich trennen. Dann wären die unglücklich.«

»Das trifft halt nicht auf alle zu«, korrigierte ich.

»Und was ist mit zweiten Ehen? Es gibt jede Menge glückliche zweite Ehen.«

»Clash hätte es nie gegeben. Weil Joe Strummer bei seiner ersten Band hätte bleiben müssen.«

»Und wie hieß noch mal deine erste Freundin?«

»Kathy Gorecki!« sagte Ed. »Ha!«

»Du wärst immer noch mit der zusammen«, sagte Liz.

»Na ja.« Ich zuckte die Schultern. »Sie war nett. Das wäre kein schlechtes Leben geworden.«

»Aber sie hat dich ja nie rangelassen!« sagte Ed. »Du hast ja nicht mal die Hand unter ihren BH gekriegt!«

»Ich bin sicher, dass mir das mittlerweile gelungen wäre. Wir wären jetzt immerhin seit fünfzehn Jahren zusammen.«

»Oh, Mann«, sagte Ed in dem Tonfall, den wir immer anschlugen, wenn Maureen irgendwas Herzzerreißendes gesagt hatte. »Ich kann dir keine reinhauen.«

Wir spazierten ein Stück die Straße runter und gingen in einen Pub. Ed spendierte mir ein Guinness, und Lizzie zog am Automaten eine Packung Kippen und legte sie auf den Tisch, damit sich jeder bedienen konnte. Wir saßen bloß da, und Ed und Lizzie guckten mich an, als ob sie darauf warteten, dass ich wieder zu Atem käme.

»Mir war nicht klar, dass es dir so beschissen geht«, sagte Ed nach einer Weile.

»Die Sache mit dem Selbstmord war für dich kein Anhaltspunkt?«

»Doch, ja. Ich wusste, dass du dich umbringen wolltest. Aber ich wusste nicht, dass es dir mies genug ging, um dich nach Lizzie und der Band zurückzusehnen. Das ist ein ganz anderer Grad von Leidensdruck, das geht weit über Selbstmord hinaus.«

Lizzie versuchte, nicht zu lachen, was in einem seltsamen, prustenden Laut endete, und ich nahm einen großen Schluck von meinem Guinness.

Und plötzlich, einen kurzen Moment, ging es mir gut. Es lag teils daran, dass ich kaltes Guinness wirklich liebe; es lag auch daran, dass ich Ed und Lizzie wirklich liebe. Oder dass ich sie geliebt oder in gewisser Weise geliebt oder geliebt und gehasst hab oder sonst was. Und vielleicht zum ersten Mal in den letzten Monaten machte ich mir etwas klar, von dem ich gewusst hatte, dass es sich irgendwo im Bauch versteckt hielt oder auch im Hinterkopf, irgendwo jedenfalls, wo ich es ignorieren konnte. Was ich mir klar machte, war: Ich hatte mich nicht umbringen wollen, weil ich das Leben hasste, sondern weil ich das Leben liebte. Ich glaube, in Wahrheit empfinden viele Menschen, die an Selbstmord denken, das genau so. Ich glaube, dass Maureen, Jess und Martin auch so empfinden. Sie lieben das Leben, aber ihres ist total im Arsch – deswegen habe ich sie dort getroffen, und deswegen leben wir alle noch. Wir haben oben auf dem Dach gestanden, weil wir keinen Weg zurück ins Leben fanden, und so vom Leben ausgeschlossen zu sein … Das macht einen einfach fertig, Alter. Es ist also eher eine Verzweiflungstat als ein Akt des Nihilismus. Es ist der Gnadentod, nicht Mord. Ich weiß nicht, warum mir das plötzlich klar wurde. Vielleicht, weil ich mit Menschen, die ich liebte, in einem Pub saß und Guinness trank, und ich weiß, ich sagte es schon, aber ich liebe Guinness, so wie ich eigentlich jede Art von Alkohol liebe – ich liebe ihn, wie man ihn lieben sollte, als eine der Herrlichkeiten von Gottes Schöpfung. Und wir hatten die blöde Szene draußen auf der Straße abgezogen, und selbst die war cool, denn manchmal helfen einem solche Momente, richtig schwierige Momente, *vertrackte* Momente, zu begreifen, dass es selbst in schweren Zeiten Dinge gibt, die einem das Gefühl geben, lebendig zu sein. Darüber hinaus gibt es noch Musik, Mädchen, Drogen, obdachlose Menschen, die Pauline Kael lesen, und Wah-Wah-Pedale und die Geschmacksrichtungen englischer Kartoffelchips, und dann hatte ich *Martin Chuzzlewit* noch nicht gelesen und … Es gibt so viel dort draußen.

Ich weiß auch nicht, was durch diesen plötzlichen Geistesblitz so anders wurde. Es war auch jetzt nicht unbedingt so, dass ich das Leben leidenschaftlich umarmen wollte und schwören, es nie wieder loszulassen, solange es mich nicht losließ. In gewisser Hinsicht machte es sogar alles schwieriger, nicht einfacher. Wenn man einmal aufhört, sich vorzumachen, es wäre alles scheiße und man könnte es kaum abwarten, es hinter sich zu bringen, wie ich es mir eine ganze Weile eingeredet hatte, tut es eher noch mehr als weniger weh. Sich einzureden, das Leben wär scheiße, ist wie ein Schmerzmittel, und wenn man sein Advil dann absetzt, spürt man erst richtig, was und wo es wehtut, und solche Schmerzen tut sich niemand freiwillig an.

Irgendwie war es passend, dass im Augenblick dieser Erkenntnis meine Exfreundin und mein Exbruder bei mir waren, denn mit ihnen war es dasselbe. Ich liebte sie und würde sie immer lieben. Aber es gab keinen Ort mehr, wo sie hinpassten, daher fehlte mir jetzt ein Platz, an dem ich all die

Dinge, die ich empfand, abladen konnte. Ich wusste nicht, was ich mit ihnen anfangen sollte, und sie wussten nicht, was sie mit mir anfangen sollten. War das nicht einfach der Lauf des Lebens?

»Ich hab mit keinem Wort gesagt, dass ich mit dir Schluss gemacht hab, weil du kein Rockstar wirst«, sagte Lizzie nach einer Weile. »In Wirklichkeit weißt du das auch, oder?«

Ich schüttelte den Kopf. Oder wusste ich das? Ihr seid meine Zeugen: Nicht einmal in dieser Geschichte hab ich mich zu irgendeiner Art von absichtlichem oder unabsichtlichem Missverständnis bekannt. Soviel ich weiß, hat sie mich verlassen, weil ich ein musikalischer Blindgänger war.

»Also, was hast du dann gesagt? Sag's noch mal. Und diesmal höre ich auch richtig zu.«

»Das würde jetzt auch nichts mehr ändern, denn das haben wir alle hinter uns gelassen, oder nicht?«

»Gewissermaßen.« Ich war nicht bereit zuzugeben, dass ich auf der Stelle trat oder mich gar rückwärts bewegte.

»Okay. Ich hab gesagt, ich könnte nicht mit dir zusammen sein, wenn du kein Musiker wärst.«

»Damals war das für dich aber nicht so wichtig. Du stehst ja nicht mal so besonders auf Musik.«

»Du hörst nicht richtig zu, JJ. Du bist Musiker. Das ist nicht nur eine Beschäftigung, der du gerade nachgehst. Es ist das, was du *bist*. Ich will damit nicht sagen, dass du irgendwann ein *erfolgreicher* Musiker sein wirst. Ich weiß nicht mal, ob du überhaupt ein guter bist. Ich habe einfach erkannt, dass mit dir nichts mehr anzufangen wäre, wenn du damit aufhören würdest. Und nun sieh dir an, was passiert ist. Du löst die Band auf, und fünf Minuten später stehst du auf einem Hochhausdach. Musikmachen ist nun mal dein Ding. Und ohne bist du tot. Oder so gut wie tot.«

»Also ... klar. Hat also nichts mit Erfolglosigkeit zu tun.«

»Mensch, wofür hältst du mich?«

Aber ich sprach gar nicht von ihr; ich sprach von mir. So hatte ich es noch nie betrachtet. Ich hatte gedacht, die ganze Geschichte hätte mit meinem Versagen zu tun, aber das stimmte gar nicht. Da hatte ich das Verlangen, mir die Seele aus dem Leib zu heulen, echt. Mir war zum Heulen zumute, weil ich wusste, dass sie Recht hatte; manchmal geht einem das so mit der Wahrheit. Mir war zum Weinen, weil ich wieder Musik machen würde und es so schrecklich vermisst hatte. Und mir war zum Weinen, weil ich wusste, dass ich mit meiner Musik nie berühmt werden würde, folglich hatte Lizzie mich gerade zu weiteren fünfunddreißig Jahren Armut, Entwurzelung, Verzweiflung, Keine-Krankenversicherung-haben, Motels ohne Warmwasser und miesen Hamburgern verdammt. Aber wenigstens würde ich die Hamburger essen und nicht *braten* müssen.

MARTIN

Ich ging nach Hause, stellte das Telefon ab und machte die nächsten achtundvierzig Stunden nichts anderes, als bei zugezogenen Vorhängen zu trinken, zu schlafen und mir so viele Sendungen über Antiquitäten anzusehen, wie ich konnte. Ich würde sagen, während dieser achtundvierzig Stunden war ich ernstlich in Gefahr, Marie Prevost zu werden. Das ist diese Hollywoodschauspielerin, die erst eine ganze Weile nach ihrem Ableben in restaurierungebedürftigem Zustand aufgefunden wurde, weil ihr Dackel den Leichnam bereits angefressen hatte. Ich weiß noch, dass es mir in diesen Tagen ein gewisser Trost war, keinen Dackel beziehungsweise gar kein Haustier zu besitzen. Ich würde zwar alleine sterben, und meine Leiche wäre sicherlich im Zustand fortgeschrittenen Zerfalls, bis mich jemand fände, aber zumindest wäre ich noch komplett, von den Teilen abgesehen, die sich auf natürliche Weise gelöst hätten. Damit konnte ich leben.

Es ist Folgendes: Die Ursache meiner Probleme liegt in meinem Kopf, sofern der Kopf tatsächlich der Sitz meiner Persönlichkeit ist. (Cindy und andere würden behaupten, die Ursache für meine Probleme sei eher unterhalb als oberhalb der Gürtellinie zu suchen, aber lasst mich erst mal ausreden.) Mir sind im Leben viele Chancen geboten worden, und ich habe jede einzelne davon verspielt, eine nach der anderen, durch eine Kette katastrophaler Fehlentscheidungen, die mir – mir und meinem Kopf – allesamt als gute Ideen erschienen waren. Und dennoch war das einzige Werkzeug, das ich hatte, um den fatalen Kurs zu korrigieren, den mein Leben nahm, offenbar eben dieser Kopf, der schuld war, dass ich überhaupt erst alles in den Sand gesetzt hatte. Welche Chance hatte ich da überhaupt noch?

Ein paar Wochen nach der Jerry-Springer-Show, die Jess abgezogen hatte, las ich ein paar Notizen, die ich mir während dieser zwei Tage gemacht hatte. Zu behaupten, ich sei so betrunken gewesen, dass ich vergessen hätte, sie je gemacht zu haben, wäre gelogen, und sie lagen ohnehin offen sichtbar in der Wohnung herum. Doch erst vierzehn Tage später hatte ich den Mut, sie zu lesen, und nachdem ich das getan hatte, hatte ich große Lust, die Vorhänge wieder zuzuziehen und nach dem Glenmorangie zu greifen.

Der Zweck der Übung war gewesen, mit dem einzigen Kopf, der mir zur Verfügung stand, zu analysieren, warum ich mich an dem bewussten Nachmittag so absurd aufgeführt hatte, und alle denkbaren Konsequenzen dieses Verhaltens aufzulisten. Um meinem Kopf nicht unrecht zu tun – um dem Burschen gegenüber fair zu bleiben, wie ein Sportjournalist sagen würde –, musste man ihm zugestehen, dass er zumindest in der Lage war, mein Verhalten als absurd zu erkennen. Er war lediglich nicht in der Lage gewesen, es zu verhindern, vermutlich weil er es einfach nicht konnte. Sind alle Köpfe so oder bloß meiner?

Auf der Rückseite mehrerer ungeöffneter Briefumschläge, vornehmlich Rechnungen, fand sich jedenfalls ein schon deprimierend überzeugender Beweis für die Kreisförmigkeit des menschlichen Denkens.

WARUM SO ÄTZEND ZUM PFLEGER? hatte ich aufgeschrieben. Und darunter:

1) ARSCHLOCH? ER? ICH?

2) WEGEN PENNY-ANMACHE?

3) GUT AUSSEHEND UND JUNG – HAT MICH GENERVT?

4) ÜBER DIE LEUTE GEÄRGERT. Diese letzte Erklärung, die mir, als sie mir einfiel, möglicherweise von stechender Brillanz erschienen war, erschien jetzt verblüffend aufrichtig in ihrer Vagheit.

Auf einen anderen Zettel hatte ich gekrakelt MÖGLICHE VORGEHENSWEISE:

(Und man beachte den Wechsel von Zahlen zu Buchstaben, ein Wechsel, der vermutlich den wissenschaftlichen Ansatz der Arbeit unterstreichen sollte.)

a) MICH UMBRINGEN?

b) MAUREEN BITTEN, DEN PFLEGER NICHT MEHR ZU BESTELLEN

c) NICHTS

Lösung »C« brach an dieser Stelle ab, entweder, weil ich bis dahin volltrunken war, oder weil »nichts« die nachhaltige Lösung für all meine Probleme, so knapp man sie sich nur wünschen konnte, zusammenfasste. Bedenken Sie: Wie viel besser stünde alles für mich, wenn ich nichts täte, nichts tun würde und nie etwas getan hätte!

Keine dieser Notizen flößte mir besonderes Zutrauen in meine intellektuellen Fähigkeiten ein. Ich erkannte glasklar, dass beide Zettel von einem Mann geschrieben worden waren, der noch vor ganz kurzem einer handverlesenen Gruppe von Leuten – zu der auch seine eigenen kleinen Töchter gehörten – hatte weismachen wollen, alle Krankenpfleger wären effeminiert und selbstgerecht: Mehr Beweise als das Wort »ARSCHLOCH« hätte ein forensischer Psychologe sicherlich nicht gebraucht, um zu dieser Schlussfolgerung zu kommen. Und der Mann, der in der Silvesternacht für geraume Zeit überlegt hatte, ob er von einem Hochhausdach springen sollte oder nicht, war genau die Sorte Mensch, die »SICH UMBRINGEN« auf eine Liste noch zu erledigender Dinge setzen würde. Wäre Brett-vorm-Kopf-tragen eine olympische Disziplin, hätte ich schon mehr Goldmedaillen abgeräumt als Carl Lewis. Offenkundig benötigte ich zwei Köpfe, nach dem Motto zwei Köpfe sehen mehr als einer. Einmal den alten Kopf, schon deswegen, weil er die Namen und Telefonnummern der ganzen Leute kennt und weiß, welche Frühstücksflocken ich bevorzuge und dergleichen, dann den zweiten, der in der Lage wäre, im Stil eines Naturfilmers das Verhalten des ersten zu beobachten und zu interpretieren. Meinen derzeitigen Kopf zu bitten, seine Gedankengänge zu erläutern, war so sinnlos, wie vom eigenen Telefon die eigene Nummer anzuwählen: In beiden Fällen bekommt man nur ein Besetztzeichen zu hören. Oder die eigene Ansage, falls man einen AB besitzt.

Ich brauchte beschämend lange, um zu begreifen, dass auch andere Menschen Köpfe besitzen und jeder Einzelne eher darauf kommen würde, was ich mit meinem Ausbruch bezweckt haben könnte. Das ist vermutlich der Grund, warum die Menschen so am Konzept Freundschaft hängen. Ich schien zwar alle Freunde verloren zu haben, als ich ins Gefängnis kam, aber ich kannte noch jede Menge Leute, die bereit sein würden, mir offen zu sagen, was sie von mir hielten. Meine Begabung, Menschen hängen zu lassen und vor den Kopf zu stoßen, schien mir hier einmal zugute zu kommen.

Freunde und Geliebte wären vielleicht geneigt gewesen, diesen Vorfall in einem milderen Licht zu sehen, da ich jedoch nur Exfreunde und Exgeliebte hatte, war ich in der idealen Position: Ich kannte wirklich nur Leute, die es mir mit der groben Kelle geben wollten.

Ich wusste auch schon, wo ich anfangen musste. Mein erstes Telefonat war sogar so erfolgreich, dass ich danach eigentlich niemanden mehr anrufen musste. Mein Exfrau war perfekt – direkt, unverblümt und klarsichtig, und mir taten am Schluss tatsächlich alle Menschen Leid, die nur mit jemandem zusammenleben, der sie liebt, wo es offenkundig so viel besser ist, *nicht* mit jemandem zusammenzuleben, der einen *verabscheut*. Wenn es eine Cindy in deinem Leben gibt, brauchst du dich nicht mal mit höflichem Geplänkel aufzuhalten: Es gibt nur Unliebsames zu hören, und dieses Unliebsame ist ganz entscheidend für den Lernprozess.

»Wo hast du gesteckt?«

»Zu Haus. Betrunken.«

»Hast du deinen Anrufbeantworter abgehört?«

»Nein. Warum?«

»Ach, ich hab dir bloß so ein paar Gedanken zu dem Nachmittag neulich hinterlassen.«

»Äh, ja, genau darüber wollte ich mit dir reden. Welchen Eindruck hast du bei dem Ganzen gewonnen?«

»Tja, du bist seelisch labil, oder? Seelisch labil und bösartig. Ein labiler, bösartiger Schwachkopf.«

Kein schlechter Anfang, fand ich, bloß etwas zu allgemein.

»Hör mal, ich verstehe, was du meinst, und ich möchte auch nicht unhöflich erscheinen, aber labiler Schwachkopf finde ich weniger interessant als das mit dem bösartig. Könntest du darauf noch näher eingehen?«

»Vielleicht solltest du jemandem Geld dafür geben, dass er das tut«, sagte Cindy.

»Du meinst einen Therapeuten?«

Sie schnaubte. »Einen Therapeuten? Nein, ich dachte eigentlich eher an eine von diesen Frauen, die dich anpissen, wenn du ihnen genug Geld gibst. Ist es nicht das, was du willst?«

Ich ließ mir das durch den Kopf gehen. Ich wollte nichts von vornherein ausschließen.

»Ich glaube nicht«, sagte ich. »Das hat mich auch früher nicht gereizt.«

»Ich meinte das im übertragenen Sinne.«

»Wie? Ich versteh nicht.«

»Man findet sich selber so mies, dass es einem nichts ausmacht, beschimpft zu werden. Ist das nicht immer deren Problem?«

»Wessen?«

»Das Problem der Männer, die Frauen brauchen, um … Ach, vergiss es.«

Ich begann verschwommen zu ahnen, worauf sie hinauswollte. Es stimmte, es tat gut, sich beschimpfen zu lassen. Oder besser gesagt, es wirkte angemessen.

»Weißt du, warum du auf den armen Kerl losgegangen bist?«

»Nein! Verstehst du, genau deswegen ruf ich an.«

Wenn Cindy gewusst hätte, wie verheerend es für mich gewesen wäre, wenn sie an dieser Stelle aufgelegt hätte, wäre die Versuchung für sie zu groß gewesen. Doch Gott sei Dank war Cindy entschlossen, reinen Tisch zu machen.

»Gut, er war fünfzehn Jahre jünger als du und sah viel besser aus. Aber das war es nicht. Er hat aus diesem einen Nachmittag mehr gemacht, als du aus deinem ganzen Leben.«

Ja! Ja!

»Du produzierst dich im Fernsehen und fickst Schulmädchen, und er schiebt behinderte Kinder im Rollstuhl

durch die Gegend, höchstwahrscheinlich für einen Hungerlohn. Es ist kein Wunder, dass Penny ihn angesprochen hat.
Für sie war das moralisch gesehen der Umstieg von Franken-
steins Monster auf Brad Pitt.«

»Danke. Das ist klasse.«

»Wag bloß nicht, jetzt aufzulegen. Ich hab gerade erst
angefangen. In zwölf Jahren hat sich einiges davon angesam-
melt.«

»Oh, ich ruf noch mal an und hol mir einen Nachschlag,
versprochen. Aber das ist schon mal reichlich für den Anfang.«

Seht ihr? Exfrauen: Wirklich, jeder sollte mindestens
eine davon haben.

MAUREEN

Ich komme mir ein bisschen blöd vor, zu erklären, was am
Ende des Tages der Intervention passiert ist, denn es klingt zu
sehr nach einem glücklichen Zufall. Aber ich glaube, es hört
sich wahrscheinlich nur für mich wie ein glücklicher Zufall
an. Ich weiß, ich habe schon mal gesagt, dass ich langsam lerne einzuschätzen, wie schwer die Dinge wirklich wiegen, soll
heißen, ich lerne, was man sagen kann und was nicht, wenn
die Menschen Mitleid mit einem haben. Wenn ich also sage,
dass in meinem Leben nie etwas passiert ist, bevor ich die anderen kennen lernte, möchte ich nicht, dass es sich so anhört,
als würde ich hadern. Es war eben einfach so. Wenn man das
ganze Leben in einem sehr stillen Raum verbracht hat, und
plötzlich kommt jemand von hinten und macht »Buh!«, dann
fährt man zusammen. Wenn man sein ganzes Leben mit
kleinwüchsigen Menschen verbracht hat und dann einen
baumlangen Schutzmann sieht, wirkt der wie ein Riese. Und
wenn nie etwas geschehen ist und plötzlich geschieht irgend-

was, dann fasst man das als etwas ganz Besonderes auf, beinahe als hätte Gott seine Hand im Spiel gehabt. Die Leere verzerrt die Dimension dieses Irgendwas, dieses Geschehens.

Es geschah nämlich Folgendes: Stephen und Sean halfen mir, Matty nach Hause zu bringen; wir hielten ein Taxi an, in das wir vier so gerade reinpassten, obwohl die beiden Pfleger und ich aneinander gepresst auf dem Sitz saßen. Selbst das war schon fast ein Ereignis. Vor ein paar Monaten hätte ich Matty noch zu Hause davon erzählt, denn er wäre nicht dabei gewesen. Aber wäre er nicht mit dabei gewesen, hätte es natürlich nichts zu berichten gegeben. Ich hätte Stephen und Sean nicht gebraucht, und wir hätten uns kein Taxi geteilt. Wenn ich überhaupt irgendwohin gefahren wäre, hätte ich alleine im Bus gesessen. Sehen Sie, was ich damit meine, mit dem Unterschied zwischen Irgendwas und Nichts?

Nachdem wir alle Platz gefunden hatten, sagte Stephen zu Sean: »Hast du schon irgendwen aufgetrieben?« Und Sean sagte: »Nein, ich glaub auch nicht, dass ich das noch schaffe.« Darauf sagte Stephen: »Dann sind wir also nur zu dritt? Die machen uns zur Schnecke.« Darauf zuckte Sean bloß mit den Schultern, und wir guckten alle eine Weile aus dem Fenster. Ich wusste nicht, worüber sie geredet hatten.

Dann fragte Sean: »Sind Sie gut bei Quizspielen, Maureen? Haben Sie Lust, bei uns mitzumachen? Macht nichts, wenn Ihnen die Antworten nicht einfallen. Wir brauchen nur unbedingt noch einen.«

Na, ist das nicht die erstaunlichste Geschichte, die Sie je gehört haben? Wenn ich Jess und JJ und Martin zuhöre, passieren denen solche Sachen tagtäglich. Sie treffen jemanden im Aufzug oder in einer Bar, und derjenige sagt: »Trinken Sie ein Bier mit mir?«, oder sogar: »Hätten Sie gerne Geschlechtsverkehr?« Und vielleicht dachten sie gerade, dass sie gerne Geschlechtsverkehr hätten, und sie empfinden es als erstaunlichen Zufall, dass ihnen Geschlechtsverkehr genau in dem

Moment angeboten wird, in dem sie gerade dachten, das wäre jetzt nicht schlecht. Aber ich glaube, dass sie nicht so empfinden, beziehungsweise, dass viele Leute nicht so empfinden. Für sie ist das einfach das Leben. Ein Mensch begegnet einem anderen Menschen, und dieser andere Mensch möchte etwas oder kennt noch jemand anderen, der etwas möchte, und als Ergebnis geschehen Dinge einfach. Oder anders gesagt, wenn man nie ausgeht und niemanden trifft, dann geschieht auch nichts. Wie könnte es? Aber mir verschlug es für einen Moment die Sprache. Ich hatte an einem Quiz teilnehmen wollen, und diese Leute suchten jemanden für ihre Quizmannschaft. Ich fühlte, wie es mir eiskalt den Rücken herunterlief.

Also brachten wir, statt nach Hause zu fahren, Matty in das Pflegeheim. Sean und Stephen hatten keinen Dienst, aber sie waren mit allen, die Dienst hatten, gut Freund und erklärten ihnen einfach, dass Matty den Abend über bleiben würde, und keiner zuckte mit der Wimper. Wir verabredeten uns für später im Pub, in dem das Quiz stattfand, und ich fuhr nach Hause und zog mich um.

Ich weiß nicht, welchen Teil der Geschichte ich Ihnen als Nächstes erzählen soll. Es gab noch einen weiteren glücklichen Zufall, deswegen weiß ich nicht, ob ich das hier unter den glücklichen Zufällen abhandeln soll oder später, nachdem ich Ihnen vom Quiz berichtet habe. Vielleicht können Sie die erstaunlichen Zufälle eher glauben, wenn sie vereinzelt und etwas dünner gesät sind. Andererseits ist es mir egal, ob Sie es glauben, denn es ist schlicht und einfach die Wahrheit. Und überhaupt, ich weiß immer noch nicht, ob es wirklich seltsame Zufälle sind oder nicht, diese Sachen: Vielleicht ist es nie ein Zufall, wenn man das bekommt, was man will. Wenn man ein Käsesandwich möchte und man bekommt ein Käsesandwich, ist das doch wohl kein Zufall, oder? Und wenn man einen Job will und einen Job bekommt, ist das doch wohl ebenfalls kein Zufall. Diese Dinge können nur zufällig sein, wenn man glaubt, keinerlei Macht über das eigene Leben zu besitzen. Also erzähle ich es Ihnen an dieser Stelle: Das andere Mitglied in unserer Mannschaft war ein älterer Mann namens Jack, der einen Zeitungsladen direkt neben Archway hatte, und der bot mir einen Job an.

Es ist keine große Sache, bloß drei Vormittage die Woche. Und man verdient auch nicht viel, 4,75 Pfund die Stunde. Und er meinte, das wäre erst mal auf Probe. Aber er würde langsam alt und wolle, nachdem er den Laden aufgemacht, die Zeitungen einsortiert und den ersten Ansturm am frühen Morgen bewältigt habe, um neun noch mal ins Bett. Er bot mir den Job auf dieselbe Art an, in der Stephen und Sean mir den Platz in ihrer Quizmannschaft angeboten hatten – eher auf gut Glück, aus der Not heraus. Zwischen der Fernsehrunde und der Sportrunde fragte er mich, was ich mache, und ich sagte ihm, dass ich nicht viel mache, außer mich um Matty zu kümmern. Da fragte er: »Sie brauchen nicht zufällig einen Job, oder?« Und da lief es mir wieder eiskalt den Rücken herunter.

Das Quiz haben wir nicht gewonnen. Wir wurden vierte von elf Mannschaften, aber die Jungs waren recht zufrieden damit. Und ich wusste ein paar Sachen, die sie nicht gewusst hatten. So wusste ich zum Beispiel, dass der Boss von Mary Tyler Moore Lou Grant hieß. Ich wusste, dass der Sohn von John Major Emma Noble geheiratet hatte, und ich wusste, dass Catherine Cookson über Tilly Trotter und Mary Ann Shaughnessy geschrieben hatte. Das waren also schon mal drei Punkte, die sie ohne mich nicht gewonnen hätten, was vielleicht der Grund war, warum sie sagten, ich dürfte wiederkommen. Ihr vierter Mann ist offenbar nicht gerade zuverlässig, seit er eine neue Freundin hat. Ich beteuerte ihnen, ich sei der zuverlässigste Mensch, den sie sich vorstellen könnten. Vor ein paar Monaten habe ich ein Büchereibuch über ein Mädchen gelesen, das sich in ihren lange verschollen geglaubten Bruder verliebt. Natürlich stellt sich später heraus, dass er gar nicht ihr lange verschollen geglaubter Bruder war und er ihr das nur erzählt hat, weil sie ihm gefiel. Außerdem stellte sich heraus, dass er gar nicht arm war. Er war schwerreich. Und als Krönung stellten sie auch noch fest, dass das Knochenmark seines Hundes zu dem Knochenmark ihres Hundes passte, der Leukämie hatte, und so rettete sein Hund ihrem Hund das Leben.

Ehrlich gesagt, es war nicht so gut, wie ich es hier dargestellt habe. Es war etwas schmalzig. Aber es geht mir nur darum, dass ich befürchte, mich langsam wie dieses Buch anzuhören, wegen der Sache mit dem Job und der Quizmannschaft. Wenn Sie meinen, ich würde mich langsam so anhören, dann möchte ich auf zwei Punkte hinweisen. Zum einen möchte ich darauf hinweisen, dass die Betreuung für Matty mehr kostet als 4,75 Pfund die Stunde, also stelle ich mich schlechter mit als ohne Job, und eine Geschichte, die damit endet, dass man schlechter dran ist als vorher, kann man wohl kaum als Märchen bezeichnen, oder? Zweitens möchte ich darauf hinweisen, dass der vierte Mann in der Quizmannschaft ab und zu auftauchen wird, daher werde ich nicht jede Woche im Team sein.

Im Pub trank ich Gin mit Bitter Lemon. Die anderen ließen mich nicht mal eine Runde zahlen: Sie sagten, ich wäre ein As und hätte es verdient, freigehalten zu werden. Vielleicht lag es am Alkohol, dass ich mich so wohl fühlte, aber am Ende des Abends wusste ich, dass ich, wenn wir uns am 31. März trafen, keine Lust haben würde, vom Dach zu springen, vorerst jedenfalls. Und dieses Gefühl, dieses Gefühl, fürs Erste zurechtzukommen … das wollte ich so lange wie irgend möglich festhalten. Bisher ging alles gut.

Am Morgen nach dem Quiz ging ich wieder zur Kirche. Ich war seit unserem Urlaub in keiner Kirche mehr gewesen, und in meiner Kirche seit vielen Wochen nicht, nicht mehr, seit ich die anderen auf dem Dach getroffen hatte. Doch jetzt konnte ich wieder hingehen, weil ich wusste, dass ich die Sünde der Verzweiflung fürs Erste nicht begehen würde. Ich konnte hingehen zu Gott. Er kann einem nur helfen, wenn man nicht mehr verzweifelt ist, was, wenn man darüber nachdenkt … Na ja, eigentlich ist es nicht meine Aufgabe, darüber nachzudenken.

Es war ein ruhiger Freitagmorgen, und es war kaum jemand da. Die alte Italienerin, die nie eine Messe auslässt, war da, und ein paar afrikanische Ladys, die ich noch nie gesehen hatte. Männer waren keine da, auch keine jungen Leute. Ich war vor der Beichte nervös, aber es ging gut, doch, wirklich. Ich sagte die ganze Wahrheit, wie lange ich schon nicht mehr zur Beichte gewesen war, und ich beichtete die Sünde der Verzweiflung und bekam fünfzehn Rosenkränze auf, was ich ein bisschen happig fand, selbst für die Sünde der Verzweiflung, aber ich will mich nicht beschweren. Manchmal vergisst man glatt, dass Gottes Gnade grenzenlos ist. Sie wäre wohl kaum so grenzenlos gewesen, wenn ich gesprungen wäre, aber das war ich ja nicht.

Und dann sagte Father Anthony: »Können wir Ihnen irgendwie helfen? Können wir Ihnen einen Teil Ihrer Last abnehmen? Denn Sie dürfen nie vergessen, dass Sie hier in der Kirche Teil einer Gemeinschaft sind, Maureen.« Ich sagte: »Vielen Dank, Pater, aber ich habe Freunde, die mir helfen.« Ich verriet ihm allerdings nicht, zu welcher Art von Gemeinde diese Freunde gehörten. Ich verriet ihm nicht, dass sie alle verzweifelte Sünder waren.

Erinnern Sie sich an den 50. Psalm? »Und rufe mich an in der Not, so will ich dich erretten, und du sollst mich preisen.« Ich bin aufs Dach des Topper's House gestiegen, weil ich gerufen und gerufen und gerufen hatte, und keine Errettung kam, weil meine Not schon zu lange gedauert hatte und kein Ende zu nehmen schien. Aber er hat mich schließlich doch noch erhört und mir Martin und JJ und Jess geschickt. Dann hat er mir Stephen und Sean und das Quiz geschickt, dann Jack und den Zeitungsladen. Mit anderen Worten, er hat mir bewiesen, dass er zuhört. Wie hätte ich weiter am Herrn zweifeln können, bei all diesen Beweisen? Also lobpreise ich ihn mal lieber, so gut ich kann.

JESS

Also, dieser Typ mit dem Hund hatte keinen Namen. Ich mein, er muss irgendwann mal einen gehabt haben, aber er sagte mir, dass er den nicht mehr benutzt, weil er von Namen nichts hält. Er meinte, Namen hinderten einen daran, zu sein, wer man gerade sein will, und nachdem er mir das erst mal erklärt hatte, kapierte ich irgendwie, was er meinte. Du heißt zum Beispiel, sagen wir mal, Tony oder Joanna. Schön, du warst gestern Tony oder Joanna und du wirst auch morgen wieder Tony oder Joanna sein. Also bist du gearscht. Die Leute können dann immer solche Sachen sagen wie, ach, das ist mal wieder typisch Joanna. Aber dieser Typ konnte an einem einzigen Tag, sagen wir mal, hundert verschiedene Leute sein. Er sagte, ich soll ihn mit jedem Namen anreden, der mir gerade in den Kopf käme, deswegen hieß er zuerst Hund wegen dem Hund, und dann Keinhund, weil wir in einen Pub gingen und den Hund draußen ließen. Daher hatte er schon in der ersten Stunde, die wir gemeinsam verbrachten, zwei absolut gegensätzliche Persönlichkeiten, denn Hund und Keinhund sind ja sozusagen gegensätzliche Typen, nicht? Typ mit Hund ist anders als Typ ohne Hund. Typ mit Hund hat ein anderes Image als Typ im Pub. Und man kann nicht sagen, ach, das ist mal wieder typisch für Keinhund, dass er seinen Hund in den Vorgarten da scheißen lässt. Das wäre doch absurd, oder? Wie könnte Keinhund einen Hund haben, der in den Vorgarten von irgendwem scheißt, oder überhaupt irgendeinen Hund? Er sieht das so, dass wir alle an einem einzigen Tag zugleich Hunds und Keinhunds sein können. Dad zum Beispiel könnte Keindad sein, wenn er auf der Arbeit ist, denn wenn er auf der Arbeit ist, ist er kein Dad. Ich weiß, das ist ganz schön kompliziert, aber wenn ihr mal richtig drüber nachdenkt, leuchtet es irgendwie ein.

Am selben Tag war er auch Blume, weil er mir eine Blume pflückte, als wir durch den kleinen Park in der Nähe der Southwark Bridge gingen, und dann Aschenbecher, weil er wie einer schmeckte, und auch Blume ist das Gegenteil von Aschenbecher. Merkt ihr, wie das funktioniert? Menschen sind jeden Tag Millionen verschiedener Sachen, und diese Methode kann das viel besser erfassen, als die westliche Betrachtungsweise zum Beispiel. Danach hab ich ihm nur noch einen anderen Namen gegeben, aber das war ein schmutziges Wort und muss deswegen geheim bleiben. Wenn ich schmutzig sage, dann meine ich damit, dass es sozusagen *aus dem Zusammenhang gerissen* schmutzig klingt. Es ist eigentlich nur schmutzig, wenn man den männlichen Körper nicht respektiert, und in diesem Fall wärt meiner Meinung nach ihr schmutzig, nicht wir.

Dieser Typ also … Ehrlich gesagt, ich seh schon einen gewissen Vorteil an der westlichen Betrachtungsweise, denn wenn jemand einen Namen hat, weiß man wenigstens, wie man ihn nennen soll, oder? Es ist nur ein einziger, winziger Vorteil gegenüber Millionen von Nachteilen, einschließlich des größten, nämlich, dass Namen echt faschistisch sind und uns nicht erlauben, uns als menschliche Wesen zu verwirklichen, sondern uns auf eine Rolle festschreiben. Aber ich schätze, da ich hier ziemlich viel von ihm rede, geb ich ihm besser nur *einen* Namen. Keinhund ist okay, denn der ist etwas ungewöhnlicher, und ihr wisst gleich, von wem ich rede, und er ist besser als Hund, denn dann könntet ihr ja meinen, ich würd von einem verdammten Hund reden, was ich gar nicht tue.

Keinhund hat mich also mit zu sich genommen, nachdem wir was trinken waren. Ehrlich gesagt, ich hatte nicht erwartet, dass er eine Bleibe hat, so mit dem Hund und allem. Er sah mehr wie ein Typ aus, der Platte macht, aber offenkundig hatte ich ihn zu einer günstigen Zeit kennen gelernt. Es war allerdings nicht direkt eine richtige Wohnung. Er wohnte in einem Laden an der Hinterseite der Rotherhithe Station. Es war auch kein umgebautes ehemaliges Ladenlokal, es war einfach ein Laden, auch wenn da nichts mehr verkauft wurde. Es war früher ein klassischer Eckladen gewesen, so mit Regalen, Ladentheke und einem großen Schaufenster, das er mit einem Bettlaken verhängt hatte. Keinhunds Hund hat hinten sein eigenes Schlafzimmer, das in uralten Zeiten ein Lagerraum gewesen sein muss. So ein Lädchen ist eigentlich ganz wohnlich, wenn man ein bisschen Unwohnlichkeit in Kauf nimmt. Seine Klamotten kann man in die Regale legen, den Fernseher auf die Theke stellen, dahin, wo früher die Kasse stand, Matratze auf den Boden und fertig. Außerdem haben Läden Klos und fließendes Wasser, nur keine Badewannen oder Duschen.

Als wir da waren, hatten wir gleich Sex, um es hinter uns zu bringen. Richtigen Sex hatte ich vorher nur mit Chas gehabt, und das war gar nicht toll, aber mit Keinhund war es ganz okay. Da lief mehr zusammen, wenn ihr versteht, was ich meine, denn bei Chas, da funktionierten die Sachen nicht so richtig und meine eigentlich auch nicht, daher war es eine ziemliche Quälerei. Egal, diesmal jedenfalls funktionierte bei Keinhund alles bestens und bei mir darum auch, und man konnte viel besser begreifen, warum Leute so was öfter machen wollen. Es heißt ja immer, das erste Mal wär so wichtig, aber worauf es eigentlich ankommt, ist das zweite Mal. Oder jedenfalls der zweite Mann.

Ihr müsst euch ja bloß ansehen, wie blöd ich beim ersten Mal war, total aufgelöst, verheult und zwanghaft. Wär ich ein zweites Mal so draufgekommen, hätte ich gewusst, dass ich ernsthafte Schwierigkeiten haben würde. Aber mir war es echt egal, ob ich Keinhund noch mal wiedersehen würde oder nicht, das ist dann ja wohl ein Fortschritt, oder? Das war schon eher so, wie die Dinge laufen sollten, wenn man es im Leben zu was bringen will.

Nachdem wir fertig waren, machte er den kleinen Schwarzweißfernseher an, und wir guckten irgendwas. Dann fingen wir an, uns zu unterhalten, und schließlich erzählte ich ihm von Jen und Topper's House und den anderen. Er war gar nicht überrascht oder teilnahmsvoll oder so. Er nickte bloß und meinte dann, ach, ich will mich auch dauernd umbringen. Darauf ich, besonders erfolgreich scheinst du ja nicht damit zu sein, und er, darum geht's ja eigentlich nicht, oder? Ich dann, ach, nicht? Und er sagte, dass es eigentlich darum ginge, sich immer wieder den Göttern des Lebens und des Todes auszuliefern, die heidnische Götter seien, also nichts mit der Kirche zu tun hätten. Wenn der Gott des Lebens einen wollte, dann lebte man, und wenn der Gott des Todes einen wollte, dann nicht. Er ging also davon aus, dass mich an Silvester der Gott des Lebens erwählt hatte und ich deswegen nicht gesprungen war. Darauf meinte ich, ich bin nicht gesprungen, weil sich Leute auf meinen Kopf gesetzt haben, und er erklärte mir, der Gott des Lebens hätte durch diese Leute gesprochen, und das leuchtete mir absolut ein. Denn warum hätten sie sich um mich kümmern sollen, wenn nicht unsichtbare Mächte sie gelenkt hätten? Und dann erklärte er mir, dass Leute, die hirntot sind, zum Beispiel George Bush und Tony Blair und diese Leute, die bei *England sucht den Superstar* mit abstimmen, niemals ihr Schicksal den

Göttern von Leben und Tod überantworten und daher nie
ihre Lebensberechtigung nachweisen könnten, weswegen wir
ihre Gesetze nicht befolgen und ihre Entscheidungen nicht
anerkennen müssten (die der Jury bei *England sucht den Superstar* zum Beispiel). Daher müssten wir auch nicht irgendwelche Länder bombardieren, bloß weil die es sagen, und
wenn sie behaupten, dass Michelle Mops oder sonst wer bei
England sucht den Superstar gewonnen hätte, brauchen wir das
nicht hinzunehmen. Wir können einfach sagen, nee, hat sie
nicht.

Alles, was er sagte, war so einleuchtend, dass es mir irgendwie fast um die letzten paar Wochen Leid tat, denn obwohl JJ und Maureen und Martin nett zu mir gewesen waren,
würde man sie wohl nicht gerade als Geistesriesen beschreiben, oder? Antworten, wie Keinhund sie hatte, hatten sie
nicht drauf. Andererseits hätte ich aber ohne die anderen
Keinhund überhaupt nicht kennen gelernt, denn dann hätte
ich mir wegen der Intervention keinen Kopf gemacht und es
hätte nichts gegeben, wovor ich hätte ausreißen können.

Und ich schätze, auch da hatte der Gott des Lebens gesprochen.

Als ich nach Haus kam, wollten Mum und Dad mit
mir reden. Meine erste Reaktion war mehr so, was soll der
Scheiß?, aber sie waren wirklich ganz wild drauf, und Mum
machte mir Tee, ließ mich am Küchentisch Platz nehmen
und sagte dann, sie wollte sich bei mir wegen der Ohrringe
entschuldigen und dass sie jetzt wüsste, wer sie stibitzt hätte.
Und ich dann, ja, wer denn? Und sie meint, Jen. Ich hab sie
angeguckt wie ein Auto. Und sie wieder, doch, ehrlich. Es
war Jen. Darauf frag ich, wie das denn? Und dann meinte sie,
Maureen hätte sie auf etwas hingewiesen, das ihnen eigentlich selbst hätte auffallen müssen, wie sie jetzt einsähen. Es
waren Jens Lieblingsohrringe, und wenn sie verschwunden
sind und es sonst niemand gewesen ist, kann das kein Zufall

gewesen sein. Zuerst konnte ich nicht verstehen, was das änderte, denn Jen war ja weiterhin verschwunden. Aber als ich erkannte, wie viel es *für sie* änderte, um wie viel ruhiger es sie machte, war mir der Grund dafür egal. Hauptsache war, dass sie netter zu mir sein wollte.

Und da war ich Keinhund sogar noch dankbarer. Denn er hatte mir diese weise, klare Philosophie nahe gebracht, die es mir erlaubte, die Dinge zu sehen, wie sie wirklich waren. Obwohl Mum die Dinge nicht so sah, wie sie wirklich waren, und beispielsweise nicht wusste, dass die Jurymitglieder bei *England sucht den Superstar* ihre Lebensberechtigung nicht nachweisen konnten, sah sie doch immerhin etwas, das ihr helfen konnte und sie dazu brachte, nicht mehr so ätzend zu sein.

Und dank Keinhunds Lehren besaß ich jetzt die Weisheit, das zu akzeptieren und ihr nicht zu sagen, das wär alles dumm oder belanglos.

MARTIN

Wer, möchten Sie vielleicht wissen, kommt auf die Idee, sein Kind Pacino zu nennen? Pacinos Eltern, Harry und Marcia Cox, sind darauf gekommen.

»Darf ich fragen, woher du deinen Namen hast?« fragte ich Pacino, als ich ihn zum ersten Mal traf.

Er schaute mich verwirrt an, ich muss allerdings dazu sagen, dass nahezu jede Frage Pacino verwirrte. Er war groß, hatte Hasenzähne und schielte, was seine mangelnde Intelligenz umso bedauerlicher machte. Wenn jemals jemand ein Gegengewicht zu abwesendem Charisma und hässlichem Äußeren gebraucht hätte, dann Pacino.

»Was meinense?«

»Wo du deinen Namen herhast?«

»Woher?«

Die Vorstellung, dass Namen irgendwoher kamen, war ihm offenkundig neu; ich hätte ihn genauso gut fragen können, woher seine Zehen kamen.

»Es gibt einen berühmten Filmschauspieler, der Pacino heißt.«

Er starrte mich an.

»Tatsache?«

»Nie von ihm gehört?«

»Nee.«

»Du glaubst also nicht, dass du nach dem benannt worden bist?«

»Weiß nich.«

»Hast du nie gefragt?«

»Nee. Ich frag nie wegen irgendwelchen Namen.«

»Verstehe.«

»Woher is'n Ihr Name?«

»Martin?«

»Mhm.«

»Woher ich den habe?«

»Mhm.«

Ich glotzte ihn einen Moment mit offenem Mund an. Ich war ratlos. Abgesehen von der nahe liegenden Antwort, dass ich ihn von meinen Eltern hatte, so wie Pacino von seinen (obwohl selbst diese Information ihn vielleicht verblüfft hätte), hätte ich ihm nur erklären können, dass meiner französischen Ursprungs war, so wie seiner italienischer Herkunft war. Es wäre mir also schwer gefallen, zu begründen, warum sein Name komisch sein sollte und meiner nicht.

»Sehen Sie? Ne schwere Frage. Denken Sie nicht, ich wär dumm, bloß weil ich sie nicht beantworten kann.«

»Nein. Natürlich nicht.«

»Sonst wärn Sie ja auch dumm.«

Diese Möglichkeit konnte und wollte ich nicht von vornherein ausschließen. Ich begann mir dumm vorzukommen, aus mehr als einem Grund.

Pacino war ein Achtjähriger, der eine Gesamtschule in meinem Viertel besuchte, und ich sollte ihm Nachhilfe im Lesen geben. Nach meinem Gespräch mit Cindy und nachdem ich eine Kleinanzeige in der Lokalzeitung gesehen hatte, hatte ich mich dafür unentgeltlich zur Verfügung gestellt: Pacino war die erste Station auf meinem Weg zu mehr Selbstachtung. Dass es ein langer Weg werden würde, sah ich ein, aber ich hatte doch irgendwie gehofft, dass Pacino ein Stück weiter auf diesem Weg Position bezogen hätte. Angenommen, meine Selbstachtung sei in Sydney und ich träte meine Reise an der U-Bahn-Haltestelle Holloway Road an, dann hätte ich mir Pacino als meine nächtliche Zwischenlandung gedacht, den Ort, an dem mein Flieger auftankte. Ich war realistisch genug einzusehen, dass er mich nicht bis zum Ziel bringen würde, aber sich unentgeltlich mit einem dummen und hässlichen Kind eine Stunde lang hinzusetzen, musste doch sicher für etliche tausend Flugmeilen gut sein, oder? Doch als wir bei unserer ersten Nachhilfestunde über die einfachsten Wörter stolperten, begriff ich, dass er eher die Caledonian Road als Singapur war, und noch weit mehr als zwanzig Haltestellen vor mir lagen, bevor ich auch nur in Heathrow ankommen würde.

Wir begannen mit einem entsetzlichen Buch über Fußball, das er gerne lesen wollte, einer Geschichte in Großdruck über ein einbeiniges Mädchen, das seine Behinderung und den Sexismus der Mannschaftskameraden überwindet, um schließlich Kapitän der Schulmannschaft zu werden. Um Pacino gegenüber fair zu sein, nachdem er kapiert hatte, woher der Wind wehte, zeigte er die angemessene Geringschätzung.

»Die macht nachher den Siegtreffer in nem wichtigen Spiel, wa?« fragte er mit gewissem Ekel.

»Ja, ich fürchte, so könnte es kommen.«

»Aber die hat doch bloß ein Bein.«

»In der Tat.«

»Und sie ist ein Mädchen.«

»Das ist sie, ja.«

»Was für ne Schule soll'n das überhaupt sein?«

»Das kann man sich fragen.«

»Ich frag ja.«

»Du willst den Namen der Schule wissen?«

»Genau. Dann geh ich mit meinen Freunden dahin und verarsch die, weil die'n einbeiniges Mädchen in der Mannschaft haben.«

»Ich bin nicht sicher, ob es diese Schule wirklich gibt.«

»Dann stimmt die Geschichte nicht mal?«

»Nein.«

»Dann geht mir das am Arsch vorbei.«

»Prima. Dann such dir was anderes aus.«

Er schlurfte zurück zu den Büchereiregalen, konnte aber nichts finden, das ihn interessierte.

»Wofür interessierst du dich denn überhaupt?«

»Nix, eigentlich.«

»Für gar nichts?«

»Obst find ich nicht schlecht. Meine Mum sagt, ich würd Obst essen wie'n Weltmeister.«

»Sehr schön. Da haben wir etwas, worauf wir aufbauen können.«

Von unserer Stunde blieben noch fünfundvierzig Minuten.

Was würden Sie machen? Wie stellt man es an, sich selbst nett genug zu finden, um noch ein bisschen weiterleben zu wollen? Und warum reichte meine Stunde mit Pacino nicht aus? Zum Teil mache ich ihn verantwortlich. Er *wollte* einfach nicht lernen. Und er war auch nicht das Kind, das mir vorgeschwebt hatte. Ich hatte auf eines gehofft, das außergewöhnlich intelligent, aber durch die familiären Verhältnisse benachteiligt war, eines, aus dem eine einzige zusätzliche Nachhilfestunde pro Woche so eine Art Proleten-Wunderkind machte. Ich wollte, dass meine wöchentliche Nachhilfestunde den Unterschied zwischen einer Zukunft als Heroinabhängiger und einer Zukunft als Anglistikstudent in Oxford ausmachte. So ein Kind hatte ich gewollt, und stattdessen bekam ich eins, dessen Hauptinteresse dem Verzehr von Obst galt. Wozu musste der überhaupt lesen können? Fürs Männerklo gibt es ein internationales Symbol, und was im Fernsehen kommt, kann er sich immer noch von seiner Mutter vorlesen lassen. Vielleicht ging es genau darum, um die pure, zermürbende Sinnlosigkeit des Ganzen. Wenn man weiß, dass man etwas so offenkundig Sinnloses tut, findet man sich vielleicht netter als jemand, der Menschen tatsächlich hilft. Vielleicht fühle ich mich am Schluss besser als der blonde Pfleger und kann ihn wieder verhöhnen, nur diesmal mit gutem Recht.

Selbstwertgefühl ist ein Kapital wie jedes andere. Man verbringt Jahre damit, es anzusparen, und wenn man will, kann man es an einem einzigen Abend restlos verballern. Ich hatte das Ersparte von über vierzig Jahren in wenigen Monaten verpulvert und musste jetzt wieder mit dem Ansparen beginnen. Ich schätzte, dass Pacino für etwa zehn Pence die Woche gut wäre, es konnte also ein Weilchen dauern, bis ich es mir wieder leisten könnte, einen Abend auszugehen.

Na bitte. Jetzt kann ich den Satz beenden: »Hart ist, Pacino das Lesen beizubringen.« Oder sogar: »Hart ist, sich eigenhändig Stück für Stück wieder aufzubauen, und zwar ohne Bauanleitung und ohne zu wissen, wo die wichtigsten Teile hin müssen.«

Lizzie und Ed kauften mir eine Gitarre und eine Mundhar-
monika und ein Neck-Rack in einem der coolen Läden auf
der Denmark Street, und als wir auf dem Weg nach Heathrow waren, sagte Ed, dass er mir den Flug in die Heimat be-
zahlen wolle.

»Ich kann noch nicht nach Haus, Alter.«

Ich fuhr bloß mit, um mich zu verabschieden, aber die
U-Bahn-Fahrt dauerte so verdammt lange, dass wir schließ-
lich über was anderes redeten als darüber, welche schrottige
Zeitschrift er sich im Presse-und-Buch-Laden kaufen wollte.

»Hier hast du doch nichts verloren. Komm mit nach
Hause und such dir eine neue Band.«

»Ich hab hier schon eine.«

»Welche?«

»Du weißt schon. Die Truppe.«

»Die betrachtest du als Band? Diese Loser und verfickten … Perversen, die im Starbucks waren?«

»Ich war vorher auch schon mit Losern und Perversen in
einer Band.«

»In meiner Band waren jedenfalls nie Perverse.«

»Und was ist mit Dollar Bill?«

Dollar Bill war unser erster Bassist gewesen. Er war älter
als wir, und wir mussten uns nach einem Zwischenfall mit
dem Sohn des Hausmeisters der High School von ihm trennen.

»Dollar Bill konnte wenigstens spielen. Und was können
deine Kumpels?«

»Es ist nicht so eine Art Band.«

»Es ist gar keine Band. Was soll das jetzt heißen, ist das
für immer? Willst du bis zu ihrem Lebensende mit den Figuren rumhängen?«

»Nein, Mann. Bloß bis alle über den Berg sind.«

»Bis alle über den Berg sind? Dieses Mädchen ist verrückt. Der Kerl kann sich in der Öffentlichkeit nicht mehr sehen lassen. Und die alte Frau hat ein Kind, das kaum richtig atmen kann. Wann sollen die je über den Berg sein? Da solltest du lieber hoffen, dass sich ihr Zustand noch verschlechtert. Dann können sie von ihrem verfickten Dach springen, und du darfst nach Haus. Andernfalls seh ich da kein Happyend für dich.«

»Und was ist mit dir?«

»Was hab ich mit dem Scheiß zu tun?«

»Was wär ein Happyend für dich?«

»Wovon redest du?«

»Ich möchte wissen, mit welcher Art von Happyend der Rest der Bevölkerung rechnen darf. Erklär mir, wo der Unterschied ist. Denn Martin und Maureen und Jess haben die Arschkarte gezogen, aber du … Du darfst Leute ans Kabelnetz anschließen. Wohin bringt dich das?«

»Wohin es mich halt bringt.«

»Eben. Wo ist das?«

»Leck mich, Mann.«

»Ich mein ja bloß.«

»Ja. Schon kapiert. Auf mich wartet genauso wenig ein Happyend wie auf deine Freunde. Besten Dank. Macht es dir was aus, wenn ich warte, bis ich zu Haus bin, bevor ich mich erschieße? Oder soll ich es gleich hier tun?«

»He, so war das nicht gemeint.«

Aber ich vermute, das war es doch. Wenn man sich selbst an diesen Ort manövriert hat, an den Ort, an dem ich mich Silvesterabend befunden hatte, dann denkt man, alle Menschen, die nicht mit auf dem Dach gestanden waren, wären eine Million Meilen weit weg, auf der anderen Seite des Ozeans, doch das sind sie nicht. Denn es ist gar kein Meer da. Sie befinden sich so ziemlich alle auf dem Festland und in Reichweite. Ich will nicht behaupten, das Glück läge so nahe, wenn wir es nur sehen könnten, oder ähnlichen Schwachsinn. Ich sage damit nicht, selbstmordgefährdete Menschen trennt gar nicht so viel von Menschen, die es packen, ich meine, Menschen, die es packen, trennt gar nicht so viel vom Selbstmord. Vielleicht sollte ich das nicht ganz so tröstlich finden, wie es der Fall ist.

Unsere neunzig Tage neigten sich dem Ende zu, und ich würde sagen, dieser Suizidologe von Martin wusste, wovon er sprach. Die Dinge änderten sich. Sie hatten sich nicht besonders schnell geändert, sie hatten sich auch nicht besonders drastisch verändert, und vielleicht hatten wir nicht mal besonders viel dafür getan, dass sie sich änderten. Und in meinem Fall hatten sie sich noch nicht mal zum Besseren verändert. Ich konnte aufrichtig sagen, dass meine Lebensumstände und Zukunftsaussichten am 31. März sogar noch weniger beneidenswert aussahen als Silvester.

»Willst du das wirklich durchziehen?« fragte Ed, als wir am Flughafen ankamen.

»Was?«

»Ich weiß nicht. Das Leben.«

»Ich wüsste nicht, wieso nicht.«

»Echt? Scheiße, Mann. Da musst du der Einzige sein. Ich meine, wir hätten es alle verstanden, wenn du gesprungen wärst. Ehrlich. Niemand hätte gesagt, na ja, weißt du: Was für eine Verschwendung. Er hat sein Leben weggeworfen. Denn was würdest du schon wegwerfen? Überhaupt nichts. Von Verschwendung kann keine Rede sein.«

»Na, besten Dank, Mann.«

»Gern geschehen. Ich sag nur, wie ich das sehe.«

Er grinste, und ich grinste, und wir redeten einfach miteinander, wie wir immer über alles geredet hatten, was in unserem Leben schief gelaufen war. Ich schätze, es klang nur ein bisschen boshafter als sonst. Früher hätte er mir unter die Nase gerieben, das Mädchen, das mir gerade das Herz gebrochen hatte, hätte sowieso mehr auf ihn gestanden, oder ich hätte ihm unter die Nase gerieben, der Song, über den er Monate gebrütet hatte, wäre totaler Mist, aber heute ging es um mehr. Aber er hatte Recht, mehr denn je. Von Verschwendung konnte keine Rede sein. Der Trick besteht darin zu begreifen, dass man trotz allem Anspruch auf seine vollen 70 Jahre hat.

Straßenmusik zu machen ist nicht mal das Schlechteste. Na schön, es ist schlecht, aber es ist nicht grauenvoll. Na schön, es ist grauenvoll, aber es ist … Ich komme ein anderes Mal darauf zurück, diesen Satz mit etwas zu beenden, das lebensbejahend und wahrheitsgemäß zugleich ist. Der erste Tag draußen fühlte sich absolut klasse an, denn ich hatte schon viel zu lange keine Gitarre mehr in der Hand gehabt. Der zweite Tag war auch ziemlich gut, denn ich war nicht mehr ganz so eingerostet und spürte, wie allerlei zurückkam, Akkorde und Songs und Zuversicht. Danach fühlte es sich an, wie es sich eben anfühlt, Straßenmusik zu machen, und Straßenmusik zu machen war allemal ein besseres Gefühl, als Pizzas auszuliefern.

Und die Leute legten auch was auf das Deckchen. Dafür, dass ich einem Trupp spanischer Jugendlicher vor Madame Tussaud's »Losing My Religion« vorspielte, kassierte ich rund zehn Pfund und tags drauf von einer Horde Schweden (»William, It Was Really Nothing«, Tate Modern) fast genauso viel. Wenn ich bloß einen gewissen Kerl hätte kaltmachen können, wäre Straßenmusik der Traumjob für mich gewesen. Zumindest der beste Job, der es mit sich brachte, auf dem Bürgersteig Gitarre zu spielen. Der gewisse Kerl hört auf den Namen Jerry Lee Pavement, und sein Trick besteht darin, sich gleich neben mir aufzubauen und dasselbe Stück wie ich zu spielen, bloß zwei Takte später. Ich fang also an, »Losing My Religion« zu spielen, und er fängt auch mit »Losing My Religion« an. Dann breche ich ab, weil sich das grässlich anhört, und er bricht auch ab, und dann lachen alle, weil das ja so verfickt lustig ist, hahaha. Also geht man woandershin, und er kommt prompt hinterher. Es ist auch völlig egal, welchen Song man spielt, was schon irgendwie beeindruckend ist, das muss ich ihm lassen. Ich dachte, ich könnte ihn mit »Skyway« von den Replacements abschütteln, das gerade mal neunzehn Menschen auf der Welt kennen und das ich nur reinnahm, um ihn wegzuekeln, aber auch das hatte er drauf. Ach ja, und er kriegt auch das ganze Geld hingeworfen, weil er ja offensichtlich das Genie ist, nicht ich. Einmal, auf dem Leicester Square, verpasste ich ihm eine, aber alle fingen an, mich auszubuhen, weil sie ihn ja so lieben.

Aber ich denke mal, jeder hat im Job einen, mit dem er nicht auskommt. Und falls ihr gerade Mangel an Metaphern für die Stupidität und Sinnlosigkeit eures Berufslebens habt – und mir ist bewusst, dass es nicht jedem so geht –, müsst ihr zugeben, dass Jerry Lee Pavement kaum zu übertreffen ist.

MAUREEN

Zu unserer Neunzig-Tage-Party trafen wir uns in dem Pub gegenüber von Topper's House. Wir wollten ein paar Drinks nehmen, dann aufs Dach gehen, um noch mal alles zu überdenken, und dann auf ein Curry ins Indian Ocean auf der Holloway Road. Wegen des Currys wusste ich nicht so recht, aber die anderen meinten, sie würden etwas aussuchen, das mir bekommen würde. Ich wollte jedoch nicht mit auf das Dach.

»Warum nicht?« fragte Jess.

»Weil sich da oben Menschen umbringen«, sagte ich.

»Sag bloß«, sagte Jess.

»Ach, dir hat das am Valentinstag wohl gefallen, was?« fragte Martin sie.

»Nein, nicht direkt *gefallen*. Aber, du weißt schon.«

»Nein, weiß ich nicht«, sagte Martin.

»Das gehört nun mal zum Leben, oder?«

»Das sagen die Leute immer bei unangenehmen Dingen. ›Ach, in diesem Film werden jemandem die Augen mit einem Korkenzieher rausgezogen. Aber das gehört nun mal zum Leben.‹ Ich werd dir sagen, was noch zum Leben gehört: scheißen gehen. Aber das will nie jemand sehen, oder? So was kommt nie in einem Film vor. Gucken wir uns heute Abend doch an, wie Leute einen Haufen machen.«

»Wer würde uns schon zusehen lassen?« fragte Jess. »Die Leute schließen immer ab.«

»Aber wenn sie es nicht täten, würdest du zusehen, was?«

»Wenn sie es nicht täten, würde es eher zum Leben gehören, oder nicht? Ja, ich würde es machen.«

Martin stöhnte und verdrehte die Augen. Er hätte doch eigentlich viel klüger als Jess sein müssen, aber irgendwie schien er nie einen Streit mit ihr zu gewinnen, und jetzt hatte sie ihn wieder.

»Aber die Leute schließen die Tür ab, weil sie ihre Ruhe haben wollen«, sagte JJ. »Und vielleicht wollen sie auch ihre Ruhe haben, wenn sie sich umbringen.«

»Du meinst also, man sollte sie einfach machen lassen?« fragte Jess. »Also ich find das nicht in Ordnung. Vielleicht können wir heute Abend irgendwen davon abhalten.«

»Und wie passt das zu den Idealen deines Freundes? Soweit ich verstanden habe, bist du doch nun der Ansicht, wenn es um Selbstmord geht, sollten ausschließlich Angebot und Nachfrage entscheiden«, sagte Martin.

Wir hatten gerade über einen Mann namens Keinhund gesprochen, der Jess eingeredet hatte, Selbstmordgedanken wären absolut vernünftig und jedermann sollte sie gelegentlich haben.

»So einen Sch… habe ich nie behauptet.«

»Verzeihung. Ich habe das ein bisschen paraphrasiert. Ich dachte, wir dürften uns da nicht einmischen.«

»Nein, nein. Wir können uns schon einmischen. Verstehst du, Einmischen ist Teil des Prozesses. Du musst bloß darüber nachdenken und anschließend, was auch immer. Wenn wir jemanden abhalten, dann haben die Götter entschieden.«

»Und wenn ich ein Gott wäre«, sagte Martin, »würde ich auch ausgerechnet dich zu meinem Sprachrohr machen.«

»Ist das was Unanständiges?«

»Nein. Ein Kompliment.«

Jess sah erfreut aus.

»Und, sollen wir uns einen ausgucken?« fragte sie.

»Wie willst du dir denn einen ausgucken?« fragte JJ sie.

»Na, es ist wahrscheinlich einer hier, für den Anfang.«

Wir sahen uns im Pub um. Es war erst kurz nach sieben und noch nicht sehr voll. In der Ecke neben dem Herrenklo saßen ein paar junge Burschen in Anzügen, die sich ein Handy anguckten und lachten. An dem Tisch, der der Theke am nächsten stand, saßen drei junge Frauen, die sich Fotos anguckten und lachten. Am Tisch neben uns saß ein junges Paar, das einfach lachte, und an der Theke saß ein mittelalter Mann, der Zeitung las.

»Die lachen zu viel«, sagte Jess.

»Jemand, der SMS komisch findet, bringt sich nicht um«, sagte JJ. »Dafür spielt sich in ihm zu wenig ab.«

»Ich hab schon ein paar witzige SMS gesehen«, sagte Jess.

»Nun ja«, sagte Martin. »Ich bin nicht sicher, dass das JJs Einwand wirklich entkräftet.«

»Schnauze«, sagte Jess. »Was ist mit dem Kerl, der Zeitung liest? Der ist alleine da. Der kommt vermutlich noch am nächsten ran.«

»Am nächsten ran?« sagte Martin. »Du meinst also, wir müssten irgendwem in diesem Raum Selbstmordabsichten ausreden, egal, ob er welche hat oder nicht?«

»Na ja, die lachenden Kretins da werden wohl kaum raufgehen, oder? Der da scheint schon eher, na ja, was im Kopf zu haben.«

»Der liest die Pferdesportseiten in der verf… *Sun*«, sagte Martin. »Sein Kumpel wird jeden Moment erscheinen, und dann pfeifen sie sich fünfzehn Pints und ein Curry ein.«

»Snob.«

»Ach ja, und wer meint hier, man müsste was im Kopf haben, um sich umzubringen?«

»Das meinen wir alle«, sagte JJ. »Oder nicht?«

Jeder von uns hatte zwei Getränke. Martin trank doppelten Whisky mit Wasser, JJ zwei Pints Guinness, Jess trank Red Bull und Wodka und ich Weißwein. Vor drei Monaten wäre ich vermutlich ein bisschen beduselt gewesen, aber irgendwie trinke ich mittlerweile ziemlich viel, daher war mir nur warm und angenehm zumute, als wir aufbrachen und über die Straße gingen. Die Uhren waren letzten Sonntag zurückgestellt worden, doch obwohl es einem unten auf der Straße schon dunkel erschien, wirkte es auf dem Dach so, als sei irgendwo in der Stadt noch etwas Helligkeit vorhanden. Wir lehnten uns an das Mäuerchen, direkt neben der Stelle, wo Martin das Loch in den Zaun gemacht hatte, und schauten nach Süden zum Fluss.

»Also«, fragte Jess, »will irgendwer springen?«

Niemand sagte etwas, denn das war keine ernst gemeinte Frage mehr, und so lächelten wir nur.

»Das muss doch ein gutes Zeichen sein, oder? Dass wir immer noch da sind?« fragte JJ.

»Sag bloß«, sagte Jess.

»Im Ernst«, sagte JJ. »Das war keine rhetorische Frage.«

Jess fragte ihn aggressiv, was das wieder heißen sollte.

»Das heißt, ich möchte es wirklich wissen«, sagte JJ. »Ich möchte wirklich wissen, ob es … ach, ich weiß auch nicht.«

»… besser ist, dass wir noch da sind, als wenn wir nicht da wären?« fragte Martin.

»Ja. So was. Schätze ich.«

»Es ist besser für deine Kinder«, sagte Jess.

»Ich nehme es an«, sagte Martin. »Nicht, dass ich sie je zu sehen kriege.«

»Es ist besser für Matty«, sagte JJ, und ich sagte nichts, was alle daran erinnerte, dass es für Matty eigentlich einerlei war.

»Jedenfalls gibt es für uns alle Menschen, die uns nahe stehen«, sagte Martin. Und die Menschen, die uns nahe stehen, sehen uns lieber lebend als tot. Alles in allem.«

»Meinst du wirklich?« fragte Jess.

»Fragst du mich, ob ich glaube, dass deine Eltern dich lieber lebendig als tot sähen? Ja, Jess, deine Eltern möchten, dass du lebst.«

Jess schnitt ein Gesicht, als glaube sie ihm nicht.

»Wieso haben wir nicht früher daran gedacht?« fragte JJ. »An Silvester. Ich hab kein einziges Mal an meine Eltern gedacht.«

»Ich schätze, weil damals alles schlimmer war«, sagte Martin. »Angehörige sind wie, ich weiß auch nicht. Wie Schwerkraft. Manchmal stärker und manchmal schwächer.«

»Klar, das ist typisch Schwerkraft. Morgens schwebt man so rum und abends kriegt man kaum einen Fuß vom Boden.«

»Dann meinetwegen Gezeiten. Man merkt den Sog nicht, wenn … Na ja, auch egal. Du weißt, was ich meine.«

»Wenn irgendwer heute Abend hier raufkäme, was würdet ihr ihm sagen?« fragte JJ.

»Ich würde ihm von den neunzig Tagen erzählen«, sagte Jess. »Denn das stimmt doch, oder?«

»Ja«, sagte JJ, »es stimmt, dass keiner von uns heute
Abend Bock hat, sich umzubringen. Aber was ... wenn er uns
fragt, wieso nicht? Wenn er wissen will, was sich zum Besseren gewendet hat, seit ihr beschlossen habt, nicht zu springen? Was würdet ihr ihm darauf sagen?«

»Ich würde ihm von meinem Job im Zeitungsladen erzählen«, sagte ich. »Und von dem Quiz.«

Die anderen starrten auf ihre Füße. Jess wollte etwas sagen, aber JJ fing ihren Blick auf, und sie überlegte es sich anders.

»Yeah, schön, du, dir geht's einigermaßen«, sagte JJ nach
einer Weile. »Aber ich bin ein ver... Straßenmusiker, Mann.
Sorry, Maureen.«

»Und ich scheitere daran, dem dummsten Kind des Uni-
versums das Lesen beizubringen«, sagte Martin.

»Geh nicht zu hart mit dir ins Gericht«, sagte Jess. »Du
scheiterst auch noch an vielen anderen Dingen. An deinen
Kindern, in deinen Beziehungen ...«

»Ach ja, du hingegen, Jess ... Du hast Erfolg auf der
ganzen Linie. Sch..., bist du gut dran!«

»Sorry, Maureen«, sagte JJ.

»Ja, entschuldige bitte, Maureen.«

»Vor neunzig Tagen kannte ich Keinhund noch nicht«,
sagte Jess.

»Ach ja«, sagte Martin. »Keinhund. Der einzige Glücks-
fall, dessen sich einer von uns rühmen kann. Abgesehen von
Maureens Quizmannschaft natürlich.«

Ich erinnerte ihn nicht an den Zeitungsladen. Ich weiß,
das ist keine große Sache, aber es hätte aussehen können, als
wollte ich damit auftrumpfen.

»Ja, erzählen wir unserem selbstmordgefährdeten Freund
doch von Keinhund. ›Oh, unsere Jess hier hat einen Mann
kennen gelernt, der nichts von Namen hält und meint, alle
sollten sich permanent umbringen.‹ Das wird ihn aufheitern.«

»Das sagt er ja gar nicht. Du ziehst bloß alles in die Sch…
Warum musstest du davon anfangen, JJ? Wir wollten doch
einen schönen Abend verbringen, und jetzt sind alle besch…
deprimiert.«

»Yeah«, sagte JJ. »Es tut mir Leid. Weißt du, ich hab
mich bloß gefragt. Warum wir alle noch da sind.«

»Na, danke«, sagte Martin. »Herzlichen Dank.«

In der Ferne sahen wir die Lichter vom großen Riesenrad, dem London Eye, am Fluss.

»Das müssen wir ja auch nicht jetzt entscheiden, oder?«
fragte JJ.

»Natürlich nicht«, sagte Martin.

»Wie wär's, wenn wir uns noch mal sechs Monate Zeit
geben? Und mal sehen, wie wir zurechtkommen?«

»Dreht sich das Ding wirklich?« fragte Martin. »Ich kann
es nicht erkennen.«

Wir starrten lange hin und versuchten, das herauszufinden. Martin hatte Recht. Es sah nicht so aus, als würde es
sich bewegen, aber das musste es wohl, denke ich.

Nick Hornby
Fever Pitch

Ballfieber – Die Geschichte eines Fans
Deutsch von Marcus Geiss und Henning Stegelmann
KiWi 409

Die verrückte Geschichte einer lebenslangen Liebe. Ein
Fußballfan und sein Verein. Der Fan heißt Nick Hornby,
sein Verein Arsenal London. Mit wunderbarer Leichtigkeit
und sprühendem Witz schildert Hornby die Spiele und
sein Leben: In zahlreichen mal amüsanten, mal nach
denklichen Anekdoten erzählt er von der Scheidung der
Eltern, dem Alltag in der Vorstadt, dem lustlos absolvier-
ten Studium in Cambridge und den ersten Freundinnen.

»Das beste Fußballbuch, das jemals geschrieben wurde,
und das ist noch maßlos untertrieben.« *taz*

»Selbst Fußballhasser werden entzückt sein.« *Elle*

»Hornby hat zwei Begabungen: Er ist ein gnadenloser,
lebenskluger Beobachter und ein charmanter Plauderer
zugleich.« *Vogue*

Paperbacks bei Kiepenheuer & Witsch www.kiwi-koeln.de

Nick Hornby
About a Boy

Roman
Deutsch von Clara Drechsler und Harald Hellmann
Gebunden

Ein Roman über Singles, Väter, Mütter und Kinder, denen das Leben machmal hart zusetzt und die sich trotzdem nicht unterkriegen lassen. Hornbys entwaffnender Humor und seine immer wieder durchscheinende Liebe zur Popkultur machen »About a Boy« zu einem großen Lesevergnügen.

»Der Brite Nick Hornby ist der Schriftsteller, auf den alle gewartet haben. Er schreibt die Geschichten nieder, die das Leben schrieb, und er bedient sich dazu einer Sprache, die das Leben halt so spricht, wenn man es läßt.« *FAZ*

»›About a Boy‹ wird Hornbys zahllose Fans glücklich machen.« *The Sunday Times*

Kiepenheuer
&Witsch   www.kiwi-koeln.de

Nick Hornby
31 Songs

Titel der Originalausgabe: Thirty-One Songs
Aus dem Englischen von
Clara Drechsler und Harald Hellmann
KiWi 822

Nick Hornby liebt Popmusik, das weiß man spätestens seit seinem Roman »High Fidelity«. In diesem Buch nun schreibt er über Popmusik und erzählt mit viel Selbstironie und einer wunderbar subjektiven Haltung über seine augenblicklichen Lieblingssongs.

»Hornby ist ein schreibender Gott.« *Allegra*

»Wunderschöne Meditationen über die Frage, wie man trotz Pop und mit Pop in Würde altern kann.«
Süddeutsche Zeitung

»Hornby ist der Holden Caulfield der Popkritik. Er schreibt mit Mut, Eigensinn und einer gesunden Ignoranz.« *FAZ*

Paperbacks bei Kiepenheuer & Witsch www.kiwi-koeln.de

Nick Hornby
How to be Good

Roman
Gebunden

Sie ist eine gute Ärztin. Sie hat eine normale chaotische Familie – zwei Kinder und einen zynischen Mann. Sie tut ihr Bestes, doch das reicht nicht, als der Heiler DJ GoodNews auftaucht und alles ins Trudeln gerät ...

»Hornby hält in dieser schrägen Geschichte meisterhaft die Balance zwischen Ernst und Komik.« *Brigitte*

»Hornby ist ein schreibender Gott.« *Allegra*

»Bierernst und brüllend komisch zugleich.« *Cosmopolitan*

»Wenn das so weitergeht, wird man Hornbys Werk bald als muntere Sozialgeschichte unserer Jahre lesen können.« *FAZ*

»Hohepriester des Komischen. Topstar unter den jüngeren britischen Autoren. So witzig wie seit ›High Fidelity‹ nicht mehr.« *Focus*

»Sein bisher bestes« *Die Woche*

Kiepenheuer & Witsch   www.kiwi-koeln.de

Nick Hornby
High Fidelity

Roman
Deutsch von Clara Drechsler und Harald Hellmann
Gebunden

Ein ebenso komischer wie trauriger, verspielter wie wei-
ser Roman über die Liebe, das Leben – und die Popmusik.
Nick Hornby schildert mit entwaffnendem Charme scharf-
sinnig und direkt das Lebensgefühl seiner Generation, er
trifft seine Leser mitten ins Herz und in den Kopf.

»Ich kann mir nicht vorstellen, mit jemandem befreundet
zu sein, der dieses Buch nicht liebt.« *Daily Telegraph*

»›High Fidelity‹ zu lesen, ist wie einer guten Single zuzuhören. Du weißt, es ist von der ersten Minute an wunderschön, und sobald es vorbei ist, willst du es von vorn anhören.« *Guardian*

»Ein Triumph, bewegend, wahnsinnig komisch, unglaublich authentisch.« *Financial Times*

Kiepenheuer
& Witsch   www.kiwi-koeln.de

Nick Hornby
Speaking with the Angel

Erzählungen
Gebunden

Nick Hornby proudly presents: die Crème de la crème der neuen englischsprachigen Erzähler!

Erzählungen – spannend, faszinierend, witzig, traurig, schwarz oder komisch – von einigen der besten englischsprachigen Autoren, darunter Robert Harris, Melissa Bank, Patrick Marber, Colin Firth, Zadie Smith, Nick Hornby, Dave Eggers, Helen Fielding, Roddy Doyle, Irvine Welsh, John O'Farrell, Giles Smith, machen diesen Band zu einem Streifzug durch die aktuelle englische Literatur.

Kiepenheuer
& Witsch   www.kiwi-koeln.de

Jochen-Martin Gutsch / Juan Moreno
Cindy liebt mich nicht

Roman
KiWi 876
Originalausgabe

Erst als Maria spurlos verschwindet, lernen sich David
und Franz kennen. Beide waren Marias Freund, beide
hatten sich verliebt. Nun machen sie sich in einem alten
braunen Opel auf die Suche nach ihr ...
Mit feinem Witz und einem Gespür für das Groteske der
Situation erzählen David und Franz abwechselnd. Zwei,
die immer wollten, dass alles besser so bleibt, wie es ist,
müssen erkennen, dass Maria alles verändert.

»Eine intelligente, gut geschriebene, unsentimentale Drei-
ecksgeschichte, die nur eine Frage offen lässt: Wann
erscheint das nächste Buch?«   *News*

Paperbacks bei Kiepenheuer & Witsch www.kiwi-koeln.de

Julie Orringer
Unter Wasser atmen

Aus dem Amerikanischen von Bettina Abarbanell
KiWi 875
Deutsche Erstausgabe

Julie Orringers Geschichten handeln von jenem Moment, in dem das Leben einen zwingt erwachsen zu werden. Ihre Heldinnen erleben die verwirrenden Gefühle von Sehnsucht, erster Liebe und Kummer. Sie straucheln und finden doch ihren Weg in die fremde Welt der Erwachsenen. Denn alle lernen, unter Wasser zu atmen.

»Wenn man einmal mit ›Unter Wasser atmen‹ begonnen hat, wird man nicht mehr aufhören können. Orringers Geschichten sind von herrlicher Reife und großer Anmut.«
Elle

»Julie Orringer schreibt komplex und mit viel Humor. Ihre Geschichten zeugen von einer eindringlichen Intelligenz und einer bemerkenswerten Selbstsicherheit.«
Boston Globe

»Kaum hatte ich das Buch ausgelesen, kaufte ich mir eine Erstausgabe und noch ein zweites Exemplar für den Geburtstag eines Freundes. So toll ist das Buch.«
Nick Hornby

Paperbacks bei Kiepenheuer & Witsch www.kiwi-koeln.de